新潮文庫

桶川ストーカー殺人事件

—遺　言—

清水　潔著

新潮社版

7437

桶川ストーカー殺人事件——遺言

■目次

装幀　新潮社装幀室
章扉写真　桜井修
（六章・八章・九章を除く）
章扉写真　清水潔
（六章・八章・九章・補章）

桶川ストーカー殺人事件——遺言

まえがき

殺人事件の被害者が、犯人を名指しする「遺言」を遺《のこ》していた。

一九九九年十月二十六日、埼玉県のＪＲ桶川駅前で起こった女子大生刺殺事件。当初通り魔による犯行と思われたこの事件は、被害者の猪野詩織《いのしおり》さん（21＝当時）が事件前、執拗《しつよう》なストーカー被害に晒《さら》されていたことでメディアの大きな注目を浴びた。同年初めに知り合った男性との交際が終わった直後から、被害者の身辺には嫌がらせ行為が多発していたのだ。その男を「犯人」だと示す証拠は何も残されていなかったが、被害者は犯人を確信していた。警察にもそれを訴えた。だが、被害者は殺されてしまった。

報道は過熱した。ストーカーに狙《ねら》われるとはどんな女性だったのか、どんなストーカー被害を受けていたのか、「犯人」は誰なのか。

間違った報道が随分あった。間違ってはいなくとも偏《かたよ》った報道も相当あった。彼女の

「遺言」を聞いていたはずの警察は沈黙を続けていたし、多くのマスコミは耳を傾けなかったからだ。歪《ゆが》んだ被害者像が報道されるばかりで、捜査そのものは難航した。

たまたま、彼女の「遺言」を真に受けた記者がいた。私だ。事件直後に被害者の友人からことの経緯を聞いた私は、何かに背中を押されるような感覚を味わいながら、取材を続けた。警察の捜査が進展を見せぬ中、彼女の言葉を道標にした私は実行犯を特定し、大量の処分者を出すことになった埼玉県警の不祥事隠しも暴《あば》いた。どちらも仕事としてはスクープと呼べるものだった。だが、私は取材者というよりは事件に巻き込まれた当事者のような気分でこの事件と関わり続けた。得体の知れない「何か」に突き動かされ続けた五ヶ月。その取材ノートをまとめたものが本書である。

報道カメラマンを目指してこの世界に足を突っ込んだ私は、新聞カメラマンからいつの間にかフリーランスとなり、ＦＯＣＵＳで写真を撮っていたつもりが、ふと気がつけば事件記者として最前線で取材していた。ＦＯＣＵＳと関わってからもう十七年が経《た》つ。いつも現場にいた。

いつ終わるともわからぬような張り込みや、報道陣でもみくちゃになりながら写真を撮ることなど何度も経験した。現場を、警察署を、事件関係者を廻《まわ》り、話を聞き、写真に撮る。記者になってやることが変わるわけではない。巡業のように毎週日本全国を経巡り、一年三百六十五日が事件、事故、災害で過ぎていく。派手なことなど何もない、地を這《は》うような仕事だ。正直、自分がこの仕事をこんなに長い間続けることになるとは思ってもいなかった。

なぜなら私は週刊誌が嫌いだからだ。

派手な見出し、愚にもつかないスキャンダル、強引な取材。イメージで言えばそういうことだ。実際にはそうやって雑誌が作られているわけではないのだが、官庁広報型の「公的なメディア」でないというだけで、そういうイメージが作られてしまっているところが嫌いだ。そういう社会のあり方が嫌いだ。かつて、「この国の週刊誌の定冠詞はいつも〝三流〟だ」と言った人がいた。「一流」週刊誌など存在しないのだ、と。私もそう思う。報道される中身ではなく、メディアの形式で一流だの三流だのと区別をするならば、週刊誌はいつまでたっても報道機関として「三流」でしかないではないか。

だが、この桶川の事件に関わってみて私の思ったことの一つは、その分類の弊害が如《によ》実《じつ》に現れたのがこの事件だったのではないか、ということだ。官庁などが発表する「公的な」情報をそのまま流して「一流」と呼ばれることに甘んじているメディアの報道が、その情報源自身に具合が悪いことが起こったときどれだけ歪むか。情報源に間違った情報を流されたとき、「一流」メディアの強大な力がいかに多くのものを踏み潰《つぶ》すか。

本書のもう一つの目的は、警察という公的な機関と、それに誘導された「一流」メデイアが歪めた、この事件の本当の構図と被害者像を改めて伝えることにある。

被害者の詩織さんは今年の春の桜を見ることも、夏の蟬《せみ》の声を聞くことも出来なかった。これからもない。同じ年齢の女性が恋をし、結婚をし、子供を産み、その他さまざまな喜びに満ちて生きていくはずの人生を、あの秋に終えてしまった。私は取材しながらそのことばかりを考えていた。

進んでしまった時計の針を戻すことは出来ない。

あの日、事件は起こってしまった。

だが、なぜだったのか？

二〇〇〇年九月

本書に登場する人物の年齢、
肩書等は当時のものである。

第一章　発　生

発生当日の事件現場

そこに行くまでは普通の事件取材だったのだ。

大宮のカラオケボックス。

初めて行く店だった。金曜夜の繁華街の、轟々《ごうごう》と唸《うな》りを上げるような喧騒《けんそう》をすり抜けて、私達は路上に座り込んでいた金髪の女の子に教えてもらったその店に辿《たど》り着いた。何の変哲もない、どこにでもあるようなカラオケビル。狭い通路にはマイクにがなりたてる客の歌声が反響し、騒々しい手拍子がいつ果てるともなく続いている。怪訝《けげん》そうな顔をした店員に案内されるまま、私達は通路を抜けてその部屋に入り、小さなテーブルを挟んでソファに腰掛ける。私は腰を下ろしながら、店員が後ろ手に閉めようとしている入り口の安っぽいドアを視界の端に捉《とら》えている。あと数センチで閉まりきるドアの最後の動きを追っていた私の視線は、次の瞬間、正面に座るその青年の口の動きに吸い寄せられていた。その大柄な青年は、開口一番こう言ったのだ。

「詩織は小松と警察に殺されたんです」

私はまだ腰を下ろしきっていなかった。

きっとあの瞬間だ、私の中の何かが変わったのは……。

事件の第一報はいつも混乱している。

この事件だって例外ではなかった。最初に飛び込んで来た情報は「通り魔」だったのだ。

一九九九年十月二十六日、この日私が所属しているFOCUS編集部は休み。私はだらしなく寝坊を決め込んでいた。前日はほとんど寝ていなかった。締め切りのため徹夜同然で原稿を書き上げたあとも、原稿の最終チェックである校了作業をすませ、会議に出たりしていたら、あっという間に夜になっていたのだ。当然帰宅したらバタンキューで、目が覚めるとすでに昼だった。普通の時間帯に生活を送っている家族達はとっくにそれぞれの日常を始めている。がらんとした家に、ペットのゴールデンハムスター「のすけ」が籠《かご》の中を歩き廻《まわ》るカサカサという音だけが聞こえていた。久しぶりにのんびりと過ごせる一日が始まろうとしていた。

溜《た》まった用事もたくさんあった。いまだにクリーニング屋に出しっ放しになっている夏のジャケットを取りに行ってこなければ。「のすけ」を散歩させて、小屋も掃除してやろう。何から始めようか迷った末に、私は「のすけ」の小屋を掃除してやろうとハムスターの籠に手を伸ばした。餌《えさ》入れを手に取ったときだった。

着メロが鳴った。

スタートはいつも携帯電話だ。事件記者にとっては恐怖の首輪。

やけに落ち着いた声で編集長がこう言うのかもしれない。

「大地震です。今すぐ現場へ行ってください」

同僚からということもある。

「あの事件の犯人がパクられました！　今から連行されてきます」

他社の知り合いの記者かもしれない。

「ついに××にガサが入るぞ！」

情報提供者の可能性だってある。

「近所でペットの大蛇が逃げ出したよ」

なんでもよい、誰からでもよい、携帯が鳴ったら仕事に関することに決まっている。

嫌な予感がほとんど確信に変わりながら、私は着信ボタンを押した。

「清水さん、お休みのところすみません！」

やっぱりだ。予感的中を祝う気にもなれない。編集部のカメラマン、桜井修の声だった。

「埼玉の桶川駅の近くで女性が殺されたそうです。どうも通り魔らしいです」

思わず溜め息が出た。彼とはかれこれ十五年近くも一緒に仕事をしている。私が最も信頼しているスタッフの一人で、事件、事故、災害と北は北海道から南は沖縄まで行動を共にした回数は数え切れない。妻よりも私のことを知っているかも知れない。取材に出遅れた記者がどれほどみっともないことになるかよく分かっているから好意で電話をくれたのだろうが、こちらとしてもやっと巡ってきた安息日だ。正直勘弁して欲しい。

「……桜井一人なの？」

「大橋も向かってます」

大橋和典は編集部の若いカメラマンである。

「担当は俺ってこと？」

「いや、山本さんは別になんとも……」

ということは指示を受けたのはカメラマンだけだ。写真週刊誌にとって写真は命。山本伊吾編集長としてはとりあえずカメラマンだけ出して、撮れるものは撮っておこうという腹づもりなのだろう。記者の私がここで知らん顔をしていてもなんら問題はない……。

だが、お鉢が廻ってくるのも時間の問題だった。だからこそ桜井は電話をくれたのだ。捜査一課ものと呼ばれるこの手の取材に廻される記者は、FOCUS編集部に何人もいない。このままハムスターの散歩なんぞをしていると、後で出遅れた取材を背負い込むのはその飼い主ということになる。私が迷い、躊躇《ためら》い、ハムスターの餌入れを振り廻している瞬間にも、取材を始めた他社の連中はどんどん素材を集めるはずだ。来週には私のよりもよほど詳しい記事が書店で拝めることだろう。

今遊んで後になって恐ろしいツケを払うか、今のうちに仕事をしてツケを分割払いとしておくか、なんとも楽しい二者択一だった。私は貧乏性だ、選択の余地はない。

「……犯人はどうなったの？」

「全然分かりません。僕も今編集部から一報が来て家を出たばかりです」

「……じゃあ、こっちで少し調べてみるよ」暗い声になっていたと思う。なんといっても事件取材はスピードなのだ。私だってよく分かっている。だが、折角の休みが起きて二十分でパアになったのだ。右手に切れた携帯電話、左手にハムスターの餌入れを持ったまま、私は呟《つぶや》いていた。

「なんで今日なんだよ……」

しかし、この事件が今日とか明日とかいう単位のものではなかったことを、後に私は痛感することになる。いつまでも続く、果てしない取材の幕開きだった。

早速電話掛けにとりかかる。

どんな取材でも同じだが、まずは情報収集だ。闇雲《やみくも》に現場に行っても仕方がない。気持ちは急《せ》くが、天候も分からないまま荒れた海に飛び出すよりは、せめて港で下駄《げた》くらい蹴飛《けと》ばしておきたい。こういうときは日頃付き合いのある同業他社の記者仲間に電話したり、通信社のニュース速報などをチェックしてからの出撃となる。

取材用のショルダーバッグからノートパソコンを取り出すと、両手でキーを叩《たた》いて速報をチェックしながら頬と肩に電話を挟んで情報収集を開始する。こうなると止まらない。こんな時のために、短縮ダイヤルは四百本近くが登録されているのだ。次から次へと掛けまくる。

「桶川の事件ですけど、おたくは記者出してますか？　こっちも今から出るんですけどね……」とエントリーを表明しつつ、各所から情報を集めていく。

新聞記者、テレビ関係者など何ヶ所へも問い合わせをしていると、十分もたたぬうちに折り返し電話が多くなる。すでに取材を開始した他社の記者やレポーター達からの連絡も入ってくる。電話中にキャッチホンが入り、それを受けるとまたキャッチ。まるで航空管制官だ。旧型十六ビットのおっさん脳みそでは処理がしきれなくなるほどだ。

初期情報は断片的だ。

慌《あわた》だしく取られたメモには私の乱雑な字が躍っている。被害者は女性一名。桶川市の隣、上尾市内に住む女子大生、猪野詩織さん二十一歳。現場はJR高崎線桶川駅の真ん前、所轄《しよかつ》は上尾警察署。彼女を刺した男は現在逃走中で警察が行方を追っている……。

三十分で掻《か》き集めた情報は、まとめてみればこんな程度にしかならない。とりあえず、どこに住んでいるどんな人物がどこでどんな被害にあったという事件の骨組み程度はつかめたというところだ。動く前に5W1Hが揃《そろ》うことなどほとんどない。これだけ分かれば上出来だ。

私はジーパンのまま茶色のジャケットをひっかけると、バッグを肩に家を飛び出した。

現場までの足には自分の4WDを使う。私が報道カメラマンだった頃の名残りということもあるが、事件取材ではとにかく早く着くこと。電車が早ければ電車を使う。飛行機が早ければ飛行機を使う。距離も、かかる金額も無視だ。過去、五分の差で笑い、五秒の差で泣いたことだってある。このケース、最善の選択は車だった。渋滞すればどこかの駐車場に車を捨てて電車に切り替え、あとで車が必要になれば現場でタクシーを拾うなりレンタカーを借りるなりすればいい。

私は十八年、ずっと「現場」の人間だった。考えるより先に体が動く。家を飛び出した勢いのまま車に飛び乗るとバッグを後部座席に放り込んだ。桶川までの道順を頭に描きながら、イグニッションキーを廻す。車載テレビのスイッチを入れ、車を出す。家を飛び出してから五分も経《た》っていなかったろう。

携帯をハンズフリーにして運転しながら、桜井に電話を入れて状況を説明する。

「配置はどうすればいいですかね」桜井が聞く。

「桜井は現場で〝雑感〟撮って。警察の鑑識がいたら入れ込んでね。大橋には万一犯人が連行されてきた場合に備えて上尾署の外でスタンバイしてもらってよ」

「了解」

「現場撮り終わったら桜井も上尾署ね」

「はいよー」

お互い慣れたものだから細かい打ち合わせは不要だ。

写真週刊誌だからカメラマンの配置は最優先事項だ。今日押さえておくべきなのは、まず現場の写真。次に会見に入れれば警察の会見。犯人が逮捕されれば当然その写真だ。現場は桜井、署の外は大橋に押さえてもらい、現場を撮り終えた桜井を会見に廻すというわけだ。記事に必要とされる写真は毎回違う。事件の概要や規模、推移を見ながら判断していかなければならない。今回は事前にある程度の情報収集が出来ていたからカメラマンの配置もスムーズだ。

道も空《す》いているし、幸先よさそうだった。だが、移動中も頭を休めることは出来ない。車載テレビを横目でチェックしながら現場に着いてからやるべきことをシミュレートする。やらなければならないことは山ほどある。取材先の決定や応援の要請、カメラマンの配置の展開……。

とにかく発生ものの取材は早いもの勝ちだ。手順を間違えると致命傷になる。取材先は他社に荒らされ、被取材者は日を追うごとに口が重くなり、居留守を使ったり姿をくらましたりするようになる。あげく貴重な資料は他社に奪われ、関係者の口裏合わせが行われ、場合によってはアリバイまでが捏造《ねつぞう》されていく……。想像したくもないが、それが現実だ。

車載テレビではニュースが始まっていた。「十二時五十分頃、桶川駅前の歩道上で上尾市内に住む二十一歳の女子大生、猪野詩織さんが刺殺されるという事件がありました……」などとやっている。現場にはまだ距離がある。私はステアリングを握りながら「十二時五十分」という時間を頭にメモする。断片的に、「猪野さんは大学に行くため駅に向かい……」、「猪野さんが自転車を止めようとしたところ、背後から迫ってきた男にまず背中を刺され、続いて胸部を……」などという言葉が耳に入ってくる。それらもすべて頭の中に叩き込む。どのみち直接取材しなければならないことではあるが、進むべき方向に見当はついていた方がいい。

目撃者の証言も早速流れていた。「キャー、痛いって叫び声が聞こえたんです」インタビューに答えているのは現場近くの店の従業員だった。声を聞いて店から飛び出したその店員は、走り去る男の後ろ姿を見たという。歩道には女性が一人、倒れ込んでいたので「何がなんだか分からなかったですよ」と答えている。

チャンネルを次々に替えながら、関係のありそうな情報をすべて頭にメモしていく。「警察では通り魔事件の可能性もあると見て……」という男性レポーターの声を聞いていると、やはり各社動き出してるな、という実感が湧《わ》いてくる。しかし、一方で妙な違和感がある。

この事件でマスコミが動く理由は分かる。

嫌な言い方かもしれないが、殺人事件そのものは日本中で毎日のように起きている。だから、必ずしもすべての殺人事件がマスコミに大きく取り上げられるとは限らない。人の命に何かの差があるわけではない。本来誰がどう殺されても大問題なはずだが、現実には事件によって社会の関心度は変わってしまう。マスコミが報道するから関心が高まるのか、関心が高いからマスコミが報道するのか、それは私には分からない。

だが、この事件の各社第一報「女子大生、刺され死亡」、「通り魔？　女性刺す」などの見出しを見てみれば、マスコミが注目する要素というのが何なのか分かる。キーワードは「若い女性」と「通り魔」だ。

方だ。

「若い女性」についてはとりたてて説明する必要もない。引っかかるのは「通り魔」の方だ。

この年は通り魔事件が相次いでいた。九八年が「毒物列島」なら九九年は「通り魔連鎖」だ、と書いた新聞もあった。それほど犯人と縁もゆかりもない一般市民が巻き込まれる事件が続発していたのだ。大きな事件があると類似した事件が多く起きる。二〇〇〇年なら「十七歳の犯罪」ということになるだろう。マスコミの注目の仕方とは、そういうことだ。

東京池袋の繁華街では、通行人を刺し殺し、逃げ惑う人達をハンマーで殴りながら走り続けた男が取り押さえられた。

羽田発札幌行きの全日空機では、フライトシミュレーター好きの男が機内に刃物を持ち込んでハイジャックした上、機長を刺し殺した。

山口県の下関市では、車のまま駅構内に突入し、包丁をふるって次々と人を刺し殺した男がいた。

私自身池袋と下関、二つの通り魔事件の取材に関わっていた。下関の事件などは三週間前に原稿を書いたばかりだった。

この三十五歳のエリートは、周到にも事件前に下関駅構内を下見している。構内に突入するためにレンタカー店では小型の車を指定、駅付近で包丁を購入した上で駅前ロータリーの切れ目から車で歩道上に侵入するという計画的な犯行だった。女子高生らを次々に跳ね飛ばして駅のコンコースに突入し、改札口前でようやく車を停めたこの男は、車から降りるとニタリと笑って包丁を握りしめ、改札口に飛び込んだのだ……。

何の意味もない殺戮《さつりく》。殺された人はまるで救われない。被害者に落ち度があったとしたら、「社会」を信じて、その瞬間にその場所に居た、ということだけだろう。

駅前、無差別、刺殺事件……。桶川の事件が連想させたのは、そんな一連の事件だった。

だが、と私の思考は車とともに交差点の赤信号で止まった。この事件は少し違うのではないか。

通り魔などの無差別殺人の被害者は、逃げ足が遅い年配者や小さな子供などになる場合が多い。ところが今回の被害者は若い女性、しかも一人だ。微妙な違和感の原因はそれだった。

なぜ若い女性なのか？　なぜ一人だけを刺したのか？

桶川市はJR高崎線で上野駅から約四十分。東京への通勤圏である衛星都市の一つだ。

地方都市の駅前でよく見られる小振りなロータリー、整備された綺麗《きれい》な街並。銀行の支店や大型ショッピングストアー、ファミリーレストランが立ち並んでいる。ケヤキの街路樹やツツジの植え込みがある歩道には、茶色のブロックレンガが敷き詰められていた。事件現場はまさにその歩道上。改札口からもすぐの場所だ。

　私は現場から少し離れたところに車を停めた。厳密には駐車違反である。ダッシュボードに社名入りの腕章を置いておくが、こんなものはオマジナイでしかない。違反は違反だ。一部の「一流」報道機関は各都道府県公安委員会が発行している「駐車禁止除外車両票」などという気の利《き》いたものを所有しているが、私のような「三流」週刊誌記者にそんなものはない。その上、当たり前だがそういった報道機関のように、ハイヤーなどという立派なものが取材のあいだ待っていてくれたりもしない。ミニパトの婦人警官に見つかればただの違反車両だ。気にはなったが仕方がない、こちらは警察非公認の報道機関、それはそれで結構だ。

　現場となった歩道は野次馬や報道陣でごったがえしている。桜井は、すでにいない。現場の雑感を撮り終えて上尾署に向かったのだろう。顔なじみのテレビレポーターが、マイクを片手に身振り手振りでカメラに説明をしている。ビデオ撮りの合間を見て手を挙げて挨拶《あいさつ》だけはしておく。

　現場に着いたら分かる限りの状況をイメージしてみる。私なりの現場検証である。事件、事故現場に着くと私は必ずこれをやるようにしている。

　被害者の猪野詩織さんは大学の授業に出るため駅まで来た。自宅から乗ってきた自転車は歩道の脇に止めた。時刻は十二時五十分。いつもなら猪野さんはそのまま駅に向かう歩道橋を上る。ごく平凡な時間、当たり前の日常だった。しかし、その瞬間に事件は起きた。

自転車に鍵《かぎ》を掛けようとしていた彼女は、背後から近づいてきた男に刺された。振り向いたところでもう一回。大きな悲鳴を上げ、歩道にしゃがみ込む彼女をそのままに、男は走り去る……。

私は立ち止まり、足元に目を向ける。洗い流されたとはいえ、まだ生々しい血の跡がそこにあった。彼女が乗ってきた自転車には鍵がまだついていたという。彼女はそれに乗って家に帰るつもりだったのだ。だから彼女は鍵を掛けようとした。盗まれては困るから鍵を掛けようとした。

自分の身の上に起こる不幸など誰だって想像したくはない。それでもあえて想像するとしても、普通の人なら自転車の盗難程度が不幸の上限だろう。だが、彼女の背後にはナイフを持ったとんでもない男が接近していたのだ。

唐突な死。二十一歳の死。いったいどんな理由があれば、まだ二十一歳の女子大生に殺意を抱けるというのか。

ひどい話だ。

私はもぎ取るように視線を現場から外した。まずは目撃証言をとらなければならない。

又聞きで記事にすることは出来ない。「直当たり《じかあ》」というが、目撃者に直接会って話が聞きたかった。

だが記者会見の時間も迫っていた。どうしたものかとも思ったが、私は即座に決めた。やむを得ない、警察は諦《あきら》めよう。内容はたかが知れているし、数時間もすれば会見の内容はテレビだの新聞だので流れるのだ。

取材先として警察をバカにしているつもりは毛頭ない。本来一番情報が集まる場所である。事件が起きればその現場を管轄する警察署が捜査を担当し、大きな事件の場合は所轄署に捜査本部も出来る。新聞記者やテレビの記者たちの取材はそこを起点に始まる場合が多い。

しかし、我々週刊誌記者は少し違う。

テレビドラマなどでは「雑誌記者」や「ルポライター」が警察署に取材に行くと、人の良さそうな署長さんや刑事さんがこと細かに事件の内容を教えてくれたり現場の写真を見せてくれたりする。或《ある》いは、記者証を見せると警察官が敬礼して警戒線のロープを上げて、現場に入れてくれたりもする。

が、私もこの仕事を始めて随分になるが、そんな取材が出来たことはほとんどない。テレビのそんなシーンを見るといつも羨《うらや》ましくなる。あんな取材がしてみたい。生まれ変わったらああいう記者になってみたい。……まあ、生まれ変わってまでしたい仕事でもないのだが。

実際のところは、週刊誌記者なぞ警察にしてみれば記者ではない。私が行ったところで何の肩書きもないただのおっさんである。その理由は簡単だ。

「記者クラブ」に加盟していないから。

警察に限らず、日本の官庁にはどこにでも「記者クラブ」というものが存在している。新聞やテレビなどの報道機関が集まって作るこの任意団体は、本来クラブ員たちが取材を円滑に行うために置かれている組織なのだが、現実には各官庁が加盟社と非加盟社でメディアを選別し、情報コントロールを行いやすくするために機能している。私にはそうとしか思えない。

警察では各県警レベルで記者クラブが存在しているが、記者クラブに加盟していなければ警察はロクに取材に応じてくれない。ここで私がのこのこ埼玉県警上尾警察署に行ったところで、会見にも入れてもらえない可能性が高いのだ。上尾署前には桜井が行っている。仮に会見に入れるようなことでもあれば、桜井に会見の写真を撮ってもらい、ついでに話も聞いておいてもらえばいい。貴重な時間だ。私は聞き込みする方を選択した。

どんな事件取材でも聞き込みは基本だ。実際になにが、どう起きたのか、そしてそれがどのような状況だったのか、リアルな原稿を書くには詳しいデータが必要になる。歩いて歩いて片端から聞いて廻《まわ》るしかない。

通行人を呼び止めて、「刺殺事件の犯人を見かけませんでしたか？」と声をかけ続ける。

知らない、と言って立ち去る人がほとんどだ。無言で手をひらひらさせて去っていく人もいる。だが、聞き込みを開始して三十分もたたないうちに、「小太りの男ですね」と答えてくれた人が現れた。

休みを潰《つぶ》した甲斐《かい》があった。

「どんな男でしたか？」勢い込んでメモ用紙にボールペンを当てた私に、その人はこう言った。

「さっきテレビニュースでね、そう言ってましたよ。三十代らしいですね」

がっくり来る。

簡単にその瞬間を目撃していた人と巡り会えるなら苦労はないのだ。

その後もいくら歩いている人に聞いて廻っても、事件後に現場付近を通りがかった人しかいない。近所の店にも飛び込んで聞いてみるが、「あの時間は接客中で声も聞こえなかったなあ」などという返事ばかりだ。

それでも聞き込みするしか現在のところ手はない。諦めきれずに聞き込みを続けたが、現場が見える位置にある店などは限りがある。通行人も次々現れては消えていくだけだ。すぐに手が尽きてしまった。

なにしろ現場は大型ショッピングストアーの死角だった。その上駅前という場所柄、本来目撃者は多いはずだが、そのままそこに留《とど》まっている人などいるわけがない。駅前にいる人というのは流動的な人達ばかりなのだ。うろうろしているのは我々かテレビカメラにピースサインを出す野次馬くらいのもので、事件を目撃した人達はすでに目的地や家に向かってしまっていた。

しかも秋の日は釣瓶《つるべ》落し。あっという間に暗くなっていた。時間と靴底が減るばかりで焦《あせ》りが募る。

桜井に電話を入れてみる。

「どう？　そっちは」

「会見には入れましたよ。そろそろ終わるところ」

桜井の話では、最初は非加盟社は拒否されたのだが、数社が抗議すると非加盟社の会見も別に行われることになったのだという。当然加盟社の会見の方が先だ。

「なんともお役所仕事だな」

非加盟社の数も多かったので「数の力」の前では会見を開かざるを得なかったのだろう。

桜井には会見の内容のうち、被害者の住所などざっとしたところだけ伝えてもらう。猪野さん宅は、最寄駅は桶川だが住所は上尾市内。会社員の父親と母親、二人の弟の五人暮らしだったという。

「わかった。じゃあもうちょっと頼む」桜井にそう言って電話を切ると、私はすかさず知り合いの記者に電話を掛けた。

「どうですか調子は」

「清水さんも桶川？」

非加盟社が今頃会見をやっているなら、先に会見を終えた加盟社の記者はもう被害者宅に行っているはずだ、という読みは当たった。当り障《さわ》りないところを教えてもらうつもりでその記者と話していると、奇妙な話が聞けた。

第一報で記者達が到着した時、猪野さん宅には誰もいなかったのだが、記者達が周辺で取材を続けているうちに弟さんが帰ってきた。奇妙だったのは、そのときの弟さんの言葉だった。事件を知らなかった彼は、記者達から姉の死を知らされるとこう言ったのだという。

「本当に殺されちゃったのかよ、マジかよ」

なんらか予期していなければこんな言葉は出てこないのではないか……。私は腑《ふ》に落ちないままその記者との電話を切った。この事件は通り魔によるものではないのか？

目撃者を探し当てたのは、もう真っ暗になった頃だった。事件直後に現場を通りがかった大学生だ。

住んでいる場所は上尾駅から十分程の住宅街。知り合いから住所だけは聞き出したものの、夜になって土地鑑のない住宅街で家探しとは厄介だった。暗くなると表札というのは意外なほど見分けにくくなる。その上、住宅街というのは目印もないし、所番地を示す標識もあったりなかったり。

私は目撃者の家の近くで車を停め、ショルダーバッグをかき回してペンライトと地図を探し出した。車を降りて、ペンライトで一軒一軒表札や住所表示を照らし、地図を片手に歩いていく。これじゃ不審者だ。その昔、ライターで表札を照らしていて指を火傷《やけど》した上、放火魔と間違えられて警察を呼ばれた記者がいたのを思い出した。もちろん私ではない。

目的の家にたどり着くと、その家の前にはすでに他社の記者が一人立っていた。しかも、ちょうど玄関のドアを開けて出てきたのも見覚えある顔だ。誰かと思えば夏から延々と続いていた埼玉県内の保険金殺人疑惑取材で知り合ったテレビ記者。なるほど順番待ちというわけか。

事件の取材をするたびに思うが、目撃者や被害者の友人、加害者の知り合いなど「関係者」は大変だろうと思う。入れ代わり立ち代わりで別の社の別の記者が現れて、同じことを何度も聞かれるのだ。前に行った記者が話を聞けて、自分の番が廻ってきたと思うと「もううんざりだ、さっきの人に聞いてよ」と言われることもあるし、インターホンの連打に怒り出す人もいる。無理もないと思う。こちらとしても申し訳ないとは思うのだが、直当たりせずに書くわけにもいかない。結局、恐縮しながらも同じことを聞くことになる。

この大学生も随分うんざりしていただろうが、それでも取材に応じてもらえたのだからありがたかった。

「被害者を目撃されたそうですね?」

「僕はたまたま駅に向かってたんですが、あの歩道を通りがかった時、女の子が歩道に座っていたんです。最初はどうしたのかな、ふざけているのかな、なんて思って見ていたんですが、足元に血溜《ちだ》まりがどんどん広がっていったんです」

「座っていたんですか……」

「はい。びっくりして近くに寄って行ったんですが、出血がひどかった。それで周りの人にあお向けに寝かされて救急車を待っていました。タオルをかけてもらって……。みんなで〝がんばれ、今救急車が来るから〟って励ましたんです。手は動いていたんですが、顔色がどんどん悪くなって……。意識がなくなってしまった……」

聞いていて暗澹たる気持ちになった。やっと聞けた「ありがたい話」がこれだ。突然迎えた死。自分の親しんだ町で刺され、血溜まりの中に座り込んでしまった彼女……。人が死ぬ瞬間の話は、何度聞いても慣れない。慣れたくもない。

犯人は見ていないです、と彼は言った。


私はまた桶川駅前に戻っていた。取材陣はもう引き上げていない。いつの間にか現場にはいくつもの花束が手向けられていた。刺殺現場にしゃがみこみ、手を合わせている人達がいた。

警察の会見もとっくに終わっているはずだった。桜井に電話を入れた。

メモを取りながら桜井から会見内容を逐一聞く。殺人事件の捜査本部が出来たこと、捜査員は百名という規模であることはわかったが、他にこれといって目新しいことは何もなかった。ただ、犯人像がつかめなかったこともあるだろうが、警察が詩織さんのことばかり発表していたことが気になった。

いくら質問が出たとはいえ「黒いミニスカート」、「厚底ブーツ」、「プラダのリュック」、「グッチの時計」などと服装についてやけに詳しく発表されているのだ。

それらの情報がある意図を持って発表されたのだ、ということに私が気づくのはもっと後のことだ。このときの私は、学生にしては派手な服装だな、くらいにしか思っていない。私は普通のおっさんである。グッチだのプラダだのと聞けばそう思ってしまう。

すでに随分時間が遅くなっていた。まともな所に取材をかけられる時間帯ではなかった。桜井には撤収することを伝え、電話を切った。

車載テレビのスイッチを入れた。NHK、民放のニュース時間は頭に入っている。こういう事件ならどの局の、どのニュースがどれくらい時間を割いて報じるかもだいたい分かる。チャンネルを次々に替えながらテレビに見入った。

私が聞けたのとは別の目撃者の証言が流れていた。詩織さんを刺したあと、犯人は駅と反対の方向に小走りで逃走したのだという。

「あの男を追って！」という声があがり、犯人を追いかけた人もいたのだが結局は見失っている。事件現場は相当混乱していたのだろう、ひったくりと勘違いして追いかけた人もいたようだ。

身長一七〇センチくらいで短髪、小太りでおそらくは三十代というのが、各局共通した犯人像だった。紺系の背広の下に青っぽいシャツを着ていた、という証言もあった。男は事件発生の前から駅前をうろついており、目撃者の数も相当なものだったようだ。

しかし、いくら目撃者が多くとも、男の身元につながるような証言が出てこなければ逮捕までには時間がかかるのではないか……。厄介な事件になりそうだった。

ある局のニュースを見ていたときだった。私はそのインタビューにギョッとした。犯人は逃げるとき、内ポケットに何かを隠すような素振りをすると、ニヤニヤ笑いながら走っていったというのだ。真っ昼間駅前で人を殺し、笑いながら立ち去る男？

　なんなんだ、それは。

　警察の発表では、詩織さんは左胸と背中の二ヶ所を鋭利な刃物で一気に刺されている。死因は出血多量。搬送先の病院で死亡が確認されている。迷うことなく二ヶ所を刺して、笑いながら逃走するとはどう考えてもあきらかな殺意を持って行われた「殺人」だった。傷害致死の可能性など皆無だ。しかもこの手口は、まるでプロの殺し屋ではないか。

　ふと、私が犯人だったら、と考える。詩織さんは毎週火曜日、大学に行くため駅から電車に乗っていたと報じていた局があった。記者が取材して出てくるスケジュールだ、誰が調べてもある程度彼女の予定は割り出せるだろう。午後からの授業だということさえわかれば駅に着く時間も特定できる。これだけの条件が揃《そろ》っていれば、詩織さんを待ち伏せることは十分可能だ。

　私は写真週刊誌記者だ。その上以前はカメラマンだった。どういう条件ならば狙《ねら》ったターゲットのスケジュールが割れるかはよく分かっている。

　これは通り魔なんかじゃない。

　男は明らかに待ち伏せている。手口も鮮やかだ。被害者も彼女一人しかいない。やはり、詩織さんを狙った犯行だと考えた方が自然だった。どういう男かは分からない。だが、詩織さんのスケジュールを割れる男。待ち伏せられるということは顔を知っている男。知人。

「身長一七〇センチ、短髪、小太り、青いシャツ……」

男の特徴を取材メモに書き込むと、私は疲れきった頭にもそれを叩《たた》き込んだ。

深夜に自宅へ帰り着くと、すでに家族は床についていた。折角の休みだったのに家族と顔も合わせられないとは。ひとりぼやきながら部屋に入り電気を点《つ》ける。夜行性の「のすけ」が籠《かご》の中で、突然の明るさに凍りついたように固まっていた。前足の片方が地面から浮いている。どうにも変わった動物だ、と思う。天敵は鳥らしいのだが、夜しか行動せず、危険を感じた時は固まって何かに化けたつもりでいるのである。そんなことで敵の目を欺《あざむ》くことができるのだろうか。

私はハムスターのそんなトボケたところが好きだった。彼の飲み水を換えてやり、レタスの切れ端を放り込むと私も寝床にもぐり込んだ。「のすけ」よ、悪いな、掃除はまた今度だ。

次の日の朝、ふとんの上で朝刊を広げると桶川の事件が大きく出ていた。「ストーカーの犯行か？」という見出しが目に飛び込んできた。

ストーカー？

その記事によると、詩織さんはかつて交際していた男からつきまとわれ、嫌がらせを受けていたのだという。

いったいどういうことなのか。

私は慌《あわ》てて着替えると、車を飛ばして埼玉県に向かった。さらに詳しい記事が読めるとすれば、この場合埼玉県版の新聞だ。ところが、実は県版を読みたいと思うとちょっと面倒なことになる。新聞記事データベースなどには地方版は収録されないことが多いため、人間みずからその県に行かなければならないのだ。仕事が自動的にスタートしてしまっていた。

昨日の代休などというものはもちろんない。疲労がだんだん溜まってくるのがよく分かる。

数十分後、私はまたも桶川駅前の現場に来ていた。キヨスクやコンビニを廻って各社の新聞を集める。朝日、毎日、読売、産経、東京、埼玉新聞、スポーツ紙……。ガサッと重ねて「いくらですか？」と聞くと、驚かれるのはいつものことだ。

各紙似たような内容ではあったが、やはり「ストーカー」、「以前の交際相手」などという文字が並んでいる。詩織さんはその件で警察に相談し、被害届も出しているという。

警察側から流れた情報のようだったが、会見では出ない情報が新聞記者達の夜廻りで出てきたのだろう。

どうしたものか。

警察に取材に行っても仕方がないことはよく分かっている。だが、この件に関して私には何の手がかりもない。新聞にストーカー男の住所や氏名が書いてあるわけもないのだ。どこから手をつければよいやら分からない。

行くあてのない事件取材が、ついつい警察に向かってしまうのも現実である。その日、何から始めるか困り果てた無能記者は、やはり上尾署へ足を向けてしまっていた。

上尾署は桶川駅から車で十分。地方都市のどこでも見られるような普通の警察署だ。白いモルタル壁の一部に黒っぽいタイルが貼《は》られた三階建てで、周囲は駐車場に囲まれている。普段なら静かであろうこの警察署も、事件のせいで午前中からマスコミ関係者がうろうろしていた。

入り口を入っていくと新聞記者が集まっている。昨日は非加盟社にも会見したとはいえ、どうせ雑誌はダメだろうと思いながら副署長に名刺を切る。

「FOCUSの清水と申しますが……」

「FOCUSさんですか。記者クラブに加盟していないなら、取材に応じられませんねえ」

案の定だ。私の鋭い勘が予想通りになったと思えば腹も立たない。

「そうですか」私もあっさり引き下がる。

二十代の頃には、私もこういうケースではよく喧嘩《けんか》をした。「平等に情報を公開せよ。一部マスコミだけに便宜を図るのは、公務員規定違反ではないか」などとやるわけだ。しかし、もうそんな気もない。アホくさいのだ。副署長に取材できたところで、どうせ大した内容があるわけでもない。何か新しいことでもあれば、会見と同じですぐに新聞やテレビが報じてくれる。ただ、ストーカーの情報が入らないのは痛かった。

ではどうするか。

ストーカーがどこの誰だか分からないのであれば、被害者側を取材するしかない。殺人事件の取材でもどかしいのは、いくら取材しようとも事件の当事者達にはまず会えないことだ。被害者はもちろん無理だし、加害者はほとんどが塀の中か逃亡中。この事件では犯人の見当すらついていない。ストーカーという新しい要素は出てきたが、今の段階では取材のしようもない。バランスを失していることは重々承知していても、加害者側に取材先がない場合どうしても取材は被害者側に向かってしまう。どこのメディアも今は詩織さんの側から事件の謎《なぞ》を探ろうと躍起になっているはずだった。詩織さんの周辺を取材することで、なにか事件と関係があることが出てこないかというわけだ。

ほうぼうに電話を掛けてみると、この日各メディアでは詩織さんのアルバイト先の情報が入り乱れていた。犯人像を摑《つか》む糸口はほかにない。私も聞いた端からアルバイト先を廻《まわ》ることにする。

居酒屋、ガソリンスタンド、中華料理店などなど。バイト先を取材することで同僚や客、よく行っていた店など取材範囲も広がっていくはずだったが、実際は間違った情報も多いし、これといったヒントも出ない。午後には次々と取材先が潰《つぶ》れていき、もどかしさばかりが募っていく。

どんな人間だって親しい人間はいる。詩織さんにしても、どこかに必ず彼女をよく知っている人はいるはずなのだ。その中にはマスコミに話をしたいと思っている人だっているだろう。だが、それが誰なのかが私には分からない。自分の隣を歩いているかもしれないのに、それを確かめるすべがない。細い糸でもなんでも手繰り寄せたかったが、その糸口すらなかった。とにかく今は歩いて歩いて取材範囲を広げるしかない。糸の端を手に入れるために。

重要な仕事も残っていた。写真週刊誌ならではの縛り「写真拾い」である。写真週刊誌の記者には、この「写真拾い」と呼ばれる作業が欠かせない。誌面に載せる写真を探すことなのだが、「拾う」と言っても写真が道端に落ちているなら苦労はいらない。関係者に頼み込んで借りたり、複写させてもらったりすることを指す言葉で、殺人事件であれば被害者と加害者の二枚の写真を揃えるのが必須《ひっす》条件である。事件発生当初はこの作業に明け暮れることも珍しくないし、それどころか一週間がこれだけで過ぎていくことさえある。なにせ、写真が拾えなければそのまま記事がボツになることも多いのだ。どんなに見事な話が聞けようと、それだけでは写真週刊誌の記事としては成立しないからだ。

以前は新聞も必ずこれをやっていたが、最近はやらないケースが増えたようだ。新聞に犯人などの顔写真が載っているときは、警察が提供したものであることがほとんどだと思えばいい。

仕事として楽しいものではない。事件取材がいやだ、という記者はこの写真拾いを理由に挙げることも多い。被害者にせよ加害者にせよ、事件当事者の属性が如実《にょじつ》に表れている写真であればあるほどよい写真だと言えるだろうが、なんと言っても、そんな写真を持っている人というのは当事者をよく知っている人なのだ。取材する側の心理的負担も相当なものだ。時には悲しみに打ちひしがれている遺族のところに行って話を聞いて、その上写真まで貸してくれと言わねばならない場合もある。気が重くならないわけがない。これさえなければ記者の負担はまるで違うのではないかと思う。

だが、そんな思いをして取材する先というのは、同時に話としても重要なことが聞けるところでもある。きちんとした記事を書くためには、その人をあまり知らない十人に聞くより、よく知っていたひとりに聞けた方が余程いい。

そして、なにより我々は写真週刊誌だ。写真には人を説得する力があると信じているからこそ、この雑誌をやっているのだ。

その日一日かけて、私はこつこつと取材を続けた。一日がまったく徒労に終わりかけたとき、あるところでひとりの人が「早く事件が解決して欲しいです。参考になりますか」と詩織さんの写真を提供してくれた。写真を手に入れたときのありがたさは写真週刊誌の記者でなければ分からないと思う。ホッとしながらその写真を受け取ると、私はそれをそっと手のひらの上にのせた。

綺麗《きれい》な女性だった。


夕方車のテレビをつけると、ニュース番組で詩織さんの友人の話が流れていた。私は思わず身を乗り出してボリュームを上げた。その友人は、詩織さんからストーカーについていろいろ打ち明けられていたのだという。詩織さんが交際していた男性と別れようとすると、その男性が「大学をやめて俺の子供を産め、別れるなら金を払え」と脅し、さらに家まで押しかけてきたというのだ。その上、詩織さんを誹謗《ひぼう》中傷するビラが家の近所に大量に貼られるという事件も起こっていた。

奇妙な話だった。

確かにストーカーによる殺人事件というのも時に起こる。しかしそういった事件の場合、相手を殺して自分も死ぬ、或《あ》いは、そのまま現場で立ち尽くして逮捕される、というケースがほとんどだ。自らも破滅覚悟という犯罪が多いわけだが、詩織さんを刺したのがそのストーカーだとすれば、犯行後冷静に立ち去っていったという犯人像とどう考え合わせればいいのか分からない。それに被害者と加害者が知り合いなら、その場で揉《も》めたりして口論などが目撃されたりするものだが、この事件ではそれもない。

私は混乱していた。最初は通り魔事件だと思っていたら、次に出てきた話がストーカー。しかも、ストーカーの犯行と考えるにしてもおかしな点が多すぎた。なんとも妙なねじれ方だった。

私一人が何も分からずにいるのではないか、という焦燥感でじりじりする。他メディアはどんどん先行しているのではないか。来週になってうちの雑誌だけが救いようのない程抜かれまくっているのではないか。考えたくもなかったが、このままじゃえらいことになる。

まずはビラだ。

詩織さんの自宅近所で聞き込みを始めることにする。閑静な一戸建てが立ち並ぶ住宅街だ。何件ものハズレを繰り返すうちに、やっと一軒の家で、ビラを保存しているという人に出会えた。

「それ、見せてもらえませんか？」

勢い込んで聞く私に返ってきた言葉は非情だった。ビラは先に到着したマスコミが持ち去ったというのだ。しかもビラはその一枚だけ。先着一名様だけが入手できたというわけだ。

締め切りまであと四日あるとはいえ、今後の事件の展開は予断を許さない。このビラは、ストーカーが存在することを示す重要な証拠だ。なんとしてでも必要だった。祈るような気持ちで同業者に聞いて廻ると、その一枚のビラがマスコミ各社の間を行き来していることが分かった。

こんなときのための人脈だ。さらに何本も電話を掛けて行き先を突き止め、なんとか入手できそうな見通しが立ったのは、もう深夜のことだった。

翌朝、私はまた駅前の現場に立っていた。ビラの所有者と桶川駅前で待ち合わせをしたからだった。どうもこの事件では、この現場と延々付き合う羽目になりそうだった。

だんだん朝がつらくなっていた。休みなしの状態が続くとこういうことになる。目が開いていても起きられないのだ。取材には出なければならないが、バッグも日に日に重くなっていく。疲れ果てた私はこの日タクシーで桶川に来ていた。

「じゃあ、お借りします」

そう言ってビラを受け取るとやっとホッとできたが、一歩の遅れでこれだけの手間がかかったのにはうんざりだった。これを恐れていたというのに。

ビラに目をやった私はさらにうんざりさせられた。呆《あき》れた代物《しろもの》としか言いようがないのだ。黄色いバックに詩織さんの写真が三枚レイアウトされているのだが、その上部には〝WANTED〟〝天にかわっておしおきよ!!〟などと愚にもつかない見出しがついており、下には彼女の氏名や誹謗中傷のセリフまで並べたてられている。

カラー印刷の発色もよく、素人《しろうと》が見ても手の込んだものと分かる。こんなビラを、しかも大量に作って一斉にばら撒《ま》いたというのだからこのストーカーの気合は半端《はんぱ》ではない。紙から異様な執念が伝わってくるようで、私は不気味に感じないわけにはいかなかった。

ようやく詩織さんの弟さんが発した言葉の意味が分かったような気がした。

何も予期せぬ人間が、「本当に殺されちゃったのかよ」などと言いはしない。このストーカーが詩織さん殺害事件と無関係とは到底思えなかった。

しかし、いったいこの男は何者なのか。本人に会って聞きたいことが山ほどあった。何でもいいから情報が欲しかったが、記者クラブの壁で警察への直接取材は諦《あきら》めざるを得ない現状である。この男の情報が聞けるとすれば警察担当の記者しかいない。頭の中で十六ビットのしょぼいコンピュータがうんうん廻り出す。

脳裏に浮かんだ男が一人いた。

ミスターT。

私の親友、いや悪友だ。有難い情報や、ときには聞きたくもないような恐ろしい話を持ってくる男。一応新聞記者だ。「三流」メディア所属の私がこんなことを言ってはなんだが、ただの新聞記者《ブンヤ》ではない。取材力が抜群で粘着質、その上神出鬼没と来ている。私の行く先々どこにでも現れ、不思議な思いをさせられたことも一度ではない。縁があるのだと言われればそんな気もしないではないが、週刊誌記者の私が立ち廻るような先にいるのだ、私としては彼が変なブンヤなのだと思いたい。みんながみんなこんな男だったらたまらない。

しかもなんたる偶然か、一週間前までは通信社の北海道警察担当だったミスターTは、まるでこの事件の発生を知っていたかのように、ここ埼玉県警担当に赴任していたのだ。近いうちに歓迎会をしてあげよう、と話していた矢先だった。私は迷うことなく電話を入れた。

「はいはい、どうも～♪」

彼の口癖である。いつもこの声を聞くとちょいと頼りなくなるが、これが彼の手なのだ。このふにゃけた声が取材相手に威厳も緊張感も感じさせないので、ついつい安心してしゃべらされてしまうのだ。手なのだと思いたい。

「おじさんも、とんだ歓迎ですねえ」

大した年の差でもないのに「おじさん」はないだろう。私はまだ四十を過ぎたばかりだぞ。

そうは思うが助けは欲しい。たずねてみるとこの事件、やはり彼が担当しているという。よしよし、今週の私の運勢は最高だ。彼が私の取材先に転勤してきたばかりか同じ事件まで担当しているなんて、なかなか重なるような偶然ではないのだ。神様が私に幸運を恵んでくださる義理などまるでないと思うが、まさに天の配剤ではないか。そういえば、この前会ったのは北海道の室蘭市、吹雪《ふぶき》の中で行われていたある事件の家宅捜索の家の前だった。そのときもなんでこの男がここにいるのかと思ったものだった……。

実は、この先も私は不思議なくらい多くの幸運に恵まれるのだが、ミスターTの出現が、まさにその始まりだったのかもしれない。

「酒とメシはこれが解決してからということで、とりあえず情報交換だ」

言ってはみたが彼の取材の方がはるかに先行していた。新聞記者は初速が速い。悔しいがこればかりはどう足掻《あが》いても勝ち目がなかった。しかも警察取材歴も長く、もはやベテランの域に突入しつつある彼が取材しているのだ。私の疑問にもすらすらと答えてくれる。肝心のストーカー男についても、

「えー、名前は小松和人。大小の小に松竹梅の松、昭和の和に人間の人で小松和人ですね。年は二十七。住所と職業は現在調査中ですな。……もうちょっと待ってね」と屈託ない。

当然のことながら、警察もこのストーカーを重視して現在行方を追っているところだという。

ストーカーの名前と年齢が判明した。これでようやくスタート地点に立てただけだということはよく分かっていたが、心強い男がそばにいることを知って私は勇気百倍だった。

勢い込んでその日一日、私は詩織さんにまとわりついていたこのストーカーを知っている人がいないか、考えつくすべての方法で接触を図った。と言うと、何かすごい手法があるように聞こえるかもしれないが、わたしはただのおっさんである。そんなものがあれば教えて欲しい。

手段は原始的だ。まずは事件現場だ。花を手向ける人達に順に声をかけてみる。続いて詩織さんの高校時代の友人を探し出して、話を聞かせて欲しいと頼み込む。話が聞けなくても、なんとか同窓生名簿を見せてもらって今度は絨毯《じゅうたん》爆撃で電話をしてみる。

しかし、「アタリ」はない。「小松和人」についてはほとんど何もと言っていいくらい情報が入ってこない。なにか、どこかで行き詰まっている感じが強まっている。

なぜだ？

奇妙な感じだった。詩織さんと距離も近く、事情を知っていそうに思える人達ほど、なぜかみな一様に口が重いのだ。どうしてそこまで押し黙るのか私には分からなかった。

こちらはそんなにまずいことを聞いているのだろうか。ストーカーの話はごくごく一部の人しか知らないのだろうか。テレビでしゃべっている人もいるくらい有名な話だったのではないのだろうか……？

彼らの口が重かったのも、今思えば当然だったろう。彼らは怯《おび》えていたのだ。後に私がそうなるように。

そのときの私は違和感を感じながらも、閉塞《へいそく》した状況を突破しようと足掻くことしか出来なかった。あっという間に一日が過ぎていった。明日こそストーカー話を拾ってやる。私は疲れた頭を拳《こぶし》でがんがんと叩《たた》いた。

詩織さんの友人で、取材を受けてもよいと言ってくれた人がなんとか見つかったのは、翌日になってからのことだった。男性の友人で島田さんと、女性の友人の陽子さん（ともに仮名）の二人だった。島田さんは詩織さんより少し年上の先輩。陽子さんは同級になる。

「電話では駄目ですか」と島田さんはしきりに言ったが、記者としては会えるのと電話取材だけなのとでは雲泥《うんでい》の差だ。

「なんとか会ってもらえませんか。会っていただいて、信用してもらったうえで話を聞きたいんです」懇願する私に対して、彼らは本名さえ名乗りたくないと言う。

いったい何がそんなに詩織さんの友人達を警戒させるのか、私には不思議で仕方がなかった。だが、これが取材の糸口になることは間違いなかった。名前も出さない、写真も撮らない、記事にする際にも誰が証言したか分からぬよう最大限配慮する、私は条件を重ねていった。ようやく、渋々といった感じでＯＫがもらえたときには、私はうれしさよりもその警戒振りに異様なものさえ感じていた。

　私は編集部の新人記者藤本あさみを応援に呼んで、彼らと大宮駅東口のデパート前で落ち合うことにした。締め切りまであと二日。ここで詳しい話を聞ければ記事は何とか成立する。写真もある、ビラもある。あとは彼らに聞ける話次第だった。私にとって、取材はそれまでの幾多の事件と同じように進行していた。

　島田さん達との待ち合わせはスムーズにいった。だが、一目見るなり彼らが真剣に「何か」に怯えていることがよく分かった。待ち合わせの場所に立ちながら、彼らはしきりに辺りを見廻《みまわ》していたのだ。私達と挨拶《あいさつ》を交わしたあとも、ソワソワ体を動かしている。極度の緊張状態にあるようだった。

「喫茶店ででもお話をうかがいたいんですが」

「いや、それは困ります。誰に見られているか、聞かれるか。とにかく危険なんです」

私は内心少々呆れた。何をそこまで気にしているのか。

「カラオケボックスならどうですか」我々がよく使う手だ。会話を聞かれることもないし、見られる心配もない。島田さんは頷《うなず》いた。

　デパートの入り口に座り込んでいた金髪の女の子に、近くにカラオケボックスがないかと聞く。「あそこが安いですよ」派手なマニキュアの指先が指し示した何の変哲もないカラオケビルに向かう間、私は島田さんが歩きながら絶えず後ろを振り返っていることに気づいていた。今度は尾行を警戒している。

　夜のカラオケボックスの受付。これから歌を歌うにしては、妙な四人組だった。背が高くすらっとしたスーツ姿の島田さん、今風のファッションできめた陽子さんと藤本記者、そして彼らとは年も離れて、なんだか一番怪しげな格好をした私。

「通信システムにしますか？」受付で聞かれたが、そんなことはどうでもよかった。

「静かな部屋を」と私が答えると、その受付の女性は意味が良く分からないように首を傾《かし》げた。怪訝《けげん》そうな顔をしたまま案内するその女性に、私達は黙々とついていく。狭い通路にはマイクにがなりたてる客の声が反響し、騒々しい手拍子がいつ果てるともなく続いていた。

　奇妙な取材が始まろうとしていた。案内された部屋で、私達は狭いテーブルを挟んでソファに腰を下ろした。いや、私が腰掛けるより早く、その一見大人しい感じの青年は開口一番、こう切り出したのである。

「詩織は小松と警察に殺されたんです」

他の部屋から漏れてくる音が、やけに騒々しかった。目が痛くなるような派手な内装、出番のなかった分厚い歌本やリモコン、廊下から流れ込む流行《はや》りのメロディーと氷の溶けたアイスティー……。

私の混乱した頭を整理するには、あまりに不似合いな場所だった。しかし、その場所こそが、私とこの事件の本当のスタート地点だったのである。

第二章　遺　言

現場に供えられた花束

「詩織は小松と警察に殺されたんです」

取材を始めようとした矢先だった。微妙なタイミングで発せられたその言葉に、私は一瞬虚をつかれた。

ホイッスルの十秒後にシュートを決められたゴールキーパーのような気分だった。ちょっと待ってくれ、私はまだ何も質問していないではないか。それとも何かの聞き違いだったのか。

態勢を立て直す間もなく二発目の魚雷が私に急速に接近し、あっという間に爆発した。スーツを着たその青年は早口に言った。

「小松はストーカーなんです。詩織は、僕や陽子にすべてを話してくれていました。小松とのすべてをです。僕達もまさか本当に詩織が殺されるとは思っていませんでした。

でも、彼女は僕達にこう言い遺して死んでいったんです」島田さんはそこで唾を飲むように言葉を切った。

「私が殺されたら犯人は小松、って」

私の頭は混乱していた。なんだそれは。殺人事件の被害者が、犯人の名を言い遺して殺されていったというのか？　突拍子もない話だった。その上「犯人が警察」とは……。警察はこれから犯人を探す側ではないか。

島田さんの握り締めた手が目に入った。膝《ひざ》の上で小刻みに震えていた。私を見つめる目にはうっすら涙まで浮かび、その表情は真剣そのものだった。

なおも口を開こうとする島田さんを私は制した。

「ちょっと待って下さい。ゆっくりで結構ですから、順番に話を聞かせてもらえませんか」

とにかく落ち着いてもらおう。私は藤本記者に頼んで飲み物を注文してもらった。いや、本当は私自身が落ち着きたかったのかも知れなかった。なんだかやけにノドが乾く。

私は島田さんの様子を観察していた。人の話を疑うのは記者の習性のようなものだ。

普段の人間関係の中で、「人を疑うこと」が良いことなのか悪いことなのかと問われれば、私は後者だと答えるだろう。しかし、取材となれば話は別だ。情報が少ない場合、面白そうな展開の話をしてくれる取材相手というのは信じてしまいたくなる。だが、そんな内情を承知の上でジャーナリストに接近してくる手合いがいることも私は知っている。安易に人の話を信じてロクなことはない。事件記者から見れば世の中は嘘《うそ》ツキばかりである。

だが、この人達に嘘を吐《つ》く理由はなかった。彼らにはこの事件に関して利害関係がそもそもないからだ。警察の件にしても「犯人だ」というのはどうかと思ったが、見たところ二人とも妙な思い込みを持つタイプにも見えない。

被害者側が、警察の対応に不満を感じて逆恨みする場合はままある。警察のせいで事件が起きたのだと思い込んでしまう人だっている。しかし、島田さんの口調や表情は、そういった人達によく見受けられるアンバランスさからは遥《はる》かに遠い。

店員がグラスを四つ運んできた。消えたままのモニター、黙りこくった四人、コードが巻かれたままのマイク。さぞや《や》異様な光景であったろう。

私はもう、ずっと昔にタバコを止めている。しかしこんな時である、もう一度オイルライターで火を点《つ》けたくなるのは。カシャ、と蓋《ふた》を開け、シュポ、と火を点ける。そんな「間」が欲しかった。私は、代わりに手の中のボールペンを二度ノックしていた。うるさいはずのカラオケボックスに、安物のボールペンが立てるパチパチという音さえ響いていた。

「先ほどの話ですけど」咳《せき》をしてからそう言ったのだが、声が少し嗄《か》れてしまった。

「私が殺されたら犯人は小松、という言葉は詩織さん自身が言ったのですね」

島田さんと陽子さんは同時に頷《うなず》いた。

「僕達は何度もその言葉を聞きました。彼女の部屋には遺書みたいなメモまで残されていました。詩織はそうまでして小松のことを言い遺そうとしていたんです。それなのに、僕達は何もできないままで……。警察にも相談したのに警察は何もしてくれませんでした。それで結局詩織は殺されてしまったんです……。今は僕達だって怖いんです。今度は僕達の番かもしれないんです」

「犯人」が警察だというのはそういう意味だったのか。相談したにも拘《かかわ》らず、対応してくれなかった。ストーカーを取り締まる法律はこの時点では日本に存在しない。何かと言えば民事不介入を言い立てる警察のことだ、取り合わなかったのも頷ける気はした。

だがそれと同時に、取材をしていたときに感じた詩織さんの友人達の頑《かたく》なさが朧《おぼろげ》気ながら分かったような気がした。殺されるかも知れない、という恐怖すら彼らは感じていたのだ。私は殺される、と言っていた詩織さんが実際に殺され、しかも警察が取り合ってくれないことは詩織さんの件で証明済みだ。カラオケボックスに来るまでの島田さん達の警戒ぶりも腑《ふ》に落ちた。

犯人とのすべてを言い遺して死んでいく被害者など今まで聞いたこともなかったが、彼らの話はひとまず信用して良いのではないかと思えた。事件と関わり合いになりたがらなかった詩織さんの友人達の中で、彼らは危険を冒してまで話をしようとしてくれたのだ。

私は手真似《てまね》で藤本記者にメモ取りを頼んだ。聞き手に専念したかった。もともと私自身はあまりメモは取らない。テープレコーダーも使わない。氏名、住所、数字、センテンスなどの重要な部分のみペンを使う。集中して聞くこと、会話をすることが大切と信じているからだ。相手の話を聞き、表情を窺《うかが》い、真偽を判断しながら同時に長大なメモを取るなどという神業は私には出来ない。しかしこの長い長いインタビューは、藤本記者のおかげで正確なメモが残されることになった。

「一体、小松和人っていうのは何者なんですか」

「それが分からないんです。何をしているのかも、どこにいるのかも。いや……」島田さんは手帳を取り出した。私は訝《いぶか》しい思いでそれを見ていた。手帳を繰った島田さんは続けた。

「池袋の方に住んでいるみたいです。東口です。詩織もそこには行ったことがあるんですが、仕事すら分からないんです」

「失礼ですが……」事件当事者ならともかく、手帳を取り出す取材相手なんて初めてだった。

「その手帳は……？」

島田さんと陽子さんは顔を見合わせた。

「詩織から聞いた話を出来るだけ書くようにしていたんです」

「なるほど……」答えながら今度は、私と藤本が顔を見合わせる番だった。これは相当証言者として優秀だ。これほど信頼のおける話が聞けるとは想像もしていなかった。小松とのトラブルに参っていた詩織さんはこの友人達に何度も相談していたのだが、そのたびに彼らにメモを取ってくれと頼んでいたというのだ。

島田さんは続けた。

「最初は車のセールスマンだと言って詩織に近づいてきたんです。でもそれは嘘でした。身長が一八〇センチくらいある細身の男で……」

陽子さんが身振り手振りを交えて話し始める。

「髪は天然パーマで、少し染めてました。芸能人で言うと、羽賀研二《けんじ》と松田優作を足して二で割ったような顔かな。お酒はほとんど飲まなくて、タバコも吸わない」

「ちょっと待って下さい」私は思わず口を挟んでいた。「殺害現場で目撃されたのは身長一七〇センチ、短髪、小太りの男ですよ。小松が身長一八〇で細身というんじゃや、別人と言うことになるじゃないですか」

島田さんと陽子さんは再び顔を見合わせた。

「そういうことになりますね」

「でも、そうしたら先ほどおっしゃってた犯人は小松、というのと……」

「どういう順序でお話ししたらいいか……。小松という男は、口癖のようにこんなことを言っていたんです。俺は自分では手を下さない。金で動く人間はいくらでもいるんだ、と……」

なんだそれは。

「……かなり金を持ってるんですか」

「いつもズボンのポケットに札束をそのまま突っ込んでました」

「なんでそんなに金を持っているんですかね」

「車を売って月に一千万くらい稼いでいると言っていたそうです。金さえあればなんでも出来るって……」

「小松は詩織さんと交際していたわけですよね」

「ええ、ほんの一時期なんですけど……」

「詩織さんとはどこで知り合ったんですか」

事件の当事者が男と女である場合、それは重要な要素だ。どうしても避けては通れない。

「大宮駅の東口のゲームセンターで声をかけられたって。プリクラの機械が壊れていて……それがきっかけだったんです」島田さんの膝の上で再び拳《こぶし》が震え出した。

「でも……それが間違いだったんです……」

詩織さんが初めて島田さんに相談を持ちかけたのは三月二十四日のことだった。

電話をもらって大宮駅近くで詩織さんと待ち合わせをした島田さんは、彼女の様子がどうもおかしいことに気がついた。特にお腹《なか》も空《す》いていなかったが、話を聞こうと目の前にあった天ぷら屋に詩織さんを引っ張っていったのだという。

コロモが弾《はじ》ける音と、ゴマ油の匂《にお》いが漂う細長い店内。二人は座敷のテーブルを挟んで向かい合った。水を向ける島田さんに、詩織さんはギョッとするようなことを言い出した。

「私、殺されるかもしれない」

詩織さんはその言葉を、まるでこの日私達に話をする島田さんのように真剣な表情で切り出した。そして島田さんは、この日の私のような思いでその言葉を聞いた。

「何言ってるんだ、こいつ」と思ったのだ。ドラマの主人公か悲劇のヒロインにでもなったつもりか。もしかしたらちょっとおかしくなってしまったんじゃないか、と疑念さえ感じる島田さんに、詩織さんはこう言った。

「いいからこの名前をメモしておいて。私が急に死んだり殺されたりしたら、犯人はコイツだから」

詩織さんはバッグから一枚の名刺を取り出した。「有限会社W」という車のディーラー会社の名前のそばに、小松誠という名があった。詩織さんは島田さんに、その小松という男との間にあった出来事を逐一話し、島田さんは頷きながらそれを聞いた。そんなことが本当にあるのか、そんな人間がいるのか信じ切れなかったものの、詩織さんが心痛でかなり参っていることだけはよく分かった。この名刺の現物はやがて警察が押収していくことになるのだが、その時彼は、半信半疑でその名前を手帳に控えた。

事件から遡《さかのぼ》ること七ヶ月。この時の詩織さんが、いったいどこまで本気で自分の運命に不安を覚えていたのか今となっては分からない。だが、島田さんはこの日から「運命の日」を迎えるまで、何度となく詩織さんから相談を受けることになる。そして彼は、すべてが恐ろしいほど正確に、詩織さんの予測通りに進んでいくのを目の当《ま》たりにすることになる——。

詩織さんと小松誠が出会ったのは、まだお正月気分が残る一月六日のことだった。

大宮駅東口近くには南銀座と呼ばれる細長い繁華街がある。居酒屋、カラオケ、映画館。埼玉県下ではちょっと賑《にぎ》やかなところだ。詩織さんはゲームセンターで女友達と大好きなプリクラを撮ろうとしていた。ところが折悪《あ》しくその機械が壊れていた。お金を入れても作動しない。

「あれっ」と思った詩織さん達が機械をトントンと叩いたり店員に聞こうかと相談しているとき、「どうしたの」と声をかけてきた男二人組がいた。

振り向いた詩織さんの前に、優しそうに笑う長身の男が立っていた。少し染めた天然パーマ。ややガニマタだったが格好悪くはなかった。それが小松だった。

「カラオケでも行かない？」と誘った男達。詩織さんより、一緒にいた女友達が小松の男友達に惹《ひ》かれてしまったという。

小松は詩織さんを一目見て気に入った。名刺を渡し、車の販売をしている二十三歳の青年実業家と自己紹介した。詩織さんはそれをそのまま信用した。

四人でカラオケボックスで唄《うた》って、帰りには携帯電話の番号を交換した。どこにでもありそうな、そんな出会いだった。

人の運命は分からない。ほんの小さなきっかけが二人の人間を結びつけてしまったのだ。この時機械が壊れていなければ、いや、ほんの少しでも時間がずれていれば、この事件は起きていなかったのだ……。

それから二ヶ月ほどは、二人の付き合いは横浜にドライブに行ったり、ディズニーランドに遊びに行ったりというごく普通のものだった。詩織さんの女性の友人を含む三人で沖縄旅行に行ったりもした。

「俺は沖縄が大好きなんだ、詩織にも見せたい」小松はそう言った。

詩織さんは小松誠を優しい人だと思っていた。しかし、陽子さん達から見るとちょっと変わった男だったようだ。妙にリアクションの大きい男で、例えばレストランで詩織さんが食べているものをちょっとこぼしただけで、小松はトイレにすっ飛んでいき「大丈夫、大丈夫！」と大声で言いながらペーパータオルを持って来て拭《ふ》いてくれるのだという。何事もオーバーアクション気味なのだ。それを優しさだと詩織さんは感じたのかも知れないが、周りから見るとどうにも奇妙な印象が拭《ぬぐ》えなかったという。その上、いつも人を疑うような目つきをしていて、精神的にもなんだか不安定な感じだった。

「運命」という言葉が好きな男だった。

「私、小学生の頃、家の近所にあった大きな岩に登ってよく遊んでいたんだ」詩織さんがそんな話をすると、「俺の出身校はその近くなんだよ。その大きな岩のある道は通学路だったんだ。もしかしたら、今までも一度ぐらいは会ったことがあるかもしれないね。二人がこうして出会ったのも運命だったんだよ……」なにかと言えば「運命」だった。

自称青年実業家は、月一千万ぐらいの稼ぎがあると豪語していた。詩織さんにプレゼントするのが好きだった。

はじまりは、なんということもない三百円程度のぬいぐるみだった。詩織さんも「かわいいね」と気軽にもらっていた。ところが、気がつくとそれらは段々と高価な物に変わっていた。ルイ・ヴィトンのバッグや高級スーツをプレゼントされるようになり、「今度会うときにはこのバッグを持ってこのスーツを着て来てよ」と言われるようになった。小松は、詩織さんをまるで着せ替え人形のように扱った。

もともとブランドものにあまり興味がある方ではなかったという彼女は、小松とのデートの時だけはそういったものを身につけて行ったのだという。友人達の知る詩織さんは、普通の服を感じよく着こなすような女性だったのだ。

エスカレートしていく小松のプレゼント攻撃に不安になってきた詩織さんは、このままもらい続けてはいけないと、ある日プレゼントを断った。彼女はこう言った。

「私はもう十年分くらいのお誕生日やクリスマスのプレゼントをもらってるから、もういいよ」

ところがそれに対する小松の反応は異様だった。

「これが俺の愛情表現なんだ。俺の気持ちをなぜ受け取れないんだ！　どうしてなんだ！」

怒り出した小松に困惑すると同時に、詩織さんはそのとき初めて小松の異常な部分に気づいたのだ。

車の運転が乱暴だった。小松は車を二台持っていた。ベンツＳＬのオープンカーとベンツのワゴンだったが、急発進、急停車はしょっちゅう。幅広い国道でわざと蛇行したり、交差点で停まると大きな音で空吹かししたりする。一緒に車に乗っていて恥ずかしい、と詩織さんは漏らしていた。行動にまるで計画性がなく、ドライブに行けば必ずと言っていいほど行き先が何度も変更された。どういう理由なのか、いつも使い捨てカメラを持ち歩き、運転している最中でも突然カメラを取り出しては詩織さんの顔にフラッシュを浴びせた。

小松に不審を感じ始めた頃だった。ある日、何気なく車のダッシュボードを開けた詩織さんは、奇妙なものを発見する。そこからは雑多なカード類が出て来たのだが、どのカードの名前の欄も小松誠ではなく、小松和人となっていたのである。おかしな話だった。考えてみれば二十三歳という彼の年齢も本当かどうかわからないし、付き合い始めた頃、携帯電話の番号しか教えていなかったのに自宅にいきなり電話が掛かってきたことも腑に落ちなかった。

小松からの電話で、入院したので見舞いにきて欲しいと呼ばれたことがあった。慌《あわ》てて駆けつけた都内の病院では、不思議な光景に出会った。

病室に手下のような若い連中が何人も揃《そろ》っていて、病室を出て行く際には詩織さんに「うぃっす、失礼します」とまるでやくざのような挨拶《あいさつ》をするのだ。「池袋の横断歩道でミニパトにわざとぶつかってやったんだ。このことは朝日新聞と赤旗には言ってあるから、もう警察は俺の言いなりだ」小松はそう言って笑っていた。

詩織さんは驚いた。なんでそんなことをするのかまるで分からなかった。この人は一体何者なのか、と疑問が深まる一方だった。

小松が突然変貌《へんぼう》したのは三月二十日頃だった。詩織さんからその日のことを聞いた島田さんはこう話す。

「池袋にあった小松のマンションでの出来事でした。詩織はそこに遊びに行ってたんですが、なんだかあまり生活感のない部屋だったそうです。ところがその部屋に、なぜかビデオカメラが仕掛けられている。彼女はカメラを見つけたんです」

自分を撮影していたのかと思った詩織さんが、何の気なしに「なんでカメラがあるの?」と聞いた途端だった。小松は詩織さんの腕を摑《つか》み、引きずるように詩織さんを隣の部屋へと連れて行った。

「うるせー、オラオラ、俺のことなめとんのか」

初めて大声で怒鳴られた詩織さんが、驚いて部屋の壁にもたれかかると、小松はすさまじい表情で詩織さんの顔すれすれに拳を繰り出した。驚愕《きょうがく》で一歩も動けない詩織さんを見据えながら、小松は握り拳でダンダンダンダンと何度も繰り返し壁を殴りつけた。

身長が一八〇センチを超える小松だ。その大男にこんなことをされた詩織さんの恐怖は相当なものだったろう。

小松は絶叫していた。

「お前は俺に逆らうのか。なら、今までプレゼントした洋服代として百万円払え。払えないならソープに行って働いて金を作れ。今からお前の親の所に行くぞ、俺との付き合いのことを全部バラすぞ」

知り合った頃の真面目《まじめ》で優しい小松からは信じられない振る舞いだった。ずっと後になって分かることだが、この部屋の壁には実際大きな穴が開いていたという。

家族が大好きで、特に父親っ子だった詩織さんは、自分がこんな男と付き合っていることだけは家族に知られたくなかった。逆に言えばこの時、詩織さんは最大のウイークポイントを知られてしまったことになる。

「だから俺の言う通り、大人しくいい子にしていればいいんだよ」

何も言えない詩織さんに対して男はニヤリと笑った。二人の関係が決定的に変わってしまった瞬間だった。

その日を境に、詩織さんの生活は小松にがんじがらめにされた。小松が彼女の生活のすべてをチェックするようになったのだ。携帯には三十分おきに電話が掛かってきた。繋《つな》がらないと自宅や友人のところにまで掛けてくるから、携帯電話の電源を切るわけにもいかなかった。監視されているのも同然だった。

「詩織、俺のことが好きか？」

「愛してるよ」

「腹が痛くて死にそうなんだよ。詩織の声が聞きたかったんだよ」

「大丈夫なの？」

そんなやり取りを小松と電話で交わす詩織さんを見て、友人達はてっきりうまくやっているのだと思っていた。しかし、電話を切ると彼女の表情は憂鬱《ゆううつ》そうなものに変わった。そう言わないと、小松が怒鳴りまくるのだという。彼女は小松を心底恐れるようになっていた。自分の言いなりにさせようとするストーカー男に、恋愛感情は完全に失われていた。

「私はまだ若いし、いろんな友達とも遊びたい。あなたは私と違うタイプの女の子が合っていると思うのに……」

「俺と別れる？　それはお前の決めることじゃない！　俺はイイ男だろ？　金もたくさん持ってるんだ。贅沢《ぜいたく》出来るんだぞ。結婚すればお前は俺の金を自由に使えるんだ。いったい何の問題があるんだ。この世の中はなぁ、金さえあればなんだって出来るんだぞ」

詩織さんは小松の前では読書好きの女の子を演じるようになった。本を読むことで男との接点を少しでも減らそうとしたのだ。だが、何かの拍子に少しでも言い返すと小松は暴れだした。二言目には自分との交際を父親にばらすぞと口にした。父親思いの詩織さんは、なんとか怒らせないようにビクビクしながら付き合っていくしかなかった。

小松の嫉妬《しっと》深さときたら尋常ではなかった。

詩織さんが自宅近くで愛犬「キャンディー」を散歩させていた時に電話が掛かった。その頃詩織さんは犬の散歩であろうと携帯を肌身離さず持ち歩くしかなくなっていた。どこで何をしているんだ、と問いかける小松に、詩織さんは正直に、犬の散歩をしている、と答えた。ところが相手が犬だろうが嫉妬で小松は怒鳴り始めるのだ。

「ふざけんな、俺を放って置いて犬と遊んでんのか、お前の犬も殺してやるぞ」

詩織さんが自宅に帰ろうとJR高崎線に乗っていたときだ。小松から電話が入った。

「電車内だから掛け直すね」と彼女は一度電話を切った。桶川駅で降りるとたまたま中学の同級生と再会したので、詩織さんは彼女と話しながら家まで帰ろうとした。その途中だった。小松から再び電話がきた。絶叫していた。

「お前何やってんだぁ！　なんですぐ掛けないんだ」

「中学の友達と偶然会っちゃって、その子と一緒に帰ってるの」

「嘘《うそ》つけ、男だろう！　だから掛けないんだな。そいつと替われ」

「違うの、お願いだからやめて」

「いいから替われ！　替われって言ってんだぁ！」

仕方がなかった。友達に替わってもらった。相手が女性と分かると小松は無言になり、「お前が悪いんだ。家帰ったらもう一回電話しろ」そう言って電話を切った。

四月上旬、詩織さんの髪型が大きく変わった。

まるでアフロヘアのような強烈なパーマだった。日常生活では必死で押さえ、小松と会うときだけ思いきり広げていく、小松に嫌われるための髪型だった。

「彼女がどんな思いであの綺麗《きれい》な長い髪にパーマを掛けたのかと思うと、やりきれなくなります。でも、この作戦は失敗でした。小松は詩織の友達に金品を渡して彼女の様子を探っていたんです」

「お前がなんでパーマをかけたのか、俺は知ってんだ。分かってんだよ、もうやめろ」

完全にバレていた。詩織さんは笑いながらその場を必死に誤魔化したという。

詩織さんは友達にまで裏切られたことにかなりショックを受けていた。

〈ツライ、キツイ、クルシイ〉

その頃、そんなショートメールが頻繁に島田さん達に送られてきた。

詩織さんの周辺には変な男達まで現れていた。興信所のような連中が、詩織さんの行動を一日中監視し始めたのだ。詩織さんが電車を降りると、ドアが閉まる瞬間に飛び出すような男達。

詩織さんも最初からそういった男達の存在に気がついていたわけではない。だが、詩織さんが大学の友達とコンパをすると、それを知らないはずの小松が、「俺もあそこの店でコンパしようかな」などと突然言い出す。

また、前後の脈絡もなく、いきなり詩織さんの男友達の一人の名前を出して、「……に住んでいるAっているじゃん。先週の木曜日の夜に、そいつとお前が遊んでるような夢を見たんだよな」などと言ってくる。

明らかに詩織さんしか知らないことでも、小松はすべて把握していた。絶えず行動を監視されていると考えるよりほかなかった。どんな些細《ささい》なことでも、彼女の行動一つ一つが槍玉《やりだま》に挙げられた。小松は詩織さんに疚《やま》しいところが何もないことでも勝手に疑い続け、執拗《しつよう》に追及した。

四月二十一日にはマンションの部屋で詩織さんを正座させて、こんなことを言った。

「お前の携帯電話を折れ、自分で折るんだ」

当時、詩織さんは二ツ折りタイプの携帯電話を使っていた、小松はその電話に登録してある電話番号を消させるために、そう命じたのだ。「お前は俺とだけ付き合うんだよ。その誠意をきちんと見せろ」小松が恐ろしくて言いなりになるしかなかった詩織さんは、こうして親しい友人や、知り合いの番号メモリーを失った。

島田さんは言う。

「その直後、彼女から電話がありました。僕の番号は覚えていたものの、もう連絡できなくなるかもしれないと。僕も段々と怖くなってきました。心配でしたが、こちらから彼女に電話することも、あまりできなくなってしまったんです」

小松はすでに、詩織さんの携帯電話のメモリーを全《すべ》て調べ上げていた。男友達の所に嫌がらせの電話がかかるようになった。島田さんの所にも午前四時ごろ女性の声で電話が掛かってきた。恐らく小松が誰かに依頼したのだろう。

「私は詩織さんと同じ大学のものですけど、あなたは詩織さんの彼氏ですよね？」

「いえ、違いますけど」否定すると、そのままブツッと切れたという。こんなことが何度か続いた。

小松は、詩織さんの他の男友達のところにも電話してきては、「詩織に近づくな、俺の女に手を出すんなら、お前を告訴するぞ」と凄《すご》んだ。恐喝まがいの脅しをかけられて、詩織さんの友人達が小松を恐れたのも無理はなかった。

たまりかねた詩織さんが、別れて欲しいと小松に話を持ち出したのも一度や二度ではなかった。しかし、小松は納得するどころか別れ話のたびごとに脅しをエスカレートさせていった。

「お前の親父《おやじ》の会社〇〇だろ。大企業じゃん。だけどさぁ、今四十代、五十代はリストラの嵐《あらし》だろ。おやじがリストラにあったらお前の弟達、まともに学校行けなくなっちゃうよ。俺にはそんなこと簡単にできちゃうんだよ」小松には父親の職業などについて一切話はしていないのに、彼はなぜかすべて知っているのだ。事実、のちに判明するが小松は詩織さんの自宅電話番号や父親の会社、その他詩織さんの友人と見られるいくつかの携帯電話番号を、自ら興信所に依頼して調査させている。

脅しも本気に思えた。この男なら本当にやりかねなかった。詩織さんは父親だけには迷惑をかけたくなかった。

「それでも別れるというなら、お前を精神的に追い詰めて天罰を下す。親父はリストラで一家は崩壊だ。俺を普通の男と思うな！　俺を裏切る女、バカにする奴《やつ》は許さない。俺の人脈と全財産を使ってでも徹底的にお前を叩《たた》き潰《つぶ》す。いいか、俺は自分では手を下さない。金で動く人間はいくらでもいるんだ。分かったか！　お前はただ大人しく、前みたいに与えられた服を着てニコニコしていればいいんだよ」

五月十八日は詩織さんの二十一歳の誕生日だった。小松が変貌して以来、プレゼントを一切受け取っていなかった詩織さんだったが、この日小松は花束とピンクの文字盤のロレックスを用意して、強引に詩織さんの家まで押しかけてきた。

困り果てた彼女は花束だけは受け取ったが、腕時計は絶対に受け取らなかった。小松は凄い形相で詩織さんを睨《にら》んだという。

「とにかく親なんだよね。私は親のためならなんでも出来る。私が大人しくしていれば大丈夫だと思うから」詩織さんは口癖のようにそう言っていた。どうしてそこまで我慢出来るのか周りの人間からすれば不思議だったが、小松と付き合い続けるのが家族のためだと信じた優しい性格の詩織さんにはそんな選択しか出来なかった。周りの友人達も小松のことを知れば知るほど恐怖を感じ、この頃には何の力にもなれなくなっていた。

小松の部屋で正座させられていた詩織さんの前に、小松がナイフを置いた。

「俺の事が本当に好きなら自分の腕を切ってみろ」

言い出すことの支離滅裂さもとどまるところを知らなかった。詩織さんが怖くて震えていると、小松はナイフを取って自分の手のひらに当てた。

「俺はお前の為《ため》なら切れるぞ」

「お願いだからやめて」

頼み込む詩織さんの言葉に、小松は獣のように叫び出した。突然家具を次々と蹴飛《けと》ばして暴れ始めた小松は、恐怖のあまり立ちすくむ彼女の周りを荒れ狂った。

小松がバリカンを買ってきたこともあった。

「これから儀式をやる。お前を丸刈りにする」

その日は脅しだけだったが、詩織さんはそれで別れられるくらいなら喜んで丸刈りになろうと思ったという。カツラを買えばいいんだというところまで追い詰められていた。実際のちに、小松の車のトランクからはバリカンが発見され、バリカンを見つけた人物に対して小松は「あの女の頭を丸刈りにしてやるんだよ」と言ったという。

「殺されちゃうのかな、私。みんな、こんな話ばっかりでごめんね」

悲しそうな顔でそんな言葉を繰り返す詩織さんに、友人達は慰めることぐらいしか出来なかった。

なんと言っても小松は、詩織さんに対して直接的な暴力を振るったことは一度もないのだ。刑事事件にならないように頭を働かせているとしか思えなかった。脅し方も抽象的な表現が多い。

「お前を精神的に追い詰めて、天罰を下して、地獄に落としてやる。人は死んだらどうなると思う?」

「……私をどうするの」

「いろんな方法があるんだよ」

こんなことを漏らしたこともあった。

「前に同棲《どうせい》した女はさぁ、自殺未遂したんだよね。ちょっとお仕置きしたら、頭がおかしくなっちゃったんだ」

「何をしたの」

「それは教えない」そう言ってニタリと笑った。

「お前に天罰を下す」そのセリフは百回以上も聞かされた。

「いくらなんでもそんなことはないんじゃないかな」

「私刺されるかも」

詩織さんと島田さん達は、そんなやり取りを数え切れないほど繰り返していた。島田さん達も詩織さんを安心させようと、そう答えるしかなかった。

「もうあの人に会いたくないよ、もうダメ、もうダメだよ。親に何かあったらどうしよう……」

友人達は、親に相談するべきだと言い続けたが、それだけはできない、そう言って詩織さんは耐えていた。


しかし、限界だった。

六月十四日だった。ついに詩織さんは小松と別れる決心をつけた。池袋駅構内にある小さな喫茶店で小松と向かい合って座った詩織さんは、小松に自分の意志をはっきり伝えた。これから起こるかもしれないことへの恐怖と戦いながら、彼女はついに決断したのだ。

「俺を裏切るやつは絶対に許さない。お前の親父に全部ばらしてやる」

小松が心底から怒っていた。

彼は弁護士と話すと言い出して、その場で携帯電話を掛け始めた。そして、ひと通り話し終えると詩織さんに携帯を握らせて、替われと言った。詩織さんには聞き覚えもない声だった。本当に弁護士なのかも分からなかった。

「あなたはひどい女ですね。お宅に伺いたいと思います」

「かまいません。日にちを決めて改めて電話をください」

「今すぐお宅に伺いたいと思います」

「日を決めて改めてにしてください」

「あなたはひどい女ですね。今からお宅に伺いたいと思います」

「ちょっと待って下さい。日を決めてと言ってるじゃないですか。あなた本当に弁護士ですか」

「私は違うんですけどね。今から、あなたの家に行きますから」

男は淡々と話すと電話を切った。

詩織さんは慌《あわ》てて店を出ると家に向かった。迷った末に、電車の中から母親に連絡して小松とのトラブルを初めて伝えた。緊急事態だった。小松達が自分より先に家に行くかもしれなかった。

　急いで自宅に帰りついてみると、だが、何の変化も起きていなかった。

「ウソだったんだ、と詩織が安心して僕に電話をくれました。僕も、そんなこと脅しだよ、いくらなんでもそこまではやらないよ、なんて話してました。ところが……」

　電話の向こうで玄関のチャイムが鳴っていた。続いて、ドスのきいた男達の怒鳴り声がした。

「詩織さんいますかぁ。上がらせてもらいまーす」

　やくざのような話し方だった。詩織さんは慌てて電話を切った。

　そこにいたのは、小松と見知らぬ男が二人。

「なんですか、あなたたち。帰ってください」母親がまず応対した。しかし、男達はどんどん家に上がり込んだ。

　幸い、途中で父親が帰宅してきた。状況を見た父親が、「女ばかりの家に上がり込んでどういうことなんだ。おかしいじゃないか」と抗議すると、男の一人は小松の会社の上司だと名乗った上で、「小松が会社の金を五百万ほど横領したんです。問いただしたところ、お宅の娘さんにそそのかされたと。私たちは娘さんを詐欺《さぎ》で訴えます。どうですか誠意を見せてもらえませんか」と言う。

父親は要求を突っぱねた。当然だった。

「話があるなら警察に行こう」

しばらく押し問答した末、ようやく上司という男は、

「このままじゃすまないぞ。お前の会社に内容証明の手紙を送ってやる。覚えておけ」

そう吐き捨てると、他の二人を連れて帰っていった。この間、小松自身はほとんど無言だった。

実は、これらのやりとりはテープレコーダーに録音されていた。

「僕は詩織に、何かあったらとにかく録音をしておくように、とアドバイスしていました。だからそれまでの小松とのトラブルや電話の会話なども、詩織はいろいろと録音していたんです」

三人の男が帰っていったあと、詩織さんはこれまでのいきさつを家族に話した。親にだけは知られたくないことだっただけに、詩織さんにとって相当な苦痛だったろう。だが家族の励ましを得て、彼女は警察に助けを求めようと決心したのだ。

翌日、詩織さんは母親と共に警察に向かった。

管轄《しよかつ》の警察は埼玉県警上尾署。なんという運命の皮肉か、後に詩織さん自身の殺人事件の捜査本部が置かれることになった警察署だった。

詩織さんは二日間そこに通った。二日目は父親も加わり、三人で警察に説明した。自宅に乗り込んで来た三人の男達とのやり取りを録音したテープも持って行き聞いてもらった。聞いてもらえば分かってもらえるはずだと思っていた。

ところが、警察の反応は冷たいものだった。

このテープを聞いた若い警察官は、「これは恐喝だよ恐喝」と言ってくれたが、年配の刑事は、「ダメダメ、これは事件にならないよ」と取り合いもしなかった。

その上、相談に乗ってくれるどころか、詩織さん達は信じられないような言葉を浴びせられたのである。

「そんなにプレゼントをもらってから別れたいと言えば、普通怒るよ男は。だってあなたもいい思いしたんじゃないの？　こういうのはね、男と女の問題だから警察は立ち入れないんだよね」

確かにストーカーの相談は警察としても判断が難しいだろう。実際、寄せられる件数も相当な数に上るという。被害者側に落ち度があるとすれば、逆に注意を受けるのも仕方ないかもしれない。だが、このケースではどうだったのか。

「厳しいことばかり言われ、警察にも助けてもらえないと知って詩織は相当落ち込んでいました。殺されるかもしれないという恐怖を一生懸命伝えたのに、ただの男女間の喧《けん》嘩《か》程度としか聞いてもらえなかったんです。何度も何度もこのままでは殺されてしまうって言ったのに……」

彼女は、それまでの小松とのやり取りを録音したテープを何本も警察に提出した。常に危険を感じていた詩織さんが、自分のハンドバッグにテープレコーダーを入れておき、機会をとらえて録音したものだ。

例えば、小松の車の中での二人のやりとりを録音したものもあった。島田さんはそれを聞いたことがあった。すさまじいものだったという。泣きながら別れて下さいと哀願する詩織さんに、小松は大声でわめいたり怒鳴ったり、そして時には大笑いまでしながらこう言ったのだ。

「ふざけんな、絶対別れない、お前に天罰が下るんだ」

「お前の家を一家崩壊まで追い込んでやる。家族を地獄に落としてやる」

「お前の親父はリストラだ、お前は風俗で働くんだ」

このテープを聞いても上尾署のその刑事は「これは今回の件とは関係ないね」と聞く耳を持たない。詩織さんと両親は、二日間一生懸命事情を説明したが、結局「事件にするのは難しい」で済まされてしまった。

テープは警察で一応預かるというが、何かをしてくれるとは到底思えなかった。詩織さん達は、警察に失望して上尾署を後にした。

呆《あき》れたことに小松は、この期に及んでも電話で詩織さんに復縁を迫っている。

「俺のところに戻ってこい」

「無理だよ。父さんにも話したし」

「分かった。もういい、いいか覚えとけよ！」小松からの連絡は、これを最後に絶える。

詩織さんはこの電話と前後して、小松からもらったプレゼントをすべて宅配便で池袋のマンション宛《あて》に送り返している。一ヶ月が表面上はなにごともなく過ぎていった。このまますべて終わって欲しいと誰もが思った。しかし、今度は詩織さんの自宅近辺にとんでもないものが届いてしまったのである。

七月十三日だった。

自宅周辺に詩織さんを誹謗《ひぼう》中傷するビラが大量に貼《は》られていた。あの黄色いビラだ。詩織さんのことが大好きな、小さな弟が意味も分からぬままそれを持って帰ってきたという。

「すごいよ。しーちゃんの写真が載ってるよ」

近所の人が見つけて家まで届けてくれたものもあった。ビラは、近くの看板や電柱、石垣などところかまわず貼られ、自宅の郵便受けには束で百枚程が突っ込まれていた。

詩織さんは泣いた。

雨の日だった。

母親が、濡《ぬ》れながら自宅周辺を歩いて一枚ずつはがして廻《まわ》った。同じ朝、ビラは詩織さんが通う新座の大学近辺や駅構内、そして父親が勤める会社の付近にまでばら撒《ま》かれていた。

とても一人の仕業とは思えなかった。

詩織さんの名誉が、人間としての尊厳がズタズタにされようとしていた。

近所の主婦の話では、チーマー風の若い男二人が貼っていたという。

「詩織は真っ青になって、警察に通報しました。警察は次の日一日だけ見張りに来たそうです。ばら撒かれたビラの写真は、詩織にもいつ撮られたのか分からないものでした」

犯人が小松であるという証拠はない。しかし状況的に、他の人間がしたこととも考えられない。

あまりのことに、詩織さんはついに告訴を考えた。意を決して再び上尾署に足を向けた彼女を待っていたのは、こんなことになってもまだ冷たい警察官の対応だった。

「よーく考えた方がいいよ。全部みんなの前で話さなくてはいけなくなるし。時間かかるし、面倒くさいよ」警察官はそう話したという。

ビラ貼り事件に相前後して、異常な事態が起こっていた。

板橋区内では奇妙なカードが発見されていた。カードには彼女の写真に〝援助交際OK〟というメッセージ、さらに自宅の電話番号までが印刷されていた。カードを見た人が電話をかけてきて、その存在が判明した。

インターネットの掲示板でも同様の内容が流されていた。詩織さんの情報ばかりか、彼女の友達の写真と携帯の番号まで掲載されていた。いたずらと呼ぶには限度を超えていた。

島田さんは目を潤《うる》ませながら当時のことを思い出して言った。

「詩織はビラが撒かれるちょっと前ぐらいから、とんでもないビラが撒かれるかもしれない、と言っていました。その後は、外人かなんかを雇って私をレイプさせて写真を近所にばら撒くんだ、次はビデオが来る、もしかしたら小指を切り落とされるかも知れない、とさえ言っていました」

しかし彼女の両親は、「絶対に負けるんじゃないよ」、「みんなで頑張ろう」と彼女を励まし続けた。

「家族会議を開き、一家で団結して小松に立ち向かおうとしていました。お母さんは子供の送り迎えにも気を配り、駅まで迎えに行ったりしていました」

気が休まるヒマもなかった。夜、詩織さんが皿洗いなどしていて、ちょっと物音を立てただけでも寝ていた母親は血相を変えて飛び起きた。家の前に車が停まると、恐怖を感じながらもカーテンの隙間《すきま》から外をのぞかずにはいられない。電話が鳴っただけで恐怖心が甦《よみがえ》る。詩織さんと家族にとって、安心して眠れない日々が続いた。長い長い日々だった。自分の家で安心して過ごせないとは、いったいどれほどの苦痛だっただろうか。

警察に行ったのはそんな状況にあったからだった。警察に動いてもらうには、もう刑事告訴するしかなかった。詩織さんは随分悩んだという。「そんなことをしたら、小松にもっとひどいことをされるんじゃないか、やめた方がいいんだろうか、相手に余計に火を付けるかもしれない」

そう恐れるのも無理はなかった。しかし、両親の励ましもあった。友人の助言もあった。証拠もないのに動けないと言い張る警察も、告訴さえすれば必ず助けてくれると信じていた。絶対に負けない。がんばって生きていくんだ、彼女はそう言っていたという。

「その頃詩織は前向きに話すようになっていました。大学の勉強も一生懸命でした。長い時間がかかったとしても、警察で事情聴取を受けようと決心したのです。彼女は根掘り葉掘り、嫌な質問まで受けていました」

「今試験中でしょ。試験が終わってから出直して来ればいいのに」

と言う警官を押し切って告訴の意思を伝えたものの、聞かれることと言えば、まるで関係ないことばかり。それでも七月二十九日、なんとか告訴は受理された。最初に警察を訪れてから一ヶ月半が経《た》っていた。

詩織さんは捜査に期待した。警察ならきっとこの事件を解決してくれる……。

ところが、事態は解決どころか、更に悪化した。

八月二十三日、今度は手紙だった。父親と詩織さんを中傷する大量の手紙が、父親の会社に送られてきたのだ。勤務先の埼玉県内の支店に八百通、東京の本社の方にも四百通が送りつけられた。手紙は薄いブルーの封筒に入り、切手には渋谷局の消印。中身はワープロでびっしりと書かれていた。

〈御社の猪野は堅物で通っているが、実はギャンブル好きで、外に女がいる……この娘のせいで会社の金が横領された。御社のような大企業がこのような男を雇っているのは納得できない。日本の未来は暗い〉などという内容の根も葉もないものだった。

「詩織のお父さんは会社では三枚目で通っていて、全然堅物なんかではなかったので明らかにウソだと支店では問題になりませんでしたが、本社の方からは問い合わせが来たそうです」

翌二十四日、父親が慌てて警察にそれを持っていったが、担当の刑事は「これはいい紙を使ってますね。手が込んでいるなぁ」笑いながらそう言うだけであった。

手紙の件を知った詩織さんは、落ち込んだ。

「お父さんがかわいそう、かわいそう」何度もそう島田さんに漏らしたという。

しかも、手紙だけでことは終わらなかった。肝心の告訴の方がおかしなことになってきたのだ。

九月二十一日頃、猪野家に刑事がやって来た。何を言い出すかと思えば「あの告訴を取り下げて欲しい」と言うのだ。理由は分からない。だが、「告訴するなら、またすぐに出来ますよ」と言う刑事に対し、猪野さんはきっぱり拒絶した。

それをあとで聞いた詩織さんは、すぐに小松から何度も言われていたことを思い出した。

「俺は警察の上の方も、政治家もたくさん知っている。この小松に出来ないことはないんだ」

小松の口癖だった。愕然《がくぜん》とした。せっかく戦う決心をしたというのに、小松は唯一《ゆいいつ》頼りにしていた警察に手を廻したのだと詩織さんは思うしかなかった。元気を取り戻しつつあった彼女が、この件を境に急速に落ち込んでいく。

「これはもうしょうがないよ。私、本当に殺される。やっぱり小松が手を廻したんだ。警察はもう頼りにならない。結局何もしてくれなかった。もうおしまいだ。私、このまま殺されちゃうだろうな。告訴なんかしなければ良かった。これからでも告訴を取り下げた方がいいのかな」

島田さんがその頃聞いた言葉だ。

十月十六日、刺殺事件十日前。容赦なくトラブルが続く。午前二時頃、詩織さんの家の前で二台の車が塀にぴったりとつけるようにして停まった。一台はホンダの車で、どちらも小松の車ではなかった。窓を開けたままその車は大音響で音楽をガンガン鳴らし、エンジンの空吹かしを始めた。詩織さんの家は静かな住宅街にある。近所をも巻き込むとんでもない「暴力」だった。

すぐに警察に連絡したが、パトカーが到着する前に二台は悠々と逃げていった。家族の努力で車の写真をなんとか撮影し、そのナンバーも控えたものの、それを伝えられた警察は相変わらず動く気配を見せない。

「あの日、深夜に詩織から電話がかかってきたのですが、正直もう僕も怖くて怖くてしかたなかった。だから電話に出られずにいたんです。すると携帯にショートメールが入りました」

島田さんが手に取った携帯のディスプレイにはこうあった。

〈とうとう奴《やつ》が来た。まだ終わってなかったんだ。また始まったんだ〉

次の日の朝、電話で事情を聞いた島田さんに状況を伝えた詩織さんは、「父と母がかわいそう」としきりに繰り返した。

そしてそれが、島田さんが聞いた詩織さんの最後の言葉になった。

十月二十六日、「運命の日」がやってきてしまった。詩織さんは、大学に行くため家を出た。自転車で駅に向かい、大型ショッピングストアーのそばで自転車を止めた。十二時五十分。

その日、彼女は怯《おび》え続けた日々を、死という形で終えた。彼女が何度もそう繰り返していたように。

島田さん達とのロングインタビューもまた、十月二十六日という日付で唐突に終わった。

カラオケボックスの床にどこかの部屋の八ビートが響いているのが、靴底に感じられた。それは、不快な騒音というより何だか自分が現実に戻っていくのに必要なリズムのように思えた。悪夢から目覚めた朝、起き上がるのに時間がかかるような、そんな気分だった。すっかりヒートアップした頭と手のひらには、汗さえかいていた。

正直なところ、最初は事件関係者の周辺者にありがちな、いささかオーバーな話ではないかという思いもあった。疑問もあった。頷《うなず》いて聞いていても、週刊誌記者やレポーターは話を鵜《う》呑《の》みにはしない。いつも心にガードをしている。それはベテランになればなるほどそうだろう。みんなそれなりに、何度か煮え湯も飲まされてきているのである。しかし、この友人達の話には奇妙な説得力があった。整合性もあった。だいたい嘘《うそ》をつく理由もない。しかも、島田さんは詩織さんから初めて相談を受けた時の、小松の名前を控えた手帳を大切に持っていた。そこには以後、彼女の身の廻りで起きたいろいろな事件のデータが書き加えられている。インタビューの途中、何度も島田さんが目を走らせたその手帳には、日時も正確に記録されていた。重要な証拠だ。

だが、そんなことが私を信用させたのではなかった。そうではない。

彼らを信用できると思ったのは、そこに恐怖があるからだった。

話を聞くにつれて、私はこの小松という男が尋常ではないことが理解できた。とんでもないキャラクターだった。どんな細部も、この男の一端を物語るに十分なリアリティーを備えていた。どう転んでも関わりたくないタイプの人間というのは確かにいる。触れるものすべてを不幸にしてしまうようなタイプの人間が。

インタビューを終えたときには島田さんと陽子さんが何に恐怖したのか、私は真に理解できたような気がしていた。私だって同じ立場だったら感じたであろうこと。

「次は自分の番ではないのか」

彼らは詩織さんと小松のトラブルのほとんどすべてを知ってしまっているのだ。警察に駆け込んだり、洗いざらいマスコミに話してしまうかも知れない彼らの行動を、ストーカーがただ黙って見ているなどということがあるだろうか。島田さん達の住所だっておそらくは把握されているだろう。こんなにも怯え、警戒するのは当然だった。そして、話が事実であるからこそ、彼らは恐怖を感じずにはいられないのだ。

これ以上の証拠があるか。

静かな時が流れていた。こんな取材は初めてだった。彼らの話に引き込まれていた私は、話を本気で聞くのには体力が必要なことに改めて気がついた。

今度は私が話す番か。何かを話さなければならない。

私は取材で知った、詩織さんの最期《さいご》の様子を二人に話すことにした。彼らにはそれを聞く権利があった。二人は詩織さんが死に向かっていくまでのすべてを話してくれたのだ。そして、その長い話の結末は、彼らのところではなく今は私のところにある。

私は言葉を選びながら、詩織さんの最期を知る限り伝えた。

血を流し、しゃがみ込む詩織さんの姿を伝えたとき、我慢に我慢を重ねていた二人の感情が限界を超えた。彼らは声をあげて泣いていた。立派な青年が大きく肩を震わせて、スーツの右腕で目を拭《ぬぐ》いながら号泣していた。陽子さんがブーツの足元を見ながら、まぶたを押さえしゃくりあげていた。取材者である藤本さえも、ボールペンを持ったまま泣いていた。

派手な内装のカラオケボックス。周辺の部屋から雑音と化した音楽が伝わってくる。

泣き声にはあまりに似つかわしくない場所だった。しかし、彼らの声は私の心の中にしっかりとメモされた。一生消すことが出来ないメモとして。

第三章　特定

埼玉県警上尾署

島田さん達には先に店から出てもらった。我々と一緒にいるところを誰かに見られない方がいい、という配慮だった。私と藤本は部屋に残った。無言だった。

私は落ち着かなかった。知らずに周りを見廻《みまわ》していた。さっきここに来た時まではどこにでもあるようなカラオケボックスだった。だが、今は何かが違っていた。

何が？

少し間を置いてから、我々も表に出た。来た時と逆の道をたどって駅に向かった。同じアーケードの雑踏を歩いているはずなのに、私の違和感が消えることはなかった。なんだか後ろが気になり始めた。そう、私の後ろである……。

自分の車に乗り込むと、初めて背中の違和感は消えたような気がした。だがそれはかすかになっただけで、いつまでも拭《ふ》き損ねのように僅《わず》かに肌に残っているようだった。

とになる。

奇妙な感覚だった。私は以後ずっと、その誰かに見られているような感覚と付き合うこ

私には、もうひとつ折り合いをつけなければいけない感覚があった。

胸の中にもやもやとしたものが溜《た》まっていた。重かった。

取材に関しては、気が重くなる理由などない。順調すぎるほど順調にいっている。島田さん達から聞けた話のおかげで記事はかなり詳細に書けるようになっていた。現状ではおそらく彼らほど詩織さんが巻き込まれたトラブルの内情を知る人は他にいないだろう。両親でも知らないような事実を、彼らは友人という立場だからこそ聞けている。

だが、そんなことが私の心を浮き立たせはしなかった。

私は、あのカラオケボックスの中で、言葉以外の「何か」を受け取ってしまったような気がしていた。

我々の仕事は書くことだ。知ったことを世間に伝えることが仕事だ。記事を書くには「言葉」を受け取ればそれでいい。だが、島田さん達とのインタビューには何かそれ以上のものがあった。

それが何なのかは分からない。だが、彼らはどうしてあんなに必死に話をしてくれたのだろう。ストーカーに狙《ねら》われかねない危険だってあったはずなのに、何かに突き動かされるように彼らは行動したのだ。

詩織さんはどうだったろう。そもそも、警察にも絶望していた彼女は、なんのために、誰に知ってもらおうと友人たちに「遺言」を遺《のこ》したのか。詩織さんの部屋には遺書のようなメモすら残されていたという。そうまでして、彼女が伝えたかったもの。詩織さんが必死で友人に伝え、その友人達が私に手渡した「何か」。

なんだか肩のあたりがずしりと重かった。運動会の負けレースでバトンを渡されたアンカーのような気分だった。だが、私に何をしろというのか。

冗談ではない、とも思う。私はただの記者だ。なにやら得体の知れないモノを背負うなどまっぴらごめんである。

頭の中ではそう思いながらも、私は編集部に戻ると今しがた取材したメモを繰り、地図をコピーし、データベースを検索していた。島田さん達の話を丁寧に整理し、精細に検討する作業を続ける私もまた、「何か」に動かされ始めていた。

島田さん達の話から考えれば、この小松和人という男は事件になんらかの関係があるはずだった。彼らの話は細部でまだまだ裏を取らねばならないことが多かったが、大まかな枠組みで考えれば彼らの話の方向性に間違いがあるようには思えなかった。

詩織さんと交際していたこと。繰り返される異常な振る舞い。相当な金遣いの荒さ。そしてなにより「俺は自分では手を下さない。金で動く人間はいくらでもいるんだ」と何度も言い放っていたこと。

　だが、小松が刺殺犯という可能性はない。目撃証言では現場から逃走した男の特徴は身長一七〇センチくらいで小太りの三十代。島田さんたちの話では小松は一八〇センチ、細身の二十代。明らかに別人だ。ストーカー行為から殺人まで、人に依頼するなどということが可能なのかどうかは分からないが取材する価値は十分ある。

　私は編集部の自分のデスクの前で、ボールペンをパチパチ鳴らしながら考えた。パソコンプリンターからＡ４の紙を一枚抜き取りデスクの上に置く。事件に関係している人間をリストアップしてみる。
・興信所のように詩織さんの尾行を繰り返していた連中
・小松とともに、詩織さんの家に乗り込んできて脅迫した二人の男
・ビラを貼《は》っていたチーマー風の二人組
・事件一週間前、家の前でステレオを大音響で鳴らした二台の車に乗っていた男たち
・三十代の刺殺犯
　改めて書き出してみて、呆《あき》れた。この数は尋常ではなかった。すべてが別人によるものとは限らない。役割を重複している人物もいるだろう。だが、明らかにチームとしてストーカーが存在していた。これだけの数のストーカー行為が、詩織さんに対して同時期に、まったく別個に行われたとは考えられない。

小松と一緒に詩織さんの自宅に乗り込んできた二人の男、それと刺殺犯が別人と考えると、このチームは、これだけで少なくとも四人はいる計算になる。彼らはチーマー風とは言えないから、人数はさらに二人増えて計六人……。いったいメンバーが何人になるのか見当もつかない。

しかも、一連のストーカー行為の中で、小松自身は六月以降一度も目撃されていない。どう考えても表面上は何の関係もないのだ。

考えているだけではどうもよく分からなかった。闇《やみ》の組織のようなものがあって、誰かの依頼があると一人の女子大生にさんざん嫌がらせをしたあと亡《な》き者にする、というようなことがありえるのだろうか。そんな組織は聞いたこともない。

私だってこの世界は長い。変わった人間達だってそれなりに見てきたつもりだが、そんな組織やら殺し屋やらにはお目にかかったことはない。それも、標的になったのが普通の、どこにでもいるような女の子だというのだから相当にアブない。

目標は決まっている。まずは小松と接触することだ。彼には彼の言い分があるかもしれない。取材の基本は加害者、被害者、両者の言い分を聞くことだ。

とにかく小松の周辺情報が欲しかった。

頼りになる男の名前が脳裏にちらついた。私はミスターTを呼び出した。

「どうも〜♪」例の調子でミスターTが現れた。深夜のファミリーレストラン。注文した二杯のコーヒーが席に運ばれるのもそこそこに、私はまずその日島田さん達から聞いた話を伝えた。客は少ないが自然とひそひそ声になっていた。

狙いは情報交換である。いかに親しいといっても、情報の只取《ただど》りは仁義にもとる。有用な情報を提供すれば、見返りがもらえるというのが記者のルール。この世界の通貨はまさに「情報」だ。

私が知りたいのは捜査状況だ。警察の動きが分かれば小松の動きも分かるかもしれない。あわよくばストーカーチームの面々も割れる。

私は島田さん達から聞けた話を逐一彼に伝えた。どこの部分で彼の情報網にヒットするか分からないから、詳細に伝えておくに越したことはない。

正直なところを言ってしまえば、私ひとりで島田さん達に託された「何か」を背負い込みたくない、という気持ちがあったことも事実だった。誰か仲間が欲しかった。巻き込むならこの男しかいない。

小松という男と詩織さんとの関わりを聞くうちに、ミスターTの顔に驚愕《きようがく》の表情が浮かび始めていた。私もこんな顔をしながら島田さん達の話を聞いていたんだろうか、私はそう思いながらひそひそ話し続けた。

「どういうことよ、これ」

彼のメモを取る手がノートの上でひっきりなしに止まった。いつも冷静なミスターTが驚く顔を見ると逆に少し安心する。

「とんでもない話だろ？　だけど実際のところ、小松はどこにいるのか……」私は話を振った。

そこはミスターTである。こちらが何を知りたいか、とうに見抜いている。

「捜査本部もね、小松をマークしてますよ」

それどころか、すでに小松の居場所も把握して行動確認まで行っているという。警察が小松に注目するのは、当然といえば当然だといえた。なんと言っても詩織さんは上尾署に何度も小松のことで助けを求めていたのだ。マークしない方がおかしい。しかし「行動確認」か。

この言葉が意味するのは、当然このまま行けば小松は何らかの容疑で事情聴取、あるいは身柄確保されるということだ。要するに小松は我々の手の届かぬ「あっち側」、塀の中に行ってしまうということだ。警察が小松を追うのはありがたいが、それでは私が小松と接触出来なくなってしまう。因果なようだが、そう考えてしまうのが記者の商売というものだ。

「どうしたら小松に会えるかね……」

ミスターTがにやにやしていた。

「おじさんさぁ。その前にひとつ、重要な情報があるよ」

またおじさんかよ。

「小松は車のディーラーなんかじゃないよ」

？

「ヘルスの経営者。風俗だよ」

なんだそれは。そういう仕事も最近は「青年実業家」というのか？

ミスターTの話では、小松は池袋にモグリの風俗店を持っているのだという。島田さん達の話を聞いても、小松が実際何をやっている人間なのか、分からないことだらけだったが、これでひとつ謎《なぞ》が解けた。道理で若いのに金廻りもいいわけだ。ウラの世界に通じているようなことを言っていたのも説明がつく。性風俗関係者であちらの世界とつながりを持つ人達は確かに多い。

では、捜査本部が張り込んでいる場所というのも、小松が経営する風俗店ということか。

「そうだけどね、そこには近づかないで欲しいな。俺だって行ってないんだから」

返す言葉に詰まる。クラブ加盟社はこういった面は厳しい。警察は警察、マスコミはマスコミと言い張って取材してもよいのだが、加盟社の場合そんなことをすれば以後クラブからは締め出されることもある。

こちらはクラブに加盟していない。どのみちクラブの恩恵も受けず、取材もさせてもらえないような身分なのだから、警察が何を言っていようが本来は関係がない。だが、だからといって捜査の妨害もしたくなかったし、ミスターTにも迷惑はかけられなかった。一日も早く犯人を捕まえてもらいたいのは私だって同じだ。小松が事件の鍵《かぎ》を握っているのは間違いないし、県警が彼を発見し次第身柄を確保するつもりでいるというのなら尚更《なおさら》だ。ここはじっと我慢するしかない。

しかし、警察がその店を張り込み中ということは行動確認といっても彼をまだ捕捉《ほそく》はできていないということだ。小松はまだどこかそこら辺にいる。

別れ際《ぎわ》、私はミスターTに訊《たず》ねた。

「詩織さんのこと、どうする？」

記事にする場合、詩織さんをどのように扱うつもりか聞きたかった。彼女は被害者で、しかもあらゆる意味で非があるようには思えない。だが、若い女性がストーカーに襲われたという記事の場合、女性の側にも落ち度があったのではないか、という報道が他社から出ることは予想できた。そこへ保険を掛けた方がよいのかどうか、それが聞きたかった。

「やめた方がいいね」

彼は否定的だった。

私は意見が一致したことにほっとしながら、被害者のプライバシーについては慎重にやろうと言い合ってその日は別れた。

次の日、私は池袋にいた。

どうしても小松に会いたかったが、警察の邪魔もしたくない。小松が経営する性風俗店とやらで張り込むわけにはいかない。

店はだめだ。では、家ならどうだ。

詩織さんは小松のマンションの場所も言い遺していた。県警もミスターＴも、もちろんそれを知っていた。それを手がかりに小松の足取りを追えないか。

私は早朝から取材に入った。住民登録は転々としているらしい。池袋周辺に彼はいくつかマンションの部屋を持っていて、そこを行ったり来たりしているようだった。詩織さんが脅された部屋というのは彼が持つそうしたマンションの部屋のひとつでしかなかったのだ。

だが、その部屋を頻繁に使用していたことは間違いないし、事件直前まで住民登録を置いていたのもそこだった。この部屋には警察も張り込んでいない。可能性は低いかもしれないが、ここで張り込もう。

マンションの近くで私は桜井と合流した。カメラマンは一人で大丈夫だろうかとも思ったが、まぁいざとなれば私が撮ればいい。なんと言ってもカメラでメシを食ってきたのだ。

現場に着いてみると、希望はあっさり潰《つい》えた。それぞれのポイントにはすでにマスコミが張り込んでいたのだ。各社とも「ストーカー小松」を割り出し、動き始めていた。考えることは同じか。しかもマンションには人気《ひとけ》がない。

それにしても、こう言ってはなんだが各社ともひどい張り込み方だった。社旗を巻いて隠したつもりの黒塗りハイヤー。大型のキャリアーを積んだテレビ局のワゴン車。素通しの窓からは何人もの人間が中に乗っていることがバレバレだし、ビデオカメラまで覗《のぞ》いている。完全に素人《しろうと》である。相手はあれだけのことをやっても証拠を残さないストーカーだ。こんな方法で張り込んで姿を現すわけがないではないか。私は思わず舌打ちした。これでは小松がここに戻っても百メートル先からだってマスコミと分かって逃げ出すだろう。

写真週刊誌の取材は張り込みが基本だ。中には一年三百六十五日、張り込みだけを続けているカメラマンもいる。我々はターゲットに気がつかれないためなら、ありとあらゆる方法を取る。メシの種なので詳細は書かないが、相手がストーカーならある意味こちらはプロのストーカーみたいなものだ。一対一なら絶対に負けない自信はある。だが、他社にこんなやり方でべったり張り付かれていたらどうにもならない。張り込みがバレる時というのは一斉にバレる。他社が退《ひ》くまでは張り込むのは得策ではなかった。ジ・エンドだ。

私はその日以降も何度かこのマンションに足を運んだが状況に変わりはなかった。どのみちこの場所は諦《あきら》めるしかなかった。

写真は諦めたとしても、話の方の取材でやることはたくさんあった。島田さんの話を元に、小松やストーカーグループが撒《ま》き散らかした大小さまざまの痕跡《こんせき》のウラを取っていく。ゲーセンが実在するのかどうか、ニセ援助交際カードは実在するのか、インターネットに出た詩織さんの中傷文書は探せないか。必要ではあるが地道な作業には違いない。その上時間がない。

彼が詩織さんに語った「青年実業家」という経歴についても、小松が詩織さんに渡した名刺を頼りに取材に行く。ここは実在する会社ではあったが小松はとっくの昔にやめている。

「仕事をしていたのは五年程前。フリーの自動車ブローカーのようなことをしていましたね。ところがその店に迷惑をかけたのでクビになったという話です。そのときには小松の兄が謝りに来たって店の人は言っていましたよ」関係者がそう話してくれる。

結局この時点でタイムアップだったが、事件のパズルは少しずつ並び始めている予感があった。もうちょっと、もうちょっと何かが加われば真相に辿《たど》り着ける、そんな予感だ。私のテンションが下がることはなかった。

帰社してデスクに着くと、記事タイトルを紙切れに書き留めて編集長に渡した。

「ストーカーに狙《ねら》われた美人女子大生の『遺言』」

「美人女子大生」と入るのはいかにも週刊誌の宿命だが、「彼女は美人で有名でした……」に類するような内容を書く気はまったくなかった。私が書きたかったのは彼女が遺《のこ》した「遺言」のことだった。刺殺事件の概要と島田さん達から聞いた話を中心に、彼らの身元が割れぬよう配慮しながら詩織さんが受けていたストーカー行為をこと細かに書こうと思っていた。

もうひとつ。私はとにかく小松のこのセリフが気に入らなかった。

「俺は自分では手を下さない。金で動く人間はいくらでもいるんだ」

そんなバカなことがあってたまるか。自分で手すら汚そうとしない奴《やつ》が、のうのうと暮らしていていいのか。

正義感?

そんなものは遥《はる》か昔にどこかに忘れてきちまったはずである。でもそんな感情だろうか。「三流」週刊誌記者の中で荒れ狂っている不思議な嵐《あらし》。自分でもおかしかったが、小松の口癖というそのセリフはどうしても入れたかった。

「殺される」と怯えながら暮らし遺言して死んでいった被害者。

「やってやる」と豪語して姿を晦《くら》ましたストーカー。

冗談ではない。

小松がこの事件になんらかの関係があることは間違いない。彼のことを書くのに躊躇《ちゆうちよ》はなかった。盛り込みたい内容の多さに比べて少なすぎる行数を呪《のろ》いながら、私は原稿を書き進めていった。朝方なんとか最後の一行を書き終えた私は、サブタイトルに「親友に託した犯人名」と打った。「お前のことは知っているよ、なぜ逃げるんだ？」そんなメッセージのつもりだった。

最後の最後まで迷いながら、思いきって小松のことをイニシャル「Ｋ」と書き入れたこの記事が、まるで連載のような長丁場の第一回になるとは予想もせず、私はその原稿を書き上げた。


締め切りの次の日、私は再び島田さんと陽子さんに会おうと連絡を入れた。こんな原稿になったということを彼らに知らせたかったのだ。その後の取材で分かったこともあったし、彼らに聞きたいこともあった。彼らは私から連絡を受けてびっくりしているようだった。

「ええ、それは構いませんけど……」

戸惑ったような島田さんの声が電話の向こうから聞こえていた。マスコミの人間は話さえ聞けばあとは自分たちを用済みにするものだと彼らは思っていたようだった。再びカラオケボックスで顔を合わせるまで、私はそのことに気づかなかった。

ひと通り話し終えた後に、陽子さんがこう言ってペコリと頭を下げた。

「ありがとうございます。詩織のことひどく書かないでくれて……」

面映《おもはゆ》かった。

十一月二日。事件から一週間が経過し、FOCUSが街に並んだ。携帯には同業他社から記事に対する問い合わせが何本か入っていた。誰からストーカーの話を引っ張ってこれたのか皆聞きたがっていた。記事が出た以上、こちらも隠す理由はない。そのたびに島田さん達との仲介の労をとる約束をして電話を切る。各社に借りもあったし、それより何より詩織さんが必死に言い遺したこの話を、週刊誌一誌に掲載して終わりにしたくなかった。ただし、被害者の友人から取材するのだから、詩織さんの扱いには十分配慮して欲しいという条件はつけさせてもらった。

編集部の方にも記事を見た読者から電話が入ってきた。単なる感想に近い電話もあったが、事件についての情報をくれた人もいた。そうやって話をした中に、小松の風俗店についての情報をくれた人がいた。池袋の風俗関係者だった。FOCUSが出たまさにその日、小松が経営していた池袋の風俗店が突如店を閉めたというのだ。

後日の取材で分かったことだが、警察の動きに気がついた店の責任者は、従業員や風俗嬢にこう説明していた。

「近く警察の手入れがありそうですから今日で閉店します。みなさんは私物を持って帰ってください。外に警察がいるのでバラバラに出てください」

突然のことに風俗嬢達は驚いたが、仕方なく散っていった。もちろん「手入れ」とは風俗業自体のことではなく、オーナーの小松が警察に追われていることであった。

実はこの時、捜査員達はミスを犯していた。彼らは小松が経営している風俗店の一つを割って、張り込みを行っていた。当然内偵捜査だから、相手に気がつかれないように最大限注意は払われていただろう。しかし、小松の店はその一軒だけではなかったのだ。

その店を中心として、小松の店はその周辺になんと六店が集結していたのである。さらに、客が使用するための部屋も近辺に無数に確保されている。店長、従業員、風俗嬢達は、一日中捜査員のすぐそばを歩き廻《まわ》っていたのだ。バレない訳がない。遠く離れて張り込んだつもりの捜査員達だったが、そここそが小松グループの巣窟《そうくつ》の中だったというわけだ。この時点で捜査本部は小松との接点を失った。行動確認をしていたはずが、結局警察は一度も小松和人を捕捉できなかったのである。

同時に私もまた、取材の足がかりを失った。店は閉まった。マンションはいまだ張り込めない。小松はどこにいるのか、新しい週の始まりを前に私の焦燥感が募っていった。取材が早くも行き詰まりつつあった。

新しい情報をもたらす電話が編集部に入ったのは、そんなときだった。

記事を読んだというその読者の話を聞いているうちに、私は自分のところに幸運が舞い降りてきたことに気がついた。ただの読者ではなかった。飛びつきたいほどありがたい情報を持っている人物だったのだ。

小松の風俗店の関係者。

絶妙のタイミングだった。そこからしか取材は展開できないだろうと思っていたまさにドンピシャの人物が電話をくれたのだ。私の取材は、この人物を軸に急展開していくことになる。

一般の人はストーカーが小松という名前であることなんて、もちろん知らない。だから自分の周囲に危ない人物がいたとしても、桶川殺人事件に関与しているとは分からない。しかし、私はイニシャル「K」と原稿に書き込んでいた。それが情報提供を呼んだのだ。

「K氏というのは、小松和人じゃないんですか。記事を読んでピンときましたよ。ええ、池袋の風俗店のオーナーのね。何軒も店を持っていますが、とんでもない男ですよ」

現在においても、その人の名前はおろか性別すら記すことは出来ない。最初の電話で「直接は会えません。名前も言えない」ときっぱり言われてしまったからだ。私自身、性別についてはどちらかぐらいは分かるが、名前については現在私が把握している名前で果たして正しいのかも心もとない。詩織さんの友人達がそうであったように、その人物もまた小松に危険を感じていたのだ。ここでは仮に、渡辺さんとしておこう。渡辺さんは「なんとか御協力を」とかきくどく私に「では電話でならば取材協力をしましょう」と言ってくれた。これ以後、渡辺さんと私は頻繁に電話連絡を取り合うことになる。

渡辺さんの話では、小松は数年前から池袋で裏風俗店を経営し、その数も現在では六〜七店にはなっているという。マンションの部屋をいくつも借りて営業する、もぐりのファッションヘルスやデリバリーヘルスと呼ばれるものだ。

どの店も若い女性よりは三十歳前後を中心とする女性達を「人妻」と称して売りモノにするタイプの店だという。店名は「ファーストレディ」、「山の手貴婦人」、「奥様恋愛クラブ」といったものばかり。手入れを恐れて店名も頻繁に変えているようだが、先日の騒ぎで現在はすべての店を閉めているという。

小松はこれらの店のオーナーであり、「社長」とも「マネージャー」とも呼ばれていた。聞けば彼の上にはさらに「一条」という「影の男」がいるという。この男は暴力団関係者だと言われているのだが、全身白やら黒やらのスーツを身にまとい、エナメル靴を履いて時々店に姿を現す。見るからにヤクザだ、と渡辺さんは言うのだが、どこの暴力団かは従業員達も分かっていない。この男には小松も頭が上がらないのだという。

渡辺さんとのやりとりで、店名も分かった。場所も分かった。いずれも店は、池袋駅東口に集っていた。ヒントはそこにある、と私は思った。その週の取材がなんとかスタートを切った。

冬場、サンシャイン60の長い影が大きく伸びるその先あたりに裏風俗のメッカはある。

小松達はそこに立ち並ぶマンションにいくつもの部屋を借りて、風俗店を経営していた。私はまず住宅地図を貼《は》り合わせ、彼らが経営する店をすべてマーキングしていった。

店といってもマンションの一室にあるのは受付だけだ。客はそこでポラロイド写真を見て女性を選び、代金を払う。すると、その女性が待機する別のマンションの部屋番号を教えてもらえるという仕組みだ。店の周辺にはそんな部屋が無数にあり、空いている部屋は従業員の休憩用にも使っているという。雲隠れしている小松が隠れ住むには絶好の場所に思えた。

周辺を取材しているうちに、以前詩織さんが「小松の部屋」と教えられていた生活感のない部屋もそんなマンションの一室だったということが分かってきた。なんと言ってもその部屋の周囲にも受付やら女性達の待機する部屋やらがやたらにあるのだ。私はこの界隈《かいわい》を徹底的にマークすることにした。

同時に、風俗業専門のジャーナリストやこの手の世界に詳しい事情通、情報屋と呼ばれる得体の知れない人物達とコンタクトするようにした。小松の店の系列店や立ち廻り先が、彼らの耳に入らないかと思ったからだ。住所不定の小松だ。まともな方法では彼には到達できない。彼を探すにはそういったところを調べていくしかない。

「小松という男を知らないか。ベンツに乗っていて、こんな風貌《ふうぼう》なんだ」風俗関係者や客引きにも総当りしてみたのだが、意外に反応は鈍い。

小松は池袋では「顔」と聞いていたのだが、なかなかそうは簡単にいかないようだった。風俗情報誌や夕刊紙も大量に買い込んだ。この時期、私の会社のデスクの上や車の中にはこんな風俗雑誌だの広告だのの切り抜きが散乱していた。殺人事件の取材をしているはずなのに、訳の分からないことばかりしている私を見て、編集部の女性スタッフ達はどう思っただろうか。

「えーっと、俺、人妻系が好きなんですけど、そんなヘルスありませんかねぇ」

私は池袋界隈や電話口でこんなセリフをさんざん口にしていた。いいおっさんが情けないとは思ったが手段を選んでいられない。こういった店に出入りするクリーニング店やおしぼり屋といった業者も調べて廻る。彼らは風俗店から接客に使っている部屋の合《あい》鍵《かぎ》を渡されているから、彼らの動きを調べていけば、どこのマンションの何号室がそんな用途に使われているかすぐに分かる。

地道な取材を続けているうちに、小松が以前、従業員として働いていた風俗店が判明した。彼はその店に通っていた常連客をスポンサーにして独立したのだという。

小松はその店を辞める際、風俗嬢を無断で引き抜いた上、店の備品も勝手に持ち出してトラブルを引き起こしている。おまけに、それらが発覚して怒鳴り込まれた時には、「暴力団に言いつけてやる」と言って涙を流したというのだから、いったいどんなやつなのか興味は深まるばかりだった。

私は連日池袋の街に通い、聞き込みを続けた。

カメラマンの取材の基本が張り込みなら、記者の基本は聞き込みだ。歩け、歩け。まったくの肉体労働。テクニックなんかいらない。重要な取材相手にぶつかるか否《いな》か、それだけである。

数年前の夏、こんなことがあった。

ある地方都市でのことだ。女子高校生に猥褻《わいせつ》行為をしたうえ、その写真をインターネットで公開し、逮捕された男がいた。

当時インターネット犯罪の摘発は難しかった。それだけに、成功した県警は摘発を自慢げに発表した。しかもこの容疑者が、福祉関連事業で働いていたためマスコミが動くことになった。

　私は新人記者と二人でこの取材にあたった。だが、被害者が未成年ということもあって警察の発表は「コンピュータ犯罪を摘発出来た」という部分だけが強調されたものだった。週刊誌に必要な、捜査の経緯だの事件の概要だのがあまりに乏しい発表だった。逮捕のきっかけも男の属性も分からない体たらく。締め切りも近づいていた。やむを得ず私は新人記者と二人して駅前での聞き込みを始めた。

　というのも、逮捕されたこの男、被害者の女子高生に「写真を撮らせてくれないか」とターミナル駅前で声をかけていたのだという。ならば何人かの女の子が同じように声をかけられているはずである。人間というものは同じパターンを繰り返す。声をかけられた女の子だって結構な数になるだろう。我々も同じことをやれば、犯人から声をかけられた女の子と接触できるかもしれない。彼の手口や印象、人間性を取材するにはこの方法しかないではないか。問題があるとすれば、そんな女の子があくまでも「探せるかもしれない」という程度の確率でしか存在していないことであろう。

　私の提案を聞いた新人A君は口をあんぐりあけてこう言った。

「それってマジっすか？」

　作戦はきわめて単純だ。学校帰りの女子高生を捕まえては犯人の顔写真を見せて「この人知らない？」とやるのだ。一歩間違えればこちらが痴漢である。間違えなくても変な写真持ってくるのだ、危ないおじさんには違いない。こちらが警察の厄介になるのはごめんなので、取材であるということだけはきちんと伝えるようA君に指示した。

本当に暑い日だった。気温は三十度を越え、無風。駅の東口と西口に分かれた我々は、顔や背中から滝のように汗を流しながら安物のテープレコーダーみたいになって同じ呪《じゅ》文《もん》を繰り返した。知性も教養もまるで必要ない。いやそんなものがあったら出来ない仕事である。セーラー服姿を見つけては追いかけ、捕まえて話しかける。大マスコミのエリート記者なら考えもしない愚行であろう。

しかし、今思い返してみても、この方法はまさに思いつきであった。いくらやっても手《て》応《ごた》えがない。県庁所在地のその駅は大ターミナルだ。人はいくらでも来た。私はこの世にこんなに女子高生がいるものだとは思っていなかった。女子高生は次から次へと湧《わ》いてきて、とどまるところを知らない。

三時間程が経過した頃、私はとっくに後悔していた。これはあまりに無謀だったかもしれない。私にひきかえ新人記者A君はそれでも頑張っていたが、彼の元気な声を聞くと、逆に有能な若者をこの炎天下、無駄に汗水垂らさせたような気がして申し訳なかった。

おそらくは三百人目くらいの女の子に私が振られた頃だった。A君から電話が入った。

「写真の男を知っている子がいました。夕方会ってくれると言っています」

ほんとかよ？　と問い返す私より、女の子を本当に探し出してしまった彼の方がビックリしているようだった。急いで彼に合流すると、私たちは待ち合わせ場所でその少女と会った。まるで子供のような小柄な少女だった。

「この男が私の友達に声をかけたんです」と言うので、私がいろいろ質問すると、その友達から細かいところまで聞いていたらしく正確に答えてくれる。取材はトントン拍子に進んだ。謎《なぞ》がどんどん解けていった。解けていったのはいいが、一方で彼女の話す内容に少々矛盾も出てきた。

知りすぎていたのだ。

その疑問は徐々に徐々に溜《た》まっていき、打ち解けてきてから、私は思い切ってその疑問を切り出してみた。

「その〝友達〟ってあなたでしょ？」

「あは、やっぱバレちゃいましたか」

のんびりした性格のA君はこの重大な告白の意味がまるで分からない。

「え？　だってさっき友達って言ったじゃない」

私は少女に気がつかれないようにA記者の足を思いっきり蹴飛《けと》ばしこう言った。

「最初からそうじゃないかと思ってたよ」

彼女は舌をペロッと出して笑った。なんと、その少女こそ事件の被害者本人だったのである。

彼女は、この事件のインターネット〝ハイテク〟捜査にばかり焦点をあてる新聞報道に疑問を持っている、だから我々の取材に協力してくれたのだと言った。

その後は、今度こそ彼女も包み隠さず詳細を話してくれ、おかげで分かり難《にく》かったこの事件の細部がことごとく詰められた。新聞・雑誌を含め、おそらくはFOCUSほどこの事件を詳しく報道できたメディアはなかったろう。もちろん記事にする上で、少女のプライバシーに十分配慮したことは言うまでもない。

だが、次から次へと人が通り過ぎていく大都市ターミナル駅で事件の被害者と会えるなんて、まさに砂浜に落とした針を探すような確率ではないか。取材とは、一見無駄に見えるこんな作業の繰り返しに過ぎない。いや無駄に終わることの方が多いものなのだ……。

余談だが、この事件で自慢気に県警が発表したインターネット犯罪の摘発とやらの捜査内容は、実はお粗末なシロモノであった。この少女がある友人から「お前のヘンな写真がインターネットに出ているぞ」と言われて、彼女の口から先生へ、先生から警察へと情報が流れただけだったのである。なんたるローテク。県警は少女から容疑者の家を聞き出し、パソコン一式を押収《おうしゅう》、本人の自供も取れたので逮捕し発表をしたというだけだった。

さらに付け加えると、この県警はインターネットのことをまるで分かっておらず、容疑者からパソコンを押収すればたちまち猥褻写真はネット上から消えるとでも思っていたらしい。容疑者のパソコンと、ホームページのサーバー用のパソコンは別物である。消えるわけがない。逮捕後一週間経《た》っても被害者の猥褻写真はそのまま全世界に向け垂れ流されていた。

確かに犯人は逮捕したかもしれないが、被害者救済はどうでもいいというあたり、警察のやりそうなことではある。

池袋通いを続けていた私の姿も、傍《はた》から見れば殺人事件本件からは、はるかに逸脱しているように見えただろう。私自身も、とんでもない遠廻《とおまわ》りをしている気もしないではなかった。

こんなことをしていて、果たして殺人事件のことが分かるのか。物事うまくいっている時は良い。しかしそうでない時は自分の行動すら疑い、怪しみ、弱音のひとつも出てしまうのが人の常だ。灼熱《しゃくねつ》の駅前の聞き込みしかり。一時期の勢いはどこへやら、何をやってもうまくいかないような気がしていた。

仕事は桶川の事件だけではない。事件は毎日起きている。そういう取材だってしなければいけない、ページは埋めねばならないのだ。

そうは思いながらも、空いている時間のほとんどすべてを風俗店取材に充《あ》てていた。毎日池袋に通いつめた。

不思議なのは、どこをどう取材しても県警捜査員とかち合わないことだった。「捜査員が来ている」という話すら出ないのだ。百名もいるという刑事はいったいどこで何をしているのか？

これは私の取材が見当違いなのか、捜査が違う方向を向いているかどちらかだろうと思わざるを得なかった。しかし捜査がどちらを向いているかなど私が知るわけもない。私は私のやり方で、虱潰《しらみつぶ》しに池袋の風俗業界を漁《あさ》るしかなかった。

やがて、徐々に徐々にではあるが情報が入ってくるようになってきた。関係者に名刺をばらまくうちに、「あんた小松を探してんだって」などという怪しげな電話がデスクに掛かってくるようになってきたのである。

どこまで何を知っているのか分からなかったが、とにかくそういう人とは出来るだけ会うようにした。中には謝礼や食事目当ての「メシ食い」と呼ばれるいいかげんな話もあったが、それもこういう取材にはつきものだと思えば意気が削《そ》がれることもなかった。見るからに剣呑《けんのん》そうな「その筋」の方や、指が数本足りなかったりする人が興味深い情報を持ってきてくれることもしばしばだった。取材はだんだん広がっていったが、依然として小松の居場所は分からなかった。

私には気になっていたことがあった。

島田さんの話の中で、九月下旬に刑事が詩織さんの家にやってきて、「告訴を取り下げて欲しい」と言った件である。

本当なんだろうか。なぜ警察官が被害者の家を訪れ、そんなことを言うのか。しかも「告訴するならまた出来ますよ」とさえ言っているというのだ。一度取り下げた告訴は二度と出来ない。警察官が間違ったことを言っていたなら大問題である。

上尾署が記者クラブ以外対応しないので、私は警察に直接取材はできない。そこでミスターTに聞いてみると、この頃似たような噂《うわさ》がマスコミの一部で流れているという。それらの問い合わせに対し、上尾署の幹部はこう言っている。

「調べてみましたが、そんな刑事はウチにはいません。記録も報告もありません。そんなことを言うはずもありません」

そしてさらにある捜査関係者は、「ニセモノですよ。おそらく芝居を打って告訴を取り下げさせようとしたのでしょう」とまで語ったのである。あそこまでやるストーカーチームである。不思議はないと私も納得した。

FOCUSが事件後二回目の締め切りを迎えようとしていた頃、私はある事実に突きあたった。

住所不定の小松だが、一応住民登録はしている。それを追っていくとストーカー行為が激しくなってきた頃から、彼の住民登録は池袋近辺を転々として、最後は板橋区のアパートの一室に置かれている。私はそこに興味を持った。

板橋区といえば、詩織さんの写真が載った「ニセ援助交際カード」が突然撒《ま》かれたところである。偶然なのだろうか？　しかし、いくら逃亡中のストーカーとはいえまるで無関係な家に住民登録もしないであろう。

そう思った私はそのアパートを桜井カメラマンに張り込んでもらったが、小松の姿はない。そこには男が一人住んでいただけで、その男、森川（仮名）は同じルートで取材に来た別のマスコミにこう語っている。

「小松から、一万円やるから住民票を置かせて欲しいと頼まれただけで、何も知らない。俺も困るんだよ」

不審に思った私が、あちこちの風俗関係者にこの森川という男を知らないか聞いてみると、あの情報源の渡辺さんが答えを教えてくれた。関係ないと言っているはずのこの男は、実は小松と十分に関係があるのだという。森川はなんと、小松の風俗店の従業員だったのである。

しかも、森川はとんでもない車まで所有していた。それは、ホンダの車だった。刺殺事件が起こる十日前の十月十六日、詩織さんの自宅前で大音響でステレオを鳴らしたあの車である。調べてみると、猪野さんが警察に届けた逃走車両のナンバーと森川の所有する車のナンバーは見事に一致する。

間違いなかった。小松は、詩織さんに嫌がらせ行為をした自分の部下の部屋に、自分の住民登録を置いていたのである。こうなると「俺は自分では手を下さない」という彼のセリフは、逆に自分の犯行を認めているようなものではないか。

ＦＯＣＵＳの二回目の記事は「『裏風俗、当り屋、偽刑事《にせ》』女子大生刺殺事件キーマンの顔」として、もう一度詩織さんが言い遺《のこ》した小松和人の素行について細かく書き込んだ。彼の仕事や人間性、当たり屋もどきの行動など「Ｋ」の属性がわかるようなエピソードで誌面を埋め、この男はこんなことまでするのだ、というつもりでニセ刑事の件にも触れておいた。

そのくだりが後に私を警察批判へと向かわせるとは想像もしていなかったし、この時点の私は単純に警察の誘導に乗っかってしまっていただけだ。詩織さんの家に嫌がらせ行為をした男と小松の関係の方が、事件の真相へと一歩近づく大きな手がかりだと思えた。

「お前までたどりつくのも、もうすぐだよ」というメッセージのつもりで、私はサブタイトルに「尻尾《しっぽ》を見せたストーカー」と入れた。

小松は間違いなくこの記事を読む。こんな詳細な記事を掲載しているのはFOCUSだけだ。事件に関係ないなら抗議の一つもして来るだろう、私は期待しながら記事を送り出した。

その週の取材は重要なヒントを私に与えてくれた。ストーカーチームの一人が小松の風俗店の店員だということは、他のメンバーもやはり小松の風俗店関係者である可能性が高いのではないか。

雇われている社長の命令ならば、無理な要求でもなかなか断りにくかろう。いかに「金で動く人間はいくらでもいるんだよ」と小松が言い放っていたにせよ、何の関係もない他人が、金だけを目当てに逮捕される危険を冒すと考えるよりは、その方が自然だ。一人の女性によってたかって嫌がらせをする連中の説明として、「小松の風俗店関係者説」は悪くない気がした。

私は、小松が入院していた病院に詩織さんが見舞いにいくと、取り巻き連中がチンピラのような挨拶《あいさつ》をしていたという話を思い出した。この連中も実は店の従業員ではないのか。ビラを貼《は》っていたチーマー風の男二人というのも……。推測は推測である。小松の風俗店と刺殺事件を結ぶ線があればいい。そこに何かの手がかりがあるかもしれない。

私は、渡辺さんを始めとする風俗店関係者数名に次の疑問をぶつけていった。

「小松の風俗店グループの中に、こんな男はいませんか？　身長は一七〇センチ、三十代、小太りで短髪です」

反応は思いのほか早かった。

「それは久保田という男ですよ。小松に借金があるとかで恩を感じている男でね。ええ、よくベルサーチのスーツと、青いシャツを着ています。池袋の『ドリーム』という店の店長です。あれは危ない男ですよ。よく川上という別の店長とつるんでますね」

実に興味深い話だった。それならと、別の関係者に久保田の名前を当ててみた。

「ついに久保田の名前が出ましたか。うーん、私が話したことは絶対秘密にして下さいよ。こっちの命が危なくなりますからね。実は、あの殺人事件には久保田と川上が関係しているんじゃないかという噂が出ていたんです。というのも十月末のある日、たぶんあの事件の日だと思うんですけどね。夕方、久保田が店に帰ってきて、普段は口数が少ない男なんですがその日はすごいハイテンションだったんです。みんなにやたらに声をかけてね。飲みにいこうか、酒でも飲まなきゃやってられない、なんて言ってました。その頃からです、彼の金廻りが良くなったのは。池袋や上野のキャバクラで豪遊しているらしいですよ。ドンペリを開けたりして、一晩に二十万くらい使っているそうです。だけど『ドリーム』は最近閉店しましてね、奴《やつ》は姿を消したんです」

間違いない。大当たりではないか。

この方程式が正しければ、詩織さんを刺した男はこいつに間違いない。何もかも条件がピッタリだった。

だが残念ながら、この久保田が店長を勤める店も十一月二日以来閉まったままで、久保田は小松ともども姿を消している。いよいよ怪しかったが確かめる術《すべ》がない。久保田が「当たり」なのかどうか、はっきり確認しようにも物証がない、顔も分からない、どうしてもと言うなら探し出して本人に当てるしかない。だが、仮に会えたとして「あなたあの事件のことを知ってますよね」とやるのか……？

冗談ではない。それが「当たり」なら私の命もそこで終わるかもしれないではないか。あまりに危険だ。

過去にも逮捕前の殺人犯と接触をしたことはあった。しかし、今回相手は得体の知れないストーカーチームだ。妙なトラブルになったら何をされるか分からない上、私はまるっきり一人ときている。これ以上は取材とは言わない。「捜査」である。いったい私にどうしろというのか――。

自宅に帰ったがその夜は眠れなかった。

今も久保田は逃げている。池袋周辺で動き廻っている警察に気がついて店を閉め、どこぞをうろついているのだ。ここまで取材してきても、捜査員の痕跡《こんせき》に一向に出会わないのも腑に落ちない。上尾署は一体何をやっているのだ？　事件から三週間経ってもまるで動きが見えない。

「あの警察ではダメなんでしょうか」そういえばカラオケボックスで島田さんはそんなことまで言っていた……。

ならばいっそ警視庁の親しい刑事に連絡するか？

だが殺人事件の捜査本部は、あくまで埼玉県警上尾署にある。この事件を解決できるのはやはり上尾署しかない。となると、私に出来ることは上尾署に情報提供することか。

あまり気が進まない話だった。あのどうにも馬鹿《ばか》げた「記者クラブ」だ。上尾署の非加盟社に対する態度はひどいものだ。「三流」週刊誌記者の私の話を、まともに聞いてもらえるだろうか。

支局などない我々は、日本中の警察を廻って取材をしている。だからこそ分かるのだが、過去の経験で言わせてもらうと、埼玉県警の雑誌取材の対応ぶりはワースト3に入る。

ちなみに他の二つは「一見《いちげん》さんはおことわり」の京都府警と「本部に行って」の北海道警である。

北海道は広い。本当に本当に広い。

私も事件記者だ。事件があればどこにだって行く。北海道の北の果てであろうが東の果てであろうが行けと言われりゃ行くのだ。そうしてようやくたどりついた所轄署《しょかつしょ》で取材を申し込むと、彼らは口を揃《そろ》えてこう言うのである。

「雑誌の取材はここでは対応しません。道警本部の広報へ行ってください」

道警本部というのは札幌のど真ん中にある。たとえその所轄が流氷が接岸するようなオホーツク海を臨む町にあっても、裏山にヒグマが出そうな駐在所でもそう言われるのである。

それでも本部に行って取材が円滑に進むのならば我慢もしようではないか。おっしゃる通り、飛行機やら列車を使ってやっとの思いで道警本部まで行ってみると、たいていの場合こう言われるのだ。

「その件は所轄から何の資料も届いていないいんだわ。特に広報することはありませんわ」

または、「広報資料はこれだけです。みんな新聞に書いてあるっしょ、それ見てよ」

吹雪《ふぶき》の中を何百キロ移動してきても、これでおしまいである。お茶の一杯くらいは出してくれるが情報は出ない。馬鹿にするのもいいかげんにしてもらいたい。私は北海道は好きだが、道警は嫌いである。

京都府警はおわかりであろう。事件解決はロクに出来ないのに気位だけは高いのだ。雑誌などメディアだとも思っていない。そして埼玉県警の対応は、この二者に匹敵するのだ。

　どうせ行ったところで例の「クラブ員以外の取材はここでは対応しません」である。もはや取材を希望しているのではなく情報提供したいのだが、とはいえただ情報をお伝えするのも腹が立つ。やっと自分で摑《つか》んだ情報を、県警経由でそのままクラブ加盟社の皆様にお教えする羽目になるのでは浮かばれない。

　ＦＯＣＵＳは記事を載せ、警察は犯人を逮捕する。このように行きたいものだ。私は記者だ。記事にするために働いている。だがいったいどういう順番でコトを運べばそうなるか。それともやはり無理なのか。迷う。

　いっそ上尾署に突入して、

「私は一市民ですが、殺人事件の犯人が分かりましたのでお伝えに来ました！」

　とでも言った方がよほど簡単かもしれない。これならば警察もうさん臭い顔をしながらでも話は聞いてくれるだろう。ひょっとしたら、新聞記者ですら入れない捜査本部にも入れるかもしれない。

　とは言っても警察のことだ、今までの経緯を説明しなければ私の情報も信用しないだろう。何しろ弱い者には厳しいのが警察である。一般市民が直接情報を持って来たとなればガンガン来るに決まっている。そうなれば身分もバレる。私が週刊誌記者と知れば
「おい、あんたさぁ、そこまでやったら捜査妨害だぞ」とかなんとか言いがかりをつけ

て机をドーンと叩《たた》き、灰皿の一つもひっくり返すだろう。情報だけは聞かれて、後はポイ、なにせ私は気が弱い、いかついデカさんに囲まれたらみんなしゃべってしまうかもしれない。

しかし、このまま情報提供しなければ、取材も進まず事件も解決しそうにない、かといって提供すればポイ捨ての末路……。

頭の中で話がぐるぐる廻《まわ》っていた。眠れない。部屋の片隅に置かれた籠《かご》の中で、「のすけ」がカサコソと動き廻っている。彼は私と同じ夜行性だ。取材を終えて深夜に帰宅する私を起きて待っているのは「のすけ」だけだ。私は、彼の餌箱《えさばこ》にひまわりの種を入れ、ふとんに戻った。

見ていると「のすけ」は慌《あわ》ててほお袋に、せっせと種を貯《た》め込んでいた。ひまわりの種が好きなのはわかるが、そんないっぱい貯めたところで食べきれないだろうに。……誰かさんみたいだなあ、お前。

翌朝、私はミスターTの携帯番号をダイヤルし、久保田の情報を伝えた。警察取材に強い彼なら、何らかの答えを出してくれるだろう。私はミスターTのことを信頼していた。私が記事を書く前に、彼が勝手に報じたりする心配は無用だった。こうなったら私と心中してもらうしかない。

いささか面倒な経路をたどって、久保田の存在は捜査本部に伝わった。この情報に捜査本部は色めきたったという。前科、前歴照会でこの男の素性が明らかになった。久保田祥史、三十四歳。かつて広域暴力団に所属していた男だという。

さすが警察、こういう調べは早い。

捜査員は久保田の写真を持って、事件当日桶川駅前にいた目撃者達のところへ走った。

「おじさんビンゴだよビンゴ！」

ミスターTは興奮した声で結果を伝えてくれた。複数の目撃者が久保田の顔を覚えていたという。私も興奮していた。もし目の前にミスターTがいたら頬擦りしていたかもしれない。

実行犯はやはり久保田だ。そして、久保田の上司はあの、小松和人だ。

事件が今、一つの線で完全につながった。

第四章　捜索

池袋

「こちら新潮一〇四。今、男が一人出た」

「〈ザ、ザー〉新潮一一九、了解！　撮影はＯＫです」

　モトローラ製トランシーバーから桜井カメラマンの声が流れてくる。

　どうやら桜井はちゃんと男の姿をカメラに収められたようだった。

　張り込みを始めてからすでに一週間が経《た》っていた。埼玉県川口市内の、とあるマンションのすぐそば。私達はそのマンションの一部屋が見える位置にワゴン車を停めていた。そこで朝から深夜まで、ひたすら鉄製ドアを見つめているのが今の私達の仕事だ。私はマンションの入り口付近で人の出入りを見ては、桜井にトランシーバーで伝える。それを聞いた桜井がワゴン車からシャッターを切るという算段だ。新潮一〇四が私のコールサインで、一一九が桜井。電波法で定められているし、誰に聞かれないとも限らないかいつ果てるとも分からぬこの張り込みにすべてを賭《か》けていた。

もう少しだ。もう少しでターゲットは現れる——私達はかすかな希望にすがりながら、

「〈ザ、ザー〉こちら新潮一一九、了解。引き上げます」

「こちら新潮一〇四、部屋の明かりが消えた。今日は撤収だ」

らお互い必ずコールサインで呼ぶ。


池袋で突然小松の風俗店が閉まってから三日後のことだった。ある風俗関係者からこんな情報が飛び込んできた。

「小松の店が西川口で営業している」

小松と久保田の足取りを追うすべての手がかりを失った私が、それでも諦《あきら》めずに池袋詣《もう》でを続けていると、その人物は呆《あき》れたようにこう言ったのだ。

「熱心だねぇ清水さんも。あのさぁ、小松は池袋の店は全部閉めたけど、実は西川口にも一軒だけ店を構えていたんだよ。そこはバレないと思っているのか、今も開いているらしいから調べてごらんよ」

事実ならば重要な情報だった。小松や久保田がその店に立ち寄る可能性があるのだ。すっかり風俗事情通になった私にはその手の店を割り出すのも苦労はない。休みをつぶして調べ上げたその風俗店は、相変わらずもぐりの営業で「人妻」を売りにしているこ

とまで同じ、一部夕刊紙には広告まで出していた。早速現場を見に行くと、池袋の店と同じくマンションの一室を借りているだけで看板もない「人妻系ヘルス」がそこにあった。間違いなかった。

情報は正確だった。気になるのは埼玉県警がこの店の存在を把握しているのかどうかだが、どうも県警が動いている様子はない。それほど重要な場所ではないのか……？疑念はあったが、確かにそこに小松の店は存在しているのだ。その事実を前にすれば、写真週刊誌を長年やってきた人間の結論はひとつだ。張り込んでみるしかない。

とはいっても、ただ闇雲《やみくも》に張り込めばいいというわけには行かなかった。何しろ向こうはストーカーチームなのだ。難易度が高い。バレたりすれば、こちらまで危険に晒《さら》される。

半端《はんぱ》な取材班では歯が立たない。精鋭が必要だった。敵がストーカーならこちらも写真週刊誌、ある意味プロのストーカーのようなものだ。プロがチームを作ればアマチュアストーカーに負けることはない。山本編集長に頼み込んで、桜井と応援の南慎二カメラマンを借り出し、さらにドライバーの松原一豪さんの運転するワゴン車を用意した。

ただし、条件があった。

カメラマンは出す、だけどね、と編集長は言った。君は別の取材に廻《まわ》ってもらうよ。写真が撮れたり、犯人が逮捕されたりでもすれば話はまた別だけどね。

返す言葉がない。発生から三週目で、事件はピタリと動きを止めていた。警察筋の情報は、テレビ、新聞を見る限り沈黙を続けている。こうした事件の記事には確かにタイミングが必要ではある。事件発生、犯人逮捕、起訴、裁判開始、判決言い渡し等々……。この段階では何もなかった。確かに夕刊紙、週刊誌は記事を載せていたが、こちらとは筋がまるで違う。事件に廻せる編集部の記者だって多くはないのだ。張り込みに人を出してはもらえたが、私自身は私のデスクの隣に座る小久保大樹記者とともに、千葉県成田市で起きた「ライフスペース」のミイラ事件取材に廻された。

それでもメンバーは確保できた。いずれも百戦錬磨の男たちである。ベテランの桜井は改めて説明する必要はないだろう。関西出身の南カメラマンは辛抱強く、ちょっとやそっとの長期戦で弱音を吐くことなどない。カメラマンには短期決戦型と長期戦型とあるが、今回の張り込みは長期にわたる。南カメラマンの応援は心強い。松原さんというのは、この業界ではちょっと知られた運転手である。運転手といっても、並の運転手ではない。みんなに「おっさん」と呼ばれるこの人は、こんな仕事ばかりすでに二十年以上もやっている超ベテランなのだ。ドライバーとしての腕が優秀なのはもちろんだが、なにしろ「張り込み」、「追っかけ」の仕事がうまい。車の配置、ターゲットの「出」の視認、その後の「追っかけ」すなわち追尾追跡の巧みさ。彼のおかげで成功した取材は数知れず、この人のおかげで泣いた有名人も数知れない。現場においては、へたな記者なぞまるで勝負にならないのである。

しかし、メンバーにはあらかじめこれだけは言っておいた。

小松や久保田が現れた場合は、とにかく写真撮影だけにとどめておくこと、「追っかけ」はしない——。

我々が動いていることを彼らに感づかれてはならなかった。それがこの張り込みの第一条件だった。なんと言っても西川口のこの店は、おそらく県警の捜査員も知らないはずである。もし張り込みがバレて、せっかく見つけた小松や久保田が逃走するようなことにでもなれば事件解決は極めて困難になってしまう。おまけにストーカーチームが警察の手を逃れれば、今度は我々に対してその牙《きば》を剝《む》く可能性だってないとは言えないのだ。彼らの背後に何があるのかまるで謎《なぞ》だった。無闇に怖《おそ》れる必要はないが、島田さん達の話から考えて、まともな集団だとは到底思えない。

県警には彼らを確認した段階で連絡を入れるつもりだった。緊急車両なら浦和の県警本部から十分で着く場所だ。こちらの取材にはまったくと言っていいほど応じないのだから業腹《ごうはら》ではあるが、仕方がない。犯人逮捕に一歩でも近づくのなら私だって本望だ。

あとは人の配置だった。撮影のための下調べをロケーションハンティングという。通称ロケハン。これをきちんとやるかどうかで結果には大きな差が出てくる。相手にバレずに確実に写真が撮れる場所、ということを条件に繰り返し検討を重ね、「人妻ヘルス」

があるマンションから百メートル以上離れた場所に「松原のおっさん」のワゴン車を置くことにする。そこなら相手からは車自体が見えない。外観はまるで普通のワゴン車であるこの「松原号」は、窓ガラスにフィルムが貼《は》られ、内側はさらにカーテンでガード。内部が容易に窺《うかが》えないようになっているばかりか、後部座席が外してあり、そこには大型三脚を据えつけて長時間の遠距離撮影にも耐えられるよう改造が施してある。まさに張り込み専用車であり、これなら気づかれる危険性はほとんどない。

使用レンズは一二〇〇ミリ。レンズ本体の長さが一メートル近くにもなる超望遠レンズである。野球場のスコアボード下にセットすれば、捕手のサインが見えるほどの性能だ。これに、暗くなっても撮影可能な超高感度フィルムＡＳＡ３２００を使用する。

準備は整った。マンションが割れた次の日、私は松原号の中で最終確認を行っていた。ファインダー越しに見えるマンションの鉄製ドアは超望遠レンズのおかげでフレームいっぱいに広がっている。

いつでも出てこい。ストーカー対ストーカーの、長期戦覚悟の張り込みが開始された。

張り込みチームは来る日も来る日もドアを睨《にら》み続けていた。「ライフスペース」の取材もしなければならない私は、毎日は現場に来られない。桜井、南、松原の三人が日がな一日風俗店の人の出入りをチェックしては私に報告を寄越す。ワゴン車に閉じこもりきりになって、毎食コンビニ弁当ですませて部屋に出入りするすべての人物を撮影するのだ。店員、客、風俗嬢……。

この手の撮影というのは非常に難しい。小松の顔は写真で見たことがあるからなんとかなるとしても、久保田については身体的な特徴しか知らない。目の前を通り過ぎてもわからないような人物を撮影しなければならない上、ストーカーチームの構成メンバーが何人で、どんな人物なのか何も分かっていない。男なのか女なのか、若いのか年寄りなのか、判断材料が何もないのだ。

勢い、その部屋に出入りするすべての人を撮影しなければならなくなる。ところがこれまた厄介だ。マンションの開放廊下を歩いてくる人というのは、これからどこの部屋に入るか分からない。当たり前だが、部屋のドアを開ける瞬間まで行き先が不明なのだ。それがなぜ厄介なことになるかというと、ドアを開ける時というのは誰だってそうだが、それを見ているカメラからするとすでに後ろ姿になっているのだ。問題の部屋に入ると分かったときにはもう遅い。

ということは、部屋から出てくる時を狙《ねら》うしかない。シャッターチャンスはドアが開いたほんの一瞬……。逆光の朝、睡魔が襲う午後、凍える深夜、その一瞬のために緊張を保ちながらファインダーを覗《のぞ》き続けるということが、いかに過酷なことであるかはカメラマンでなければ分からないだろう。まるで網膜にそのドアの形状が焼きついてしまいそうなほど、彼らは連日延々と張り込みを続けていた。

私は私で、隙《すき》あらば編集部から姿を消していた。本来同じ「ライフスペース」担当のはずの小久保記者が一人で悲鳴を上げているのを尻目《しりめ》に、張り込みチームに参加していたのだ。清水は何をやっているのか、という声が聞こえてきそうだった。言い訳のように深夜編集部に戻っては朝方まで資料整理などを付き合ったりしていたが、勝手な行動には違いなかった。

すでに十一月だ。深夜に及ぶ張り込みは気温も下がっていよいよ辛《つら》い。現場を任せているカメラマンたちにも申し訳なかったが、私はどうしてもこの仕事をやりとげたかった。なにがそうさせているのか自分でも分からなかったが、祈るような思いで私もまたドアを見つめ続けた。

張り込みを始めて数日経つと、部屋の出入りがだいたい飲み込めてきた。店のパターンが見えるのだ。ひとりの男がしきりに出入りを繰り返していた。

私達はその男、店長に注目した。

店の売り上げは現金だ。その金は当然オーナーである小松に渡っていくはずである。金を取りに小松がマンションに姿を現せば話は簡単で、我々は松原ワゴンから撮影すればいいだけだ。だが、小松が来ないというなら逆にその金の行方を追うしかない。売り上げを管理するのは店長だ。そして売り上げが行き着く先は小松のはずだ。ならば店長を追って行けば小松にたどりつくはずだ。

姿を現さない小松と久保田に私たちは焦《じ》れていた。

売り上げは銀行振込という可能性だってあるが、そんなことを考えたってしょうがない。うまくいかない要素は無視して、そう信じてやるしかない。張り込み開始の数日後には、閉店後の店長追跡がチームの仕事に加わった。

私を含めた取材班で尾行用に用意した車両は三台。全員にトランシーバーを持たせる。一瞬が勝負を決める張り込み、追っかけでは携帯電話では間に合わない。

追っかけの場合は複数の車両をいかに配置するかが重要になってくる。ターゲットが店から歩いて出た場合、迎えの車が来た場合、道路を渡って道の反対側でタクシーを拾った場合など、ターゲットの動きをすべてシミュレートして、こちらが不自然に見えぬよう追尾可能な配置をしなければならないのだ。

ところが、店長の行動を見ていて分かったのだが、面倒なことに彼の移動手段は原付バイク。バイクというのは大変追跡しにくい代物《しろもの》で、急に曲がるし車の横はすり抜ける、Uターンも簡単だ。原付のあとにくっついて車がUターンなどしたら、誰が見たってあまりに不自然だろう。私達は唸《うな》った。

それでもやるしかなかった。いつ小松と金の受け渡しがあるか分からないのだ。店長が店を出るたびに張り込み中の我々は大騒ぎになった。

「こちら新潮一〇四！　ターゲットは右に出た、おっさん、俺は無理だから行ってくれ！」

「〈ザッ〉こちら新潮一一九！　だめだ、ターゲットは路地に入っちまった、一〇五、そっちの道から行くんだよ！」

それでいて店長のすることといえば、店で使う消耗品などの買い物ばかりなのだ。彼はもちろん自分がマスコミに追われているなんて知らない。おそらくこの本を読むまで知らないだろう。どこかのマスコミが引っ切りなしに無線を怒鳴りつけ、自分の全行動を追っていることなど知るよしもなく、彼は毎晩のように仕事帰りにはスナックに寄って一日の疲れを癒《いや》していた。何時間も飲みつづける店長を、店の前で缶コーヒー片手に手を温めつつ、「何の因果でこんなことをやっているんだろう……」とぼやくこともしばしばだった。相手は酒である。いつ終わるとも分からずに、ただひたすらドアが開くのを待つしかない。

車の時計が二時、三時を指すころ、ようやく一杯気分の店長は迎えの車に乗ってご帰宅だ。これから小松に会うのかもしれない。諦めきれない我々はそれをさらに追尾するが、深夜の尾行はさらに難しい。裏路地を車が何台も続いたらあきらかに異様なのだから。

神経の磨り減る毎日が続いた。

張り込みを始めて一週間が経過したところで、撮り溜《た》めた写真を「面確」することにした。面確すなわち、写真を誰かに見てもらい人物を特定してもらうことだ。

もちろん、私だって毎日上がってくる写真を確認している。が、私が見たって写っている人物が何者なのかはまるで分からないのだ。桜井と南、二人のカメラマンの腕は確かだった。どの写真でも人物の特徴が鮮明に捉《とら》えられている。風俗店に出入りしていた店員らしき数名の男、店長を送り迎えしていた運転手のような人物、客とも関係者とも分からぬ人々……。だが、穴が空くほど写真を見ても、私にそれが誰なのか分かるはずもない。人の力を借りなければならなかった。

だが、問題があった。

いったい誰に面確してもらえばいいのか。

私が風俗店に乗り込んでいって、これ誰ですか、とやるわけにはいかないのだ。妙に小松のチームに近いところで面確する危険は冒せない。かといって、小松の周辺でなければ面確は出来ない。小松や久保田を良く知っている人間でなければならないからだ。

困り果てた。

唯一《ゆいいつ》の可能性として思い浮かんだのは渡辺さんだった。編集部に電話をかけてきてくれたあの本名不詳の「渡辺さん」である。だが、この人はこの人で問題がある。絶対に会わない、というのが渡辺さんの提示した条件なのだ。淡い期待をしながら電話してみたが条件に変わりはない。

言い分はよく分かる。事件が解決すればともかく、現状でマスコミと接触していたとなれば本人に身の危険が及ぶ可能性がある。島田さんや陽子さんのケースと同じで、殺人ストーカーチーム相手では高すぎるリスクだ。

とはいっても、そんな人にどうやって写真を確認してもらえばいいのか。住所から身元が割れるから郵送、宅配便の類《たぐい》は勿論《もちろん》駄目。ＦＡＸやＥメールも困ると渡辺さんは言う。携帯電話に画像を送る方法でもあれば別だが、そんな方法今はない。私は頭を絞った。会わなくとも写真を見てもらう方法は何かあるはずだ。

スパイ小説もどきだったが、ひとつだけ方法があった。渡辺さんが指示する場所に写真を持って行き、残置すればいいのだ。写真を置いた私は速やかにそこを立ち去り、あとは渡辺さんが写真を回収して電話による確認作業をすればいいのである。

私は早速会社の暗室マンに頼んで、十枚以上に及ぶ写真をそれぞれネガ一枚につき二枚ずつプリントしてもらうことにした。ベテラン暗室マンの手できれいにプリントされた写真を自分のデスクに広げると、私は油性マジックで同じ写真に同一の番号を書き込んでいく。人物Ａには１番、人物Ｂには２番……という具合に番号を振っていき、一組ずつ番号順に別々の封筒に入れる。これで同一の写真セットが二組出来上がった。これを渡辺さんと私、お互いが持っていれば1番は誰、というように電話で面確が出来る。

渡辺さんもこの方法ならよいという。面確終了後は写真を焼却してもらうことにする。これまたスパイ小説のようだが、渡辺さん自身の安全の為《ため》である。待ち合わせ場所を池袋西口公園と設定すると、私は祈るような思いで封筒に封をした。この中に求める人物が果たしているのか……。

火曜日の夜。また休みが潰《つぶ》れた。私は写真の入った封筒を持って渡辺さんに指定された池袋西口公園近くに立っていた。休みが潰れてももう気にならなくなっていた。その日が休みだという意識すらなかったかもしれない。

公園に着いて五分も経《た》たないうちに、渡辺さんから携帯電話が入った。どこかで私を見ているのだろうか。私はあたりを見廻した。ビルの上からだろうか、はたまた車の中か。まるで誘拐事件の身代金受け渡し現場だ。

「清水さん、手を上げてもらえませんか」

私は指示されたように右手を上げげた。もし相手が取材協力者のフリをしていた逆スパイで、ストーカーチームの送り込んできたスナイパーでもいれば私の命はここでおしまいである。正直不安がなかったわけではない。

「はい、分かりました。清水さんの姿はここから見えています。そのまま百メートルほど歩いてください」やっぱり向こうからは見えているのだ。とりあえず弾丸は飛んでこない。

私は電話をつないだまま歩き出した。

「この辺でいいですか」

「そこに赤い自動販売機がありますね。その裏に植え込みがあります」

「ありますあります」

「植え込みと自動販売機の間に写真を入れて」自販機の裏側と植え込みはほとんど接するほどで、隙間はないに等しい。なるほど、ここなら誰ものぞき込んだりしないだろう。私は自販機の裏側に滑らせるようにして封筒を差し入れた。

「今、入れました」

「では、その前に止まっている黄色いタクシーに乗ってください。ワンメーターでもなんでも構いませんから、ここからすぐに立ち去ってください」

お見事。

こちらだって渡辺さんがどんな人物なのか、見てみたいと思わないでもなかったのだ。だが、これをやられてしまうとお手上げだ。無理に顔を見る必要もないのだが、私は奇妙な敗北感のようなものを感じながらタクシーに乗った。いつか会える日も来るかもしれない。私はあっさり諦《あきら》めて、行くあてがあるわけでもなかったがとりあえず池袋東口に向かってもらった。十分ぐらい経ったところで私の車が置き去りにされている西口に再び戻ってもらう。念のため写真を置いた場所にも戻ってみたが、封筒は影も形もなくなっていた。

じりじりしながら私は電話を待った。写真は無事に渡辺さんの元に届いたはずだ。誰でもいい、誰か写っていないか？　早く連絡をくれ……。秋だというのに手のひらにじっとり汗をかくほど長い時間が過ぎたあと、恐怖の携帯変じて希望の携帯が、鳴った。

「……渡辺ですが」

「どうですか？」がっかりするのには慣れているが、それでも希望が声に含まれてしまう。

「いやあ、この中に私の知っている人物はいませんねえ」あっさりと渡辺さんが言った。

「そうですか……」答えはしたものの、失望するなという方が無理だ。これで一週間の苦労が水の泡。小松や久保田は、いったいどこに消えてしまったのか……。

事件から一ヶ月が経った。街はすでに晩秋から冬にさしかかっている。新聞は「桶川女子大生刺殺事件、発生から一ヶ月」、「有力情報なし」といった小さな記事を紙面の片隅に載せていた。

一方で夕刊紙や週刊誌に再び派手な見出しが戻ってきていた。私が読む限り、それらの記事は事件とは何の関係もない被害者側のプライバシーを書き立てているものばかりだった。加害者が分からない事件の場合、記事の中心が被害者側に寄せられていくことは珍しくない。だが、

「風俗嬢だった女子大生」

「ブランド依存症」

といった詩織さんの実像とは明らかに違った記事も多かった。詩織さんが二週間とはいえお酒を出すような店に勤めていたのも事実だし、プラダやグッチを持っていたのも事実だが、その事実をあまりに拡大して報じられているのが無念だった。詩織さんが友人に頼まれて辞めるに辞められぬまま勤めたアルバイト先を、いかにもあやしげな店のように書いた上、こともあろうにそこで小松と出会っていた、などと書くところまで出てきていた。服装についても、確かに私だって警察の会見で詩織さんの服装を聞いたときは、学生にしては派手な格好だなとは思った。だが、池袋でもどこでも冷静に周りを見渡してみれば何のことはない、そんなスタイルをした女性達は街中に溢《あふ》れかえっていた。ましてや服装が「殺される理由」になどなるだろうか？

被害者側になんらかの原因があるのだ、と言わんばかりのそれらの報道に私は苛立《いらだ》っていた。

山本編集長もそういった記事が出るにしたがって、さすがに他社の動向が気になり始めたようだった。自分の雑誌だけ「ストーカー」、「ストーカー」と被害者の属性もほとんど報じず、まるで違う方向を向いているのだ。不思議に思って当然だった。

ある日のことだった。

「潔君」誰にも真似《まね》の出来ぬ、独特の口調で編集長は私を呼んだ。四十過ぎのおっさんに「潔君」もないと思うが、なぜか私はこう呼ばれている。

編集長のデスクの横にあるイスに私が腰を下ろすと、編集長はある週刊誌のページを開いてこう言った。

「なんでウチはこういう記事を書かないんだい。他社はみんなこの路線じゃないか」

私は必死だった。

「この事件はこれからとんでもない事態に発展する可能性があるんです。問題はそちらです。被害者の昔のアルバイト先など、刺殺事件とはまるで無関係なんです」

被害者の属性に事件を引き起こす原因があったというならば、私だってそれを間違いなく書いただろう。それは事件を報ずる者として当然のことだ。出会いを含めて、当事者同士の関わり合い方や、事件の原因となった加害者、被害者の属性をハッキリさせることは、伝える者の責任だと私は思っている。今後似たような事件の再発を防ぐことにもつながるだろうし、もし事件報道に存在価値があるとすれば、そういうところだと思う。

　しかし、この事件は違う。町の一角で小松に出会った詩織さんは、最後まで小松に騙《だま》され続け、本当の仕事も住所も知らぬまま殺されたのだ。小松と出会う前の彼女のアルバイト先や彼女の属性など事件になんら関係ない。詩織さんについて知っていることでも、書いていないことはいくつもあった。記事の一本や二本はそれでできるかもしれなかった。だが、私は意地でも事件とは無関係な被害者像など書きたくなかった。ストーカーチームこそがこの事件の焦点なのだ、と私は編集長に説明した。

　普通の週刊誌編集部なら、担当をはずされても仕方ない場面だったとも思う。しかし、山本さんという人はちょっと変わっている。カメラマンの私を記者に抜擢《ばってき》して、それなりの仕事を任せてしまったりもするような人なのだ。縷々《るる》説明する私の話を結局最後まで聞いてくれた上、担当を継続させてくれた。

「しっかり頼むよ、おい」

　編集長の声を背に受けながら自分のデスクに戻ると、私は手元にファイルしてある他誌の誌面を見ながら思った。ちょっとバイトをすれば風俗嬢で、ブランドものを持っていれば依存症か？　勝手なことを書けるのも今のうちだ。お礼は十倍、いや百倍にしてきっちりお返ししてやる……。

啖呵《たんか》はきったものの、状況は最悪だった。通常の事件取材は進行させなければならないし、合間をぬって行った張り込み追っかけも虚《むな》しく終わった。捜査しているのかしていないのか、警察の動きもまるで入ってこない。もう一度西川口で張り込むか、どうしようか……。迷うだけの選択肢もなかった。なんといっても残された糸はそこしかないのだ。西川口を地道に張り込み続けるしかないか……。

　この頃の私は、「桶川」に完全に取り憑《つ》かれていた。他人が見たらどうかしてしまったんじゃないかと思っただろう。歓送迎会の途中で飛び出したり、たとえ会話の途中でも重要な電話があればそのままいなくなってしまったりで、編集部の人間にしてみればいったい何をやっているのかと怪訝《けげん》に思ったとしても無理はなかった。実際、不審そうな表情で私に問い掛ける人もいた。

　だが、私には答えようがなかった。なんでそこまでこの事件にこだわるのか、などということももちろんだが、「桶川、どう？」などと聞かれたとしても、あまりに細部にまで踏み込んでしまった私にとって、一から事件を説明することなど不可能になっていた。話すとなれば二時間でも三時間でも足りなかった。私はこう答えるしかなかった。

「いやあ、なかなか大変ですよ」

　私は追い詰められていた。そこまで取り憑かれ、細い糸をたどってここまで来た取材が膠着《こうちゃく》状態に入っていたのだ。

編集長に呼ばれた次の日のことだった。またもツキが私を訪れた。池袋の風俗関係者から新しい情報が入ったのだ。

「小松の店にいた連中が、新しい店を始めようとしてるらしいよ。まだ準備中だけど、以前使っていた風俗嬢達にも声をかけているから、そろそろ開店するんじゃないかな」

まさにホットな情報だった。

「場所はどこ？」

「池袋東口だよ。この間まで、小松の店の一軒が入っていたのと同じビルだ」

「店の名前は」

「分からない。今のところ部屋番号だけだ」

よしよしよしよし。絶対何かが私に憑いている。手詰まりになると必ず天から助けが降ってくる。池袋なら最早《もはや》私にとっても地元同然だ。懲《こ》りないようだが今度はそこで張り込んでやろう。

さらにその風俗関係者から詳しく話を聞いていると、驚くべきことが分かった。新しい店は池袋にあるマンションの三階で、すでに随分人が出入りしているというのだが、その中に川上がいると言うのだ。実行犯と目される久保田と一番親しいと言われているあの男だ。刺殺事件に関わっていた可能性も高い。

「川上がそこに来てるのか？」

「昨日もその店の新店長と二人で車に乗っているのを見たからね、きっとまた店に姿を見せるんじゃないかな」

とてつもなく大きな情報だった。川上を張っていれば久保田も姿を見せるかもしれないではないか。私は礼を言うのもそこそこに、ロケハンへと飛び出した。

マンションはすぐに見つかった。私は何食わぬ顔で階段を三階まで上がると、横目で部屋番号を確認しながら目的の部屋を探す。緊張が高まっていた。いつこのマンションの開放廊下に久保田や川上が姿を現わすか知れたものではない。向こうは私の顔を知らないとはいえ、何かを悟られたりしてはならなかった。

部屋は、あった。ちらっと部屋番号を確認すると、私は立ち止まらずにそのまま部屋の前を通り過ぎた。音も気配もしない。だが、今にも背後でドアが開きそうだった。私は背中に神経を集中させながら、足早にそこを立ち去った。緊張が解けたのはマンションの出口を出てからだった。

見た限り、極めて張り込みにくい部屋だった。周辺を何度となくうろついてみたが、その部屋のドアを狙《ねら》える場所がない。開放廊下だったのは救いだが、西川口と違ってここはビルの谷間だ。遠方に松原号を配置し、地上から直接三階のドアを確認するという方法は不可能だ。

ではマンション全体の玄関を見ているか。

私は連中の顔を知らない。だから誰かが出てきたとしても、誰がどれやら分からない。百近くも部屋がある上、この大型マンションは居住者があまりおらず、入っているのは店や事務所ばかりだ。一日に出入りする人数も相当なものになるだろう。

マンションの玄関を見るために、車を置けそうな場所はあったが、ここはストーカーチームの巣窟《そうくつ》だ。無用心に長期的な張り込みをかけたら例の県警捜査員たちと同じ運命が待っているのは明らかだった。おそらく我々がターゲットを撮影するより前に、逆に彼らに発見されてしまうだろう。向こうから見れば刑事と記者の区別はつかないし、仮についたとしても結果は同じだ。

絶望的だった。

建物によっては、我々写真週刊誌でも撮りようがないものもあることはある。しかし、ここは譲れなかった。どうしても撮りたかった。どこか一ヶ所でよいから場所さえあれば、追い続けてきた男達が撮れるかも知れないのだ。

警察がどの筋を追っているのか分からないが、西川口の件からも県警がここをマークしていないことは明らかだった。それ以前に、果たして警察はきちんと捜査しているのかという疑問すら私の頭にちらつき始めていた。西川口しかり、池袋しかり。私の行く先に警察がいたことなどないではないか。事件の取材をしていれば、必ず警察の痕跡《こんせき》に出会うものだが、今回はそれがまったくない。いったいこのままで事件は解決するのか？

　私は池袋の狭い空を仰いで唸《うな》った。

　どうする清水。

　ジャケットの内ポケットには、いつも取材メモがあった。一ヶ月間にわたり身につけていたそのメモ帳は、すでに汚れてボロボロになっていた。その中には取材用の小松の写真が貼《は》ってある。そして最後のページには詩織さんの写真。

　この事件の取材で行き詰まると、私はこのメモ帳をめくった。乱雑な文字が並んで読むのも容易ではない。しかし、この中には実にたくさんの人達の思いが記録されていた。

「私が殺されたら犯人は小松」そう言い遺《のこ》して亡《な》くなった詩織さん。涙ながらにそれを話してくれた島田さん、陽子さん。身の危険を冒して協力してくれている風俗店関係者。そして私に振り廻《まわ》されてばかりのカメラマン達。

　今ここで諦めたらすべては終り、苦労は水の泡だ。やっとの思いで見つけたこの場所は、実行犯久保田達を捕捉《ほそく》できるかもしれない最大のチャンスなのだ。このまま諦めてはいけなかった。ここが頑張りどころではないか。

　私はメモ帳を内ポケットにしまうと歩きだした。

「この事件、お前はツイている」そう自分に言い聞かせた。今までも不思議な程、いろいろな人物が私を助けてくれた。もう一度、そこに賭《か》けてみようと思った。手の中のボールペンを二回ノックした。少し気持ちが落ち着いてきた。

もう一度方法がないかよく考えた。こうなってみると、ドアを直接見ることが出来るのは近辺のビルからしかなかった。上から見下ろせればなんとかなるが、それでも見える場所は限られているし、自由に出入りできるようなところは一ヶ所もない。無理に入ったら不法侵入になる。

だが、方法はそれしかなかった。不法侵入にならぬよう片っ端からビルの管理者に頭を下げて、場所を確保させてもらうしかない。

考えつきはしたものの、可能性はあまりなさそうだった。こういったケースで写真週刊誌に場所を貸してくれることなどまずない。しかもこちらはなぜ貸してもらいたいのか理由を話すことも出来ない。万が一相手側に我々の動きが漏れたりしては今度はこっちが狙われるかヤツらが逃亡することにもなりかねないからだ。何の事情も話さずに、場所だけは提供してもらわなければならなかった。

駄目だったらまた次の方法を考えるまでだ、私は開き直った。

これで失敗すればもう次の方法などないことはよく分かっていた。だが、こういった状況の突破方法を私は一つしか知らない。ジタバタすることだ。原始的な方法だとは思うがそれしか私の手持ちの武器はない。私はひとつひとつビルを廻って管理者に頭を下げた。名刺を渡し、身分を名乗って「ある事情があって、おたくのビルから写真を撮りたい。長期間になると思うがカメラを置かせてもらえないか」とお願いして廻った。胡散臭《うさんくさ》い顔で断られて当然だった。次々に私の淡い希望が潰《つい》えていった。残りのビルの数が、私とこの事件の命数だった。

日も暮れようとしたときだった。不思議なことが起きた。あるビルのオーナーが、話をじっと聞いてくれたのだ。小首を傾《かし》げ、顎《あご》に手を当てながら、詳しい理由も言えずにただ頭を下げ続ける私を拒絶するわけでもなく、ときどきうなずきながら耳を傾けてくれたのだ。

だが唐突にその人が口を開いたとき、どうせまた断られるのだと私は身構えた。じっくり話を聞いた上で、「やはりうちはちょっと……」というのはよくあることだ。次に何を言ったらよいか、私は頭をフル回転させていた。

次の瞬間、私は自分の耳を疑うような言葉を耳にしていた。

「いいですよ。なんだか知らないけど熱心ですね」そう言うとそのオーナーはニコリと笑った。

長くこの仕事をしてきたが、こんなケースはほとんど経験がない。首の皮一枚でつながった、私は安堵《あんど》すると同時に、奇妙なツキがまだ続いていることを感じていた。

翌日から、桜井カメラマンをそこに配置した。機材はやはり一二〇〇ミリ。風俗店側からは決して見えない位置である。相手に気づかれる心配はない。完璧《かんぺき》な張り込みポイントだった。

とはいえ一日中カメラのファインダーをのぞき続けるのはあまりにキツイ仕事だ。そこで、デジタルビデオカメラもセットすることにした。ビデオを廻して現場の映像はテレビモニターでチェックできるようにする。モニターで人の出入りを確認して、本命のスチールカメラをリモートコードで作動させるのである。ビデオ映像にタイムスタンプを入れておけば、一日の動きも確実に記録できる。

毎朝十時にはすべてのセットを完了させることにする。サンドイッチやコーヒーを持ち込んで、持久戦の再開だ。

桜井には苦労ばかりかけている。

「今回もまた頼むよ」場所を貸してもらえることが決まったその日のうちに、私は桜井に電話を入れていた。彼との付き合いも長い。一つ年下の彼と一緒に仕事をするようになって、思えばもう十五年近くが経《た》とうとしている。二人揃《そろ》ってよくもこれだけ長い間、同じようなことをやって来られたと思う。そういえば初めて出会ったのも、やはり寒い季節だった……。

一九八六年二月、私はある経済事件に廻された。当時カメラマンだった私のそのときの仕事というのは、事件当事者の家の前で早朝から延々張り込むことだった。もうとっぷりと日が暮れた頃、疲れ果てた私のところにようやく交代要員がやってきた。ワゴンのドアががらりと開いて、やっと解放されるとほっとした私が目を向けた先にいたのは、見たこともない若い男だった。オートバイで現場に来たらしくヘルメットを小脇《こわき》に抱えて、その男は「桜井です！」と明るく自己紹介した。それが出会いだった。

張り込み現場で自己紹介を済ませたが、翌日私が現場に戻ることはなかった。伊豆熱《あた》川《がわ》のホテルで大火災が発生したのだ。私は現場を放り出して、死者二十四名という、そこここに焼死体が転がる修羅場へと戦場を変えた。要するに桜井にあとを任せて消えたわけで、これがその後ずっと続くパターンとなった。私が熱川で飛び廻っている間、本来だったら私がやっていたはずの地道な張り込みを桜井は黙々と続けていた。

彼は、自分から率先してガンガン仕事をするタイプではない。しかし、細かいところによく気がつくし、頼まれたことは確実にやる。一緒に組んでいてとても仕事がやりやすい。

このカメラポジションは、いくつもの幸運が積み重なって、やっとのことで獲得出来たものだった。確実に、ターゲットを仕留めたかった。その役割が負えるのは堅実な彼しかいない。

そして何よりも、私には桜井にずっと苦労をかけてきたという思いがある。もし成功すれば大スクープ間違いなしのこの仕事は、どうしても彼にシャッターを押させたかった。

私は朝起きるたび、その日の天候に一喜一憂した。何しろ超望遠レンズは撮影距離がやたらと長い。天候次第で撮れるものも撮れなくなってしまうのだ。雨が降れば巨砲レンズはウドの大木となるし、気温が上がればモヤがあがってシャープに写らない。そんな時にターゲットに来られたら泣くに泣けない。

しかし、条件さえ良ければ、狙った部屋の様子は手に取るように分かった。店長が鍵《かぎ》を開け、風俗嬢達が出勤するさまも一目瞭然《りょうぜん》だった。早くも客のような男達が出入りしている。

私は風俗関係者を廻り、なんとかその店の新しい店名と電話番号を手に入れた。早速電話を入れてみると案の定、ここもまた「写真で選ぶ人妻系ヘルス」だ。もはや疑う余地はなかった。

久保田や川上と思われる男達はなかなか現れなかったが、私の期待は高まっていた。長期戦は覚悟の上だ。今はとにかく粘るしかない。

十二月に入って、ある殺人事件が報じられた。容疑者となったのはかつての有名子役「子連れ狼《おおかみ》の大五郎」。新潟県上越市で金融業者が殺されたのだが、金融業者と最後に会っていたはずのこの元子役が事情聴取も受けぬまま消えてしまったのだ。週刊誌としては外せない事件だった。

三日昼過ぎ、池袋の現場にいた我々はニュースでこの事件を知った。さすがに放っておけず電話で情報収集したが、こうなったらやむを得ない、新潟転戦である。いったん現場を外すしかなかった。

取材は二泊三日にわたった。池袋が気になって仕方がないが、今はどうしようもない。やっとの思いで取材を済ませると、私と桜井はみぞれ降る新潟の赤提灯《ちょうちん》で地元の料理をつつきながら酒を飲んだ。そこで私の口から出てくる話は、やはり桶川の事件のことだった。

絶対撮れる。久保田は絶対来る。撮れたらスクープだよ？　どう考えたって……。私たちは夜が更《ふ》けるまで延々と桶川のことを話し合っていた。二人とも疲労はピークに達していたが、東京に戻ったらすぐに張り込み再開だ、と気勢を上げた。週明けの月曜日だ。人が動くのは週初めや週末が多い。張り込みに月曜日は外せないぞ。

夜が明けた。締め切り日の朝だった。十二月五日の日曜日、上越市のホテルで眠っていた私を起こしたのは、いつもの携帯電話だった。ところが珍しいことに電話の向こうから聞こえてくるのは、私の子供の声だった。泣いていた。「のすけ」が死にそうだよ、としゃくり上げるように娘は言った。

数日前から様子がおかしかったことは知っていた。動物病院にも連れていったが、医師の話を聞いていると、もはや寿命にも思えた。私は千二百円のハムスターにすでに数万円の治療費をかけていた。命が金でどうにかなるものではなかったが、どうにかしてやりたかった。

彼は二年前の子供の誕生日に我が家にやってきた。私が最初「ハムのすけ」と命名したのだが、どうにも呼ぶには長すぎたらしい。いつの間にやら「のすけ」になっていた。もう三歳近くになっていたから、ハムスターの寿命としては平均的だろうとは思う。

しかし、天寿をまっとうするからといって、残された者が納得できるかと言えばそんなことはない。人が死んだ、行方不明になったといっては日本中をかけずり廻るのが私の仕事だ。そんな仕事をしていて笑われそうだが、それでもやはり「身内」の不幸には弱い。ハムスターが「身内」か、と言われようとも構わない。私や家族にとってかけがえのない存在であることは間違いないのだ。

一日でいいから生きている「のすけ」に会いたかった。この日は原稿を書かなければならなかったが、会社に戻る前に自宅に立ち寄る時間はある、私はすばやく計算すると急いで自宅へ向かった。

しかし、私を待っていたのはすでに冷たくなってしまった「のすけ」だった。こんな小動物でも冷えた体はやはり悲しい。子供達の話では、几帳面《きちょうめん》な性格の彼は目が見えなくなり、うまく歩けなくなっても最後まで這《は》ってトイレの砂場まで通っていたという。馬鹿《ばか》だなぁ、そんなことしなくていいのに。そんなことしなくていいから、もうちょっと生きていて欲しかった。温かい「のすけ」の体に触れたかった。私は子供と自宅マンションの芝生に穴を掘り、彼の亡骸《なきがら》を好物だったひまわりの種とともに埋めた。

「ありがとな、のすけ」子供とその小さな墓に手を合わせると、私は立ち上がった。今日は入稿だ。気持ちを切り替えて仕事をしよう。部屋に戻って慌《あわ》ただしく荷物をまとめると、これから書く原稿のことに意識を集中した。

「帰りは深夜か早朝になるよ」妻にそう言って家を出る瞬間、私は自分の気持ちがまるで切り替わっていなかったことに気がついた。そうだ、その時間に起きて待っていてくれる「家族」はもういなくなってしまったのだ——。

十二月六日月曜日。

この日の午後、桜井のキヤノンEOS－1がシャッター音を響かせた。一秒間六コマのスピードでフィルムを給送できるこのカメラで、三十六枚撮りのロールフィルム三本が確実にその人物を捉《とら》えていた。さらに付近でスタンバイしていた大橋も、桜井からの無線連絡でシャープな映像をキャッチしていた……。

FOCUSは校了日だった。私は「大五郎殺人事件」のゲラを片づけなければならなかった。印刷に廻す直前、見本刷りであるゲラで最終チェックを行って、ようやく我々のその週の仕事は終了する。校了日は夕方までこの作業に追われる。

桜井には池袋で張り込みを再開してもらっている。カメラマンは校了には立ち会わない。締め切り日まではギリギリ働くが、その週の仕事はそこまでで終わり。何週にもわたる仕事の場合は別として、校了日は事実上やることがない。人員に多少余裕があったので大橋カメラマンと松原のおっさんにも応援に行ってもらった。あとで思えばそれも正解だった。なんと言ってもその日は人が動く月曜だったのだ。

私のところに電話が入ってきたのは四時過ぎだった。私は校了作業を終え、資料整理をしていたところだった。

「清水さん、桜井です」撤収にはまだ早い時間だった。珍しく桜井の声が少し弾んでいた。

予感がした。

「さっき男が来たんですよ。出入りは抑えてます。小太りで短髪、背広の中には青いシャツを着ていて、この男……」

話の後半は聞こえなくなっていた。

「ちょっと待て！」編集部中に私の大きな声が響いていた。

ヤツだ、久保田だ。ついに来やがった。桜井には耳にタコが出来るほど、久保田の特徴を伝えてある。間違えるとは思えなかったが、それでも確実に久保田なのかどうか確かめるため、私は矢継ぎ早にまくしたてた。確かに小太りなんだな。髪は短いのか。着ていたのはどんな服だ。桜井もまた興奮したような口調で質問に答えていた。確かに小太りで短髪だ。男と連れだって何度もあの部屋を出入りしたあと街に消えた。青いシャツを着ていた。

間違いなかった。彼の見立ても「当たり」だという。

桜井、大橋ともにかなりのカット数を稼いだという。至急フィルムを持って会社に戻ってもらう。

校了日は原則的に暗室は動いていないが、特別に写真部に頼みこんで急ぎプリントしてもらう。コンタクトプリントが早々と上がってくる。桜井と大橋が私の傍らに立っていた。私ははやる心を抑えて、上がってきたコンタクトプリントにルーペを当てる。ドクン、と心臓が鳴ったのがわかった。ルーペの中にいたのは、まさに特徴どおりの男だった。

マンションの開放廊下で男と並んでいる。話をしている。タバコを吸っている。外を歩いている。私は赤のダーマトグラフィで次々と丸をつけていった。写真部が大忙しでプリントを焼いてくれる。次々に上がってくるプリントは鮮明に男の姿を捉えていた。

「撮れたの？ 清水さん」

「撮ったの？ ねえ、撮れたの？」私のことを気にしてくれていた同僚たちが、期待を込めて声を掛けてくれる。

「いや、まだわからない。面確しなくちゃ」

慌ただしかったが、体は滑るようになめらかに動いた。溜《た》まりに溜まっているはずの疲労がまるで気にならない。

私は渡辺さんに連絡を入れる。またもや「身代金《みのしろきん》受け渡し」作業の段取りだ。

今度は渡辺さんに、多くの人物の写真を渡して、その中から抽出するという作業をしてもらうことにした。一枚の写真を見せて「この男ですか」という確認よりも、大量の写真の中からヒントなしで選んでもらえば先入観を与えず正確性が保てる。これでしょ？ と渡辺さんに写真を突きつけたい欲求と戦いながら、封筒にあえて違った人物の写真をたくさん入れた。久保田と目される男の写真には7番、ラッキーセブンの数字をマジックで書き込んだ。

渡辺さんとは夜にならなければ接触出来ないという。ジリジリしながら私は夜を待った。待ち合わせ場所は池袋東口。方法は前回と同様だ。渡辺さんが今回指定してきたのは大型カメラ店近くのタバコの自動販売機の下。

今度こそ、そう思いながら自販機の下に封筒を差し込んだ。前回は祈るような気持ちだった。誰かがいないかという淡い希望だった。だが今回は違う。封筒にちらりと目をやったあと、私は急いでタクシーを拾い、その場を離れた。

三時間経った。

電話はない。

こちらの気持ちを知ってか知らずか、渡辺さんは連絡を寄越さない。何本の電話を私は期待とともにとったことか。

「はい、清水です!」

「あーどーも久しぶりです。○○新聞の××なんですけどねえ」

深夜になっていた。私はもう何本目だかわからぬ電話をとっていた。

「はい、清水です!」半ばやけくその大声が出た。

「いやー、ナイスショットです! 7番の写真が久保田、そして一緒にいるのは川上ですよ。よく写ってますねえ」

こちらが問うより早く、渡辺さんはまくしたてた。「ナイスショットですよナイスショット」渡辺さんは何度も繰り返した。この時の興奮を私は忘れない。

私は痛いほど携帯を耳に押しあてたまま、その言葉を聞いていた。頭が真っ白になっていた。その真っ白な頭の中を、撮れた、撮れた、という言葉がいくつもいくつも飛び廻っていた。撮れた撮れた撮れた撮れた撮れた撮れた撮れた撮れた撮れた。

渡辺さんの電話を切ると、すぐさま桜井に電話を入れた。寝ていようが知ったことではなかった。

「おい、俺らはついに警察より先に犯人にたどりついたぞ!」

これで事件が解決するかもしれなかった。小説やドラマならともかく、そんな話聞いたことがない。問答無用のスクープだった。


次の日、私はミスターTに電話を入れた。

「ついに久保田が撮れたぞ。川上も一緒だ」

電話の向こうでミスターTが息を飲むのがわかった。私は彼に、マンションの住所など詳細をメモしてもらった。ミスターTに伝えておけば、直ちにこの情報が信頼できる県警関係者に伝わるはずだ。それは、久保田の情報が県警捜査本部にも伝わっていくということを意味する。あとは逮捕を待つだけだ。

もちろん編集長にも連絡を入れる。今まであやふやにしか伝えられなかった内容を、細かく報告すると、編集長は半ば呆《あき》れながらも喜んでくれているようだった。

翌日には捜査本部が久保田の逮捕状請求の準備をし、池袋に大量の捜査員を連日張り付け始めたという話が入ってきた。

同じ日、ミスターTを通して県警サイドから池袋でうろうろするなという要望が伝えられた。久保田は凶器を所持している可能性も高い。場所は池袋の繁華街だ。なにかことが起こってナイフはもちろんのこと、拳銃《けんじゅう》の乱射でもされたら大変なことになる。それでなくても多くの捜査員がストーカーの巣窟《そうくつ》をうろつき、張り込んでいるのだ。この上マスコミがうろちょろしていたら、あまりに危険だという趣旨はよく分かった。

しかし、運が味方したとはいえこの情報は私が割ったものだった。県警サイドの要望とやらが面白くないのも事実だ。白状してしまえば、私は防弾チョッキ着装の捜査員たちが、久保田を身柄確保する瞬間も撮りたいと思っていたのだ。久保田と川上を撮影したポイントから、今回と同じようにひっそりと撮らせてもらえばいいだけで、邪魔するつもりなどまるでない。何も迷惑がかかるわけじゃなし、警察は勝手なものだなと正直思ったが、なんらかの事実をつかんだら県警に情報を流す、というのは自ら決めた既定の方針だった。私はミスターTと相談し、池袋から撤退することに決めた。実際、写真も取材もすでに十分だった。

それより久保田が逮捕されなければ記事には出来ないということの方が問題だった。もちろん逮捕前だろうが写真を掲載することは出来る。他社をぶっちぎる特ダネになるのも間違いないだろうが、そんなことをしたら久保田は間違いなく飛んでしまう。何よりも、肝心の小松が完全に姿を消してしまうだろう。そんなことにでもなったら、あとに残されるのは「犯人を逃がした記者」と「事件を迷宮入りさせた捜査本部」だけだ。

こうなってしまうと、とにかく県警に頑張ってもらうしかなかった。写真が撮れてしまったばかりに、私は彼らに期待せざるを得ないような状況に陥っていたのだ。

池袋の張り込みを解いた我々は、捜査本部のある上尾署のすぐそばでスタンバイを始めた。久保田が逮捕されたら捜査本部に身柄連行されてくるからだ。それを、撮る。

そして、池袋で捜査員が身柄を抑えれば、ミスターTから私に必ず連絡が入る約束になっていた。それが私の、池袋を撤退するための唯一《ゆいいつ》の条件だったのである。

第五章　逮捕

スクープ写真となった逮捕前の実行犯達

「私、桶川で殺された猪野詩織の父親ですが……」

携帯にはいつも驚かされる。その夜私は、御茶ノ水の小さなレストランで人と会っていた。重要な相手だったが、その言葉を聞いて私は一瞬目の前にいる人物を忘れた。私は電話を持ったまま店の外に飛び出していた。

話はその日の昼に遡《さかのぼ》る。

私は上尾市内の猪野さんのお宅に、初めてお邪魔した。それまで詩織さんの遺族は各社の取材を一切拒否していた。葬儀を始めとするマスコミの取材の仕方、報道のあり方に深く傷ついていたのだ。それを人づてに聞いていた私は、接触は控えた方がいいと判断し取材を控えていた。だが今、事件は動きだしている。

原稿を書く上でも是非猪野さんの話は聞きたかったし、何より実行犯が特定できたということを伝えたかった。もし出来ることなら詩織さんにお線香の一本も上げさせてもらえればと思っていた。これも何かの縁である。意外に思われるかもしれないが私はこういうことは結構気にする方だ。

うかがってみると、やはり取材にはならなかったが、ドア越しに詩織さんのお母さんと会話を交わすことだけは出来た。去り際《ぎわ》、私は自分の名刺に携帯電話の番号を書き込んでポストに入れさせてもらった。何かの拍子に連絡でももらえないだろうかと思ったからだが、余程のことでもない限り遺族側から接触を望むことなどない。電話がくることはないだろう、私はそう思っていた。その予想に反して掛かってきたのが、冒頭の電話だったのだ。

レストランのあるあたりは携帯電話の感度が悪い。「ピコピコ」と感度不良を伝えるシグナルが鳴っている。

切れないでくれ、今だけは。

私は猪野さん宅の電話番号を知らない。切れてしまったらそれで最後だ。祈るような思いで外をうろうろと歩き廻《まわ》りながら、これまでのいきさつを簡単に伝えた。取材の過程で実行犯と思われる男を捕捉《ほそく》したこと、事件の経緯もかなり詳しく取材してきたことなど誠心誠意伝えたあとで、私は懸命にお願いした。出来れば私の話を聞いて頂けないか。取材も受けてもらえないか。

猪野さんは、私の話に驚いたようだった。どうしてそんなに熱心に取材しているのか怪訝《けげん》そうですらあった。だが、しばらく会話を交わすと今度は私が驚く番だった。猪野さんは私と会ってもいいと言ってくれたのだ。

コートも着ずに飛び出したレストランに戻ったとき、私を迎えたのは冷たくなったスパゲティだった。しかし私は満足していた。待たせてしまった相手に詫《わ》びながら、私は再びフォークを握った。

捜査本部は連日池袋に捜査員を出していた。すでに張り込みは解除していたものの、私は気になって日に何度かは現場の様子を見に行っていた。私の顔は、現場の捜査員には知られていない。

同じ張り込みでも、我々と警察の張り込みではまるでやり方が違っていた。彼らのやり方を否定する気はないが、動きを見ているとちょっと心配になってくる。ミスターTに連絡を入れた時、私は思わずこう付け加えていた。

「この場所はやっと割り出したものだ。うまく張り込んでれば久保田は来るはずだけど、相手に気がつかれたら、もう次はないぜ」

捜査員もそれは十分に分かっていたとは思う。もはや前回の失敗のように、車は使っていなかった。彼らはマンション近くの公園を中心に、徒歩、立ち番という手法でやることにしたようだった。

それはいい。それはいいが、私から見ると彼らはマンションから距離を取りすぎていて、ただブラブラしているようにしか見えなかった。こんな遠くにいて、果たして久保田と確認できるのだろうか。捜査員だって顔写真しか持っていないはずだ。

さらに、彼らの格好がまた気になった。刑事という人種は見る人が見ればすぐに分かる。普通の人は私服刑事の存在に気がつかないかもしれないが、久保田達は追われる身だ。彼らは同じ場所で感づいて一度逃亡しているのである。

刑事は自分では決して分からない刑事臭を出している。それは犯罪者や、私のような人間には一発で嗅《か》ぎ分けられるような性質のものだ。現に、県警捜査員の顔を知らない私だって簡単に存在を見破っているのである。なんとかバレないようにと祈るしかなかった。

張り込みが難航するようだったら、微力とはいえ協力も申し出るつもりだった。例のビルで張り込んで、ターゲットを再びキャッチしたらミスターTに連絡するという方法もとれるのだ。

ミスターTには久保田らの写真を渡してあった。すでに捜査本部はその写真を確認している。それを見れば我々の張り込みポイントがどれ程有効な場所か分かるだろうが、そういった申し出はない。

写真の効果が思いのほか大きかったことは分かる。捜査本部が連日大量の捜査員を池

袋のマンション周辺に展開させているのもそのせいだ。それまで半信半疑だった現場の捜査員達にとっても「殺人犯がここにいる」という写真は、刺激材料になっただろう。そ
捜査本部の関係者には、ＦＯＣＵＳの締め切りが日曜日であることも伝えてある。そ
れは、次の水曜日になれば久保田達の記事を掲載した雑誌が街に並び、ＦＯＣＵＳを見た彼らは捜査が自分の周辺に及んでいることを知ってしまうということを意味する。そんなことになったら元も子もなかった。

桜井は連日上尾署の近くの公園でスタンバイしていた。東京にいては久保田が連行されてきても間に合わないため、上尾市内にいてもらったのだ。基本的には連絡待ちなので、やることはない。車の中で寝ようがパチンコに行こうが自由であった。もう辛《つら》い張り込みをする必要もない。

私の方は私の方で、ミスターＴからの連絡を待つ身となった。いつでも携帯電話が繋《つな》がるようにしていなければならなかった。充電は完全にしておく。地下鉄には乗らない。感度の悪い所には行かない。風呂《ふろ》に入る時は風呂場の入り口に、寝る時は頭のところに携帯を置く。これはこれで疲れるものだった。犯人逮捕や家宅捜索などで、事件が大きく動き出すことを「事件が弾《ハジ》ける」という。「桶川」はいつ弾けるか分からない状況に

あった。私は自分の4WDに一眼レフを入れたカメラバッグも積み込んだ。これでいつでもどんな場合でもすぐ対応できるようになったが、おかげで酒も飲めなくなった。

数日後、私はまた詩織さんが亡《な》くなった現場にいた。間もなく事件から二ヶ月を迎えようとしていたが、いつ来ても花が絶えない場所だった。むしろ、以前より花やお別れの手紙などが増えているような気さえした。

私は刺殺現場から、あの日詩織さんが自転車に乗って駅まで向かった道を逆にたどっていった。

猪野さんの家は桶川駅から一キロちょっとの静かな住宅街にある。綺麗《きれい》な花が並ぶ白いモルタルの一戸建て。ストーカーの標的になってしまったとは信じられないような、ごく普通のたたずまいだ。

ご両親は温かく私を迎えてくれた。詩織さんのいた頃のままにしておきたいのか、玄関には彼女の靴が並べられたままになっていた。笑顔の写真がある祭壇にはたくさんの花、写真とプリクラも飾ってある。友人の多さが感じられた。

お焼香をさせてもらってから、ご両親と話をした。なるべく順を追って、ゆっくりと話すよう心がけながら、これまでの取材の経緯と取材で判明した事実を伝えた。意外なほどご両親は小松達の素性を知らなかった。考えてみれば詩織さん自身が知らなかったのだから当たり前だったが、警察も捜査状況をまるで伝えていなかったのだろう。詩織さんや家族が何も分からないうちに、みるみる進行していったのがこの事件だったのだとその時私は実感した。

話をしているうちに、かつて詩織さんが受けていた一連のストーカー行為、つまりチラシ事件や送りつけられた手紙のことなども確認できた。島田さん達の話はすべて事実で、しかも正確だった。ご両親から改めて当時の状況を聞くと、話の一つ一つがきちんと符合していく。島田さんの抜群の記憶力と几帳面《きちょうめん》さに舌を巻かずにはいられなかった。と同時に、詩織さんやご家族の送った日々が、想像よりはるかにつらいものだったことも分かり、やりきれなかった。

「事件があった時、私は会社にいました。妻からの電話で、詩織が刺されて亡くなったと知らされて、それはショックなんてもんじゃありませんでした。その時すぐに、あいつに決まっている、あいつ以外にはいない、と思いましたよ。詩織は八ヶ月、私達は五ヶ月以上も小松と戦ってきたんです。毎日が小松との戦いだったんです。片時もあいつのことが脳裏から離れたことはありません」

「小松の名前は最初からはっきりしてたんですから、あいつが憎いのは当たり前です。人が生きていく自由を奪う理由がお前にあるのか、と言いたいですよ。刺した奴《やつ》も許せないですが、元凶は小松なんです。根は小松なんです。事件は小松のさしがねなんですから、とにかく早く小松を捕まえて欲しいんです」

「小松に会ったのは一度だけです。やさ男で無口でした。でも、わざと大人しいフリをしている感じもしましてね……。目付きが悪くて、一癖あるような危険な感じはしましたけど、まさかここまでやるとは……。詩織は、いつも怯《おび》えて暮らしていました。知らない車が家の前に来ると、カーテンの隙間《すきま》から外を見る、そんな毎日だったんです。無言電話もしょっちゅうでした。我々が出るとすぐ切れるんです。毎日そんな状態で、だからこそ警察に相談に行ったのに、事件にならないと言われて詩織は落胆してました。それでも詩織はがんばって、事件のいろんな情報を遺《のこ》していったんです。親に迷惑をかけないようにと信頼できる友達に言い遺したり、私達にはメモも遺していきました。それが詩織の偉さだと思います。詩織の遺志が働いているのだとしたら、私達が頑張ってあげなきゃと、思いますよ……」

　私の後ろではミニチュアダックスフンドが小さな声を上げていた。お父さんは言った。

「詩織が亡くなってから女房は寂しがってね、キャンディーとは別に、小さな犬を飼ったんです。少しでも気が紛れたらいいなと思って」お父さんはうつむいていた。私は自分の子供のことを思った。「のすけ」のことを思った。なぜ、こんな普通の人達が事件に巻き込まれてしまったのか。

　しかし、私が驚いたのはそれからだった。一時間も話をしたあとだったろうか。そろそろ失礼しようかと思っていた矢先だった。雑談の中で私がポロリとこぼした言葉から、私は思いもかけない事実にぶちあたった。

「そういえばニセ刑事まで来たそうですね、告訴を取り下げてくれとかって……」何気なくそう言った私に返ってきたご両親の返事はこうだった。

「いえ、それを言ったのは本当の刑事さんです。私達の告訴の調書を採った人です」

　一瞬私はその言葉の意味が分からなかった。どういうことだ。それでは本物の刑事が、一度受理した告訴を取り下げさせようと言ってきたというのか。何だそれは。そんなことがあるのか。

「告訴は取り下げてもまた出来るとも言ってました」

　そんなわけはない。刑事訴訟法では一度取り下げた告訴はその件では再度告訴出来ないとちゃんと書いてある。では刑事が、嘘《うそ》をついてまで告訴を取り下げさせようとしたというのか。

　私はすでに「ニセ刑事」のことを記事にしている。私の知る限りでは、他のメディアでこの話に触れているところはどこもない。詩織さんのご両親や、島田さん達など正確な事情を知っている人に接触でもしない限り、触れられるはずもなかった。

　繰り返しになるが、ニセ刑事のことを記事にするに当たって私はミスターTに当てて確認もしている。彼が捜査関係者に取材したとき聞いた話ではこうだった。

「調べてみましたが、そんな刑事はウチにはいません。記録も報告もありません。そんなことを言うはずもありません」

さらにある関係者はこう答えている。

「ニセモノですよ。おそらく芝居を打って告訴を取り下げさせようとしたのでしょう」

FOCUSの記事が出たあと内容を確認しに行った新聞記者もいたが、その記者に対しても上尾署の幹部は同じように否定している。

警察官、それも幹部の発言であった。記者達はそれを信じた。私も信じた。

そもそも我々の常識でも、刑事が直接被害者の家に出向いて自分が手がけている事件の「告訴取り下げ」を頼み込むとはとても考えられなかった。だからこそ我々も「ストーカー達の仕業じゃないの」と言われた時に簡単に納得してしまったのだ。

警察が嘘をついた。

私はさらに話を聞こうとしたが、ご両親の口は重かった。殺人事件の捜査が続いている段階で、詩織さんのご両親にしてみれば私にははっきりと言えないことも多かったろうと思う。警察に対する不満ととられるのは避けたい、捜査に影響が出るのは避けたいという気持ちもあったろう。のちに、私はポツリポツリとではあったが、それまでストーカーを追うことに夢中になって半分聞き流しかけていた警察関連の話の確認をとっていくことになる。だが、そのときの私には猪野さんの一言で十分だった。

詩織さんが警察に絶望したのはなぜだったのか。島田さんが「詩織は小松と警察に殺されたんです」と言っていたのはなぜだったのか。

困り果て、恐怖を感じ、恥を忍んで警察に相談に行き、根掘り葉掘りプライバシーを聞かれただけで「事件にはならない」と言い放たれ、それでもストーカー達の嫌がらせと戦うことを心に決めて、告訴に踏み切った詩織さん。報復も怖かっただろうし、嫌な思いをすることも分かっていただろう。「時間かかるし、面倒くさいよ」という刑事を相手に、ようやく告訴を受理してもらえたと思ったら、ろくに捜査もしないうちに今度は「取り下げて欲しい」と来るのだ。

「もうだめだ、殺される」と詩織さんが島田さんに言い遺した言葉に、どれほどの思いが込められていたのか。自分の命がかかった最後の頼みの綱を切られた絶望の深さは、私には想像もつかない。そんな日々を送り、そして殺された二十一歳の女性がいたのだ。

その事実を、警察は隠そうとしている。

私はどうだったか。

警察は名誉毀損《きそん》の刑事告訴を取り下げさせようとした事実など、絶対に知られたくなかった。警察にしてみれば、「殺されてしまう」と上尾署に日参していた女子大生など話を適当に聞いていればいいだけの存在で、出来れば刑事告訴だって取り下げさせたかったのだ。取り下げさせることは実際には出来なかったが、だからといって捜査をしゃかりきになってやる必要もない。事実、「警察は全然捜査してくれない」と詩織さんも友人に洩《も》らしているが、刑事告訴は受理したものの、捜査などろくにせずにすませてしまう。そんな状況で、助けを求めてきた女子大生が本当に殺されてしまったのだ、さすがに担当刑事も慌《あわ》てただろう。これがバレたらどうなるか考えなくとも分かる。

そこにまたタイミング悪く「告訴取り下げ要請」の話を聞きつけた記者がやって来る。「大変なことになった」刑事はそう思っただろう。マスコミさえ押さえればなんとかなると考えたか、その刑事は嘘をつく。告訴を取り下げさせようとした事実など完全否定だ。みんな信じる。「ストーカーもそこまでやるのか」世間はそう思うだけだ。おそらく、私が書いた「ニセ刑事」の記事を一番喜んだのは当の刑事本人だろう。これで誤魔化すことが出来た、上尾署に不備はない。

その筋書きに、私はまんまとはまったのである。詩織さんが必死に言い遺していった事実をひとつ、ぶち壊したのである。そんな記事を出した私は、自分が間抜けだと喧伝《けんでん》したのも同然だった。

屈辱だった。

私はこの事件の構図が分かった気がした。なぜ刺殺事件発生から二ヶ月近くも警察が小松の居場所を把握できないのか。なぜ本来彼らが一番プライドを持っているはずの殺人事件の捜査でさえ、この間抜けな週刊誌記者の取材に先行されているのか。なぜ取材先という取材先で捜査員の影すら見当たらなかったのか。

このままではこの事件は解決しない。

小松を筆頭とするストーカーチームを逮捕したら、警察が何と言われるか目に見えている。

「結局犯人はストーカー達だった。ならばどうして被害者が相談に来たり告訴しようとした時にちゃんと対応しなかったのか。警察は何をしていたのか。きちんとやっておけば猪野さんは死なずに済んだ」

そんな結果が待っていると分かっていて、県警が本気で事件を解決する気になどなるだろうか。むしろ警察は、詩織さんの「遺言」通りの構図などでは事件を決して解決させたくないのではないか。

この事件はいったいなんなんだ。いったい俺に何をさせたいのだ。いつまで一人で走り続ければいいんだ。ふと気がついて後ろを振り返って見ると、マスコミの影すらない。むしろ他社の掩護《えんご》射撃が欲しかった。

スクープどころか、ここはすでに弾が飛び交う最前線じゃないか。どこでもいい、むしろ他社の掩護射撃が欲しかった。

だが現実にはそれが出来ない相談だということもよく分かっていた。久保田のネタを摑《つか》んでいるのは私とミスターTしかいないのだ。他社と共闘すればスクープが飛んでしまう。その上警察批判記事などやれば、久保田の逮捕すら怪しくなる……。タイミングがまだ熟していなかった。それに、週刊誌一誌で警察批判記事を書いたところで、大手マスコミが乗ってくるだろうか。

「しょせん週刊誌の記事だからな、ヨタ記事だよ」、「もし本当だとしても、警察相手に喧嘩《けんか》したら我々は損だから。毎日ここでメシ食ってんだから書き逃げできないよ」、「下手したらクラブ出入り禁止だからな」などというところが関の山ではないか。

このまま記事にしたところで、クラブ員で真剣に記事を読んでくれるのは、恐らく事情を知るミスターTただ一人ということだ……。

どっと疲れたまま猪野家を後にしようとしたとき、私はもう一度猪野さんに驚かされることになった。

「私は、清水さんが犯人を見つけてくれた記者だから会おうと思ったんじゃありません」

え？　何だって？

その時まで、私はそう信じていたのである。だから私だけ家に上げてもらい、話も聞かせてもらえたのだと思っていた。私がお邪魔するまで猪野さんはマスコミの取材は完全にシャットアウト、ドアも開けなかったのである。それ以外に私が猪野さんのお宅にお邪魔できる理由は考えられないではないか。

　ではなんで私はここにいるのだ。

　きょとんとする私に猪野さんはこう言った。

「清水さんの名前は前から知っていたんです。陽子ちゃんから聞いていました。信頼できそうな記者さんだから会ってみたらどうかって。そうでなければ私は絶対電話なんかしませんでしたよ」

　奇妙な安堵感《あんどかん》があった。そうか、陽子さんが……。

　もちろん彼女に何も頼んだりしてはいなかった。そんなことになっているなんて、思いもよらないことだった。陽子さんとはカラオケボックスでのインタビュー後も連絡を取り合ってはいた。だから私が池袋や西川口で小松を追い続けていたことも知っていたし、二度のFOCUSの記事も読んでくれていた。

「この人なら、と陽子さんは言っていたんですよ」

　思い当たる場面があった。最初の記事を書き上げたあと、私は島田さんと陽子さんに会いに行った。あのとき彼女は私にこう言った。

「ありがとうございます。詩織のことひどく書かないでくれて……」

　私はそんなことを言われて困ったようなそんな照れるような思いを感じるばかりだったが、あの記事で彼女は私を信頼してくれたのだ……。

記者というのは疑り深い。だからこそかも知れないが、こうやって自分に信頼を寄せてくれる人がいたというのはなによりうれしいことだった。

あらためて思う。取材は怖いものだ。自分の知らぬところで、良いことも悪いことも進んでいく。陽子さんが取り計らってくれなければ詩織さんのご両親から話を聞くことは出来なかったろうし、直接お会いすることがなければ警察の事件への対応や不祥事隠しを知る唯一《ゆいいつ》の記者になることもなかったろう。

また「何か」が事態を動かそうとしている。この事件の取材は、進めれば進めるほどその感覚が強くなっていく。そうでなければとっくの昔に私は音を上げているはずだ。私はそんなに力がある記者ではない、間抜けもいいところなのだ……。

私は猪野家を辞去すると、再び桶川駅前の現場に戻っていた。

「犯人は必ず現場に戻る」

嘘だ。用もないのにそんな危険なことをするヤツはいない。それが本当なら事件解決は簡単だ。捜査本部などいらない、現場の上に交番の一つでも建てればいい。

久保田は池袋でのうのうと暮らしている。小松は消えたままだ。現場に来るのは被害者の知人と使えない刑事と取材先の分からない記者だけ。

いくつもの花束、友人達のメッセージ、詩織さんが好きだったお菓子やマスコット……。

ぼんやりそれらを眺めながら、私は思った。

なぜここまでこの事件にのめりこんでいるのだろう。いつからこうなってしまったのだろう。

考えるまでもなかった。カラオケボックスで取材したあの夜だった。あの日私は確かに「何か」を託されたのだ。あの日から二ヶ月、私はほとんど休みもなくこの事件を追い続けていた。私を動かし続けてきたのは何だったろうか。頼みの綱を切られ、絶望していた詩織さんがそれでも遺《のこ》したもの。自分が狙《ねら》われるかも知れないという恐怖の中で、島田さん達が私に伝えたもの。

島田さんは私に会うなり何と言っただろう？

「詩織は小松と警察に殺されたんです」

どうしてそのことに気がつかなかったのか。

私はこの日まで、詩織さんに、島田さんに、陽子さんに託されたバトンは一本だと思っていた。とんでもないストーカー男がこの世にいるということだけだと思っていた。だがそうではなかった。バトンは二本あったのだ。

詩織さんが島田さんに、陽子さんに言い遺したのはまさに「遺言」だった。そして島田さん達は、そのすべてを私に託したのだ。「三流」週刊誌記者の私に……。

あのカラオケボックスで涙を浮かべながら言った島田さんの言葉が頭に甦っていた。

「あの警察ではダメなんでしょうか」

今ならはっきり答えられた。

ダメだ。

それが私の結論だった。

私は長い間、事件、事故、災害と、いわゆる警察現場を渡り歩いて来た。毎週毎週、日本中をである。複雑な事件も何度見聞きしたか分からない。犯人と言い合いをしたこともあるし、事件の被告がヌレ衣《ぎぬ》を着せられただけで全くの無実であることを証明したこともあった。捜査と取材、やっていることは違っても、そこいらの所轄《しょかつ》のデカさんよりはよっぽど件数も修羅場も踏んできたつもりだ。

だから分かる。上尾署はダメだ。救いようがない。誰かがなんとかしなければ、あそこはこのまま逃げ切るつもりだ。告訴を取り下げさせようとした刑事？　そんなのいないよ。あれはニセ者だったってＦＯＣＵＳにも書いてあるでしょ……。

冗談ではない、そんなこと許せるか。

私がすべきなのは覚悟を決めることだった。事件の犯人達が逮捕されたら、この事実を書くしかないと腹を決めることだった。すべて書こう。黙殺されるのがせいぜいかもしれないが、私が恥をさらすことになるのかもしれないが、はめられたまま嘘《うそ》を垂れ流しているなんて、記者としてどうしようもなく不愉快だった。

今は待つしかない。殺人事件の犯人を逮捕できるのはやはり捜査本部しかないからだ。

だが、それで事件が終わりだなどと思ってもらっては困る。私のやらなければならないことは、もうひとつあるのだから。


手ぐすねひいて待っているにも拘《かかわ》らず、肝心の「逮捕」の方がまるで進んでいなかった。捜査員を池袋に張りつけてから、久保田はマンションに姿を現わさないと言うのである。どうしてだ、ヤツらは安心しているはずだ。なぜ来ない……？

ところが私の情報源からは、まったく違う話が入って来ていた。池袋のそのマンションは一階がラーメン店なのだが、同じ日の夕方、その店の前で久保田と川上がのんびりと立ち話をしていたというのだ。

県警は本気で逮捕をする気があるのか。まさか我々に対するポーズで捜査員を派遣しているのではないか。私の警察に対する不信感は募る一方だった。

十二月十二日になっていた。

時間の流れがやたらに早く感じられた。タイムリミットであるＦＯＣＵＳの締め切り日が目前だった。逮捕原稿はすでに書き上がり、写真も用意してある。原稿が入ったフロッピーディスクを印刷所に送ればすべては終了である。

しかし、池袋は動かなかった。何度現場を訪れても、相変わらず捜査員がブラブラ歩き廻《まわ》っているだけだ。いったい捜査本部はどうするつもりなのか。何を考えているのか。私にはまったく分からなかった。我々が彼らの姿を撮影してから以後も、川上は何度もマンションの出入りを繰り返していたが、捜査員達のあの張り込み方では姿を確認できるはずもない。

締め切り日を迎えて、私は厳しい選択を迫られることになった。「事件解決」か「スクープ」かを選ばなければならなくなったのだ。何度も編集長と話し合い、結局こう決めた。

この週、FOCUSは桶川の記事を掲載しない。

一週見送ったのだ。私は入稿を諦《あきら》めた。それが記者にとってどれだけつらく、馬鹿馬《ばかば》鹿《か》しいことか想像がつくだろうか。誌面にならない取材など、無駄以外のなにものでもない。

次の締め切りまでは六日間。締め切り直後に久保田達が逮捕されるようなことでもあれば、万事休すであった。

六日間もあれば何もかも発表され、報道もひと通り終わって世間の関心も薄れかねない。そんな頃になって、いくら事前にすばらしい写真を撮っていたと言い張っても証文の出し遅れである。

負けは負け。
あんたはお人よし、と言われておしまいだ。その危険は十分にあった。
それでもあと一週だけは待ってみようと我々は決めた。賭《か》けだった。
どう転んでもそれ以上の延長戦はないよ、山本編集長は言った。私もそれは重々承知していた。というのも、この次の号は年内最後の発売になる合併号だったのだ。発売日は十二月二十一日。その後は一月六日まで雑誌は出ない。いくら何でもそれまで逮捕も出来ず、他誌も気が付かない状態が続くとは思えない。

つまり、次の締め切りに入稿できなければ、ＦＯＣＵＳにとってこの事件は写真も記事も年末大掃除のゴミ箱行きとなってしまうのである。

それだけは出来なかった。

好き勝手なことばかりやっているコントロール不能の不良記者だが、これでも雑誌に掲載するために取材をしているのである。私は捜査員ではない、記者なのだ。あの写真だって私一人のものではないのだ……。

私は再度、上尾署に通告しに行くことにした。きちんと説明をしておきたかった。記事が出た後で「あの時ＦＯＣＵＳが書くなんて捜査本部は知らなかった。久保田は我々が独自に割って追い込んでいたのに、ＦＯＣＵＳがどこかでそれを聞きつけて勝手に書いた。だから犯人が逃げたのだ」などと言われるのはまっぴらだった。これだけは、記者クラブの壁があろうとあらかじめ通知しておかなければならなかった。

　実は、私が猪野さんのお宅に伺って取材経過を説明したのも、警察に知らん顔されぬための保険という意味合いがあった。警察以外の中立的な第三者にあらかじめ伝えておかなければ、どう言い抜けされるか分からない。

　月曜日を待って、私はまず埼玉県警本部の広報に出かけた。広報課員と直接会って、「これからFOCUSが取材に行きます」と上尾署に連絡を入れてもらうためである。どこの組織もそうだが本部の言うことに支部は弱い。いきなり私が飛び込んでいくよりはいいだろうと思ったのだ。それでも上尾署の状態は何も変わっていなかった。

　上尾署の受付に名刺を出すのはもう三回目だ。普通の所轄であれば、「どうぞお入りください」と、まぁ副署長の隣の応接セットくらいには案内されて、お茶の一杯も出してくれたあとで「発表以外のことは話せないんですよねぇ」なんてことを言いながらも雑談の一つもしてくるものである。

　しかしここは違うのだ。半端《はんぱ》ではない。

　いつもの副署長はいつものように、得意のセリフをカウンター越しにかましてくれたのである。

「あー、記者クラブに加盟していないところは本部に行ってね。それに今日は署長は留守だからね、年末で忙しいんだよ。ダメだな。取材はダメ」

まるで高性能テープレコーダーであった。立派なモノである。よく分かった。私だけにそういう態度なのか、すべてのクラブ非加盟社にそうなのかは分からないが、お話にならない。もう面倒だった。こちらも人間が出来ていない。こうなれば私は高性能スピーカーになるしかないと思った。私はカウンターの外で一方的に怒鳴り始めた。聞こうが聞くまいが知ったことか。

「取材ではありません。伝えたいことがあったから来ただけです。来週発売のFOCUSで桶川駅前の殺人事件の容疑者について重要な記事を掲載します。すでにその内容は捜査本部が十分にご存知のはずです。締め切りは今週土曜です。このことは必ず署長にお伝えください。以上」

もうちょっと言いたいことはあったのだが、気が弱い私は心の中でこう付け足すだけだった。

「あなたに取材することなんか何もない。恐らく私の方がよほどこの事件に詳しいのだ」と。

副署長は私の名刺を見て、面倒くさそうにうなずいていた。頭のおかしいのが来たくらいにしか思っていないのかもしれなかった。それでもいい。私としては出来る限りの誠意は尽くしたつもりだった。少しは刑事達に慌《あわ》てて欲しかった。

いくらやっても私との距離をまるで詰めようとしない副署長。怒鳴っている私を無視して事務仕事に没頭する他の刑事や職員達。なんなんだここは。

あの日、詩織さん達がここに相談に来て、絶望したのがよく理解できた。ここはまったくダメだ。「人間」がいないのだ。詩織さんは二つの不幸に遭遇した。一つは小松に出会ったこと。もう一つは上尾署の管内に住んだことだ。


池袋の街にはクリスマスソングが流れ、デパート前にはツリーが立った。詩織さんと同じくらいの年格好の女性達が、買い物に没頭している。私はそんな人波をかき分けるように三越デパート前を通り過ぎ、裏手へと廻っていった。「現場」はその先だった。

毎日がイライラの連続だった。

時計よ止まれと本気で祈った。

精神状態は最悪だった。なんでヤツらを逮捕できないのか、ここまでお膳立《ぜんだ》てしているではないか。私は連日、それも一日に何度もミスターTと情報交換をしていた。捜査本部にもその情報は伝わっているはずだった。

「ビルの上から我々が確認した方がいいのでは」と提案もしてみた。しかし、捜査本部は取り合おうともしない。「私達は私達のやり方でやります」ということらしい。

馬鹿野郎。あんた達のやり方で詩織さんは殺されて、小松は逃げ、久保田の確認も出来ないんだろう。頭に血が上りっぱなしになっていた。締め切りが刻一刻と迫っていた。

今度という今度は九回裏で延長はない。

私は知りすぎてしまっていた。詩織さんのご両親や、島田さん、陽子さんの、せめて犯人だけでも捕まえたいという想い《おも》い。

そして詩織さんの無念。

それさえ知らなければ、私のやるべきことなど簡単だった。このまま他誌が腰を抜かすようなスクープを載せればいいだけのことだった。むしろ締め切りを指折り数えて、他のマスコミには気づかれぬようお祈りしていただろう。

だが、私はその想いを受け取ることで、ここまで来られたのではなかったか……。


次の日、編集部で新聞を繰っていると、イライラが頂点に達するような記事が目に入った。ある夕刊紙の小さな記事だった。その中に捜査関係者の話として、「ストーカーKの経営する風俗店の中に怪しい男がいる」という一文があったのだ。

私は腰を抜かさんばかりに驚いた。久保田がこれを読んだらどうなる。他人は分からなくても本人には分かる。話の出所が「捜査関係者」となっているということは、捜査本部経由でこの話は漏れているのだ。

こちらは情報提供をした上、必死になって記事を抑えているというのに捜査員が漏らしたというのか……。

FOCUSの締め切り云々以前の問題だった。もはや久保田の情報をこれ以上抑えていても意味がなかった。もともと捜査本部には県警本部の捜査一課の刑事だって相当派遣されている。この連中が連日大量に池袋に出かけていれば、他の新聞記者が気づいたって、なんら不思議はない。だが、そうは言ってもいったいどうなってるんだ、こりゃあ。

私はすかさずミスターTに連絡した。どういうことなんだよ、と彼が悪いわけでもないのに言い募る私に、彼は、上尾署の前には夕方になると東京ナンバーのレンタカーが何台も並んでいる、という話を教えてくれた。犯人連行用に捜査本部が用意した車を毎日池袋から引き上げているのだ。私も間抜けな記者だと思うが、捜査本部もかなり間抜けである。わざわざ東京のレンタカーを使っている捜査員の動きに、日参する新聞記者達がいつまでも気づかないとでも思っているのだろうか。尾行されたり現場に張りつかれたらどうする。

受話器を殴りつけるようにミスターTとの電話を切った私は、今度は会社の机をおもいっきり蹴飛《けと》ばしていた。何やってんだあそこは。いったい何がしたいんだ。この事件、ぶっ壊す気か。

最悪だった。私はこの事件ツイているんじゃなかったのか。この頃の私はミスターTにもあたるようになってしまっていた。彼は、記者として、親友として、誠心誠意私に対応してくれているのに。自己嫌悪《けんお》がまたイライラを増幅させていた。

十二月十八日。

ついに締め切り日が来てしまった。私は再び猪野さん宅を訪ねていた。犯人逮捕に先んじて記事を出さざるを得なくなった経緯をきちんと報告しておきたかったのだ。

お線香を上げさせてもらい、再び詩織さんの写真を見た。「美人女子大生」という見出しは誇張でも何でもなかった。私は随分長いことその写真をみつめていた。

猪野さんがどんなお気持ちで私の話を聞かれたのかは分からない。記事を出すことはやむを得ないと思いながら経緯を説明した私だったが、いたたまれない気分であるのも確かだった。

結局私は、逃げ出すように猪野家を辞去した。

時計の針は容赦なく進んでいた。相変わらず逮捕の連絡はない。すでに桜井は上尾で二週間沈没している。もはや何もかも限界だった。編集部ではこの記事に対して四ページを割いて原稿を用意していた。

「桶川ストーカー殺人　本誌が摑《つか》んだ実行犯」というタイトルだった。しかし逮捕もされていない人物を今のこのケースでは実名で報道できるはずもない。同じ理由で顔写真も使えない。桜井の力作、久保田の顔に大きなグレーマスクがかけられた。内容もトーンダウンせざるを得なくなった。記事は完全に湿ってしまっていた。一般読者にとってみればなんだか訳の分からないことが書いてある上に、この雑誌が街に並ぶ十二月二十一日にヤツらは大慌てで逃げだすのだ。二度と池袋に姿を現わすこともないだろう。そういう意味で言えば、私を激怒させたあの夕刊紙とは比べものにならないほど細かい内容だった。出来るだけどこで撮られたものか特定できないような写真を選んだが、本人達には一発で分かってしまうだろう。私は深い溜《た》め息をつかずにはいられなかった。

深夜になっていた。私はミスターTと池袋の現場にいた。相変わらず捜査員がうろうろしていた。FOCUSの締め切りが近づくにしたがって、捜査員達の動きが変わって来たことには気づいていた。だんだんと接近戦になり、当初は夕方でやめていた張り込みを夜間まで続けるようになっていた。さすがの私も、彼らの姿に真剣さを感じないわけにはいかなかった。寒い中二週間にわたって立ち番をしている現場の刑事達。ご苦労だとは思う。私も現場しか知らない人間である、その苦労は身に染《し》みて分かる。

だが、朝から同じ人間が何十回と同じ場所を歩き廻り、しかも耳にはグレーのイヤホンである。そのまま喫茶店で休憩をとっている刑事すらいる。なんとかして欲しい。すでに久保田達は何かに気がついてしまったのだろうか、それでヤツらは来ないのか……。

何度も見上げた池袋の狭い空。寒さのせいかその夜は星が綺麗《きれい》に輝いていた。私はミスターTと地べたに座り込んだ。我々の姿には捜査員も気がついていたかもしれない。しかし、もはやどうでもよかった。

冷え切ったアスファルトからは、寒気がジンジンと上がってきた。

力なく言葉を交わした。

「なんでこんなことになっちまったんだろうなぁ。ついこの間まで、何もかもうまく行っていたのに」

「なんで身柄を捕れないのかねぇ。捜査本部は何をしているんだ……」

「逮捕さえしてくれれば、捜査も記事もすべてうまくいったのに」

二人でそれまでの二ヶ月を振り返った。

思えば事件屋のミスターTは、まるでこの事件に合わせるように転勤してきた。絶妙のタイミングだった。彼がいてくれたから小松和人や久保田の確認もとれたし、私もここまで取材を詰めることが出来た。他の新聞記者は、この事件の捜査がこんなことになっているとはまるで知らない。久保田が逮捕されてくれれば、警察発表などよりはるかに早いミスターTの第一報が、スクープ記事になるはずだった。

島田さん達との出会い、渡辺さんからの電話、多くの人達がくれた情報。すべてのパワーが、許しがたい犯罪者達に向けられていたのではなかったのか。今日までの私の強運はただの偶然だったのか。いくら唸《うな》ってもどうにもならなかった。捜査本部は「久保田が来ない」の一点張りだった。

やりきれなかった。

「じゃあな」と、片手を上げて彼と別れた私は、現場が見下ろせる高場に立った。近くにある立体駐車場の二階だ。そこに私の車が停めてあった。

見下ろす街はクリスマスの電飾が輝いている。メモを片手にそこをテクテク歩き廻《まわ》っていた自分が思い出された。桜井が頑張って張り込みを続けたビルがあった。ついこの間のはずなのに、なんだかずっと昔のことに思えた。

ほんの少し前まで、ツキはすべて俺に向いていたんじゃなかったのか。なんでこんなことになったのか。最善の注意を払ったつもりでここまで来たはずだったのに。俺はどこでミスを犯したのか。どこのポイントで間違えたのか、いったい何が悪かったのか……。

内ポケットにはいつものメモ帳があった。あらためて詩織さんの写真を見る。思わず心の中でつぶやいた。

ゴメン。結局俺は何も出来なかったよ。

結果として事件をかき廻すだけになってしまった。この二ヶ月間の自分を振り返ると、情けなくて涙が出そうになった。こんなことをしたくて、こんな記事を出したくて、俺は足を棒にして、地べたを這《は》いつくばって来たんじゃなかった。

どんなに悔やんでも時は進む。そしてついに、時計の針は締め切り時間を過ぎた。

十二月十九日。

校了日になっていた。もうあと数時間で犯人達を遁走《とんそう》させる記事が輪転機にかかるかと思うと朝から頭が重かった。疲労も加わって倍ぐらいの重さになった頭を抱えながら、私は会社に向かって車を走らせていた。首都高速東池袋ランプを降りて、右折すれば会社、左に曲がれば「現場」である。まだ昼少し前だった。ゲラが出るまで少しだけ時間がある。馬鹿《ばか》だなと思いながら私は車のステアリングを左に切った。諦《あきら》めが悪いなんてもんじゃなかった。未練たらたらだった。

現場に着いてみると、いつもと様子が少し違う。見慣れた顔の捜査員達が、例のマンションのすぐ近くに集結している。

何だ？ 何かあったのか。

彼らの視線は明らかにマンションに向けられていた。もしや久保田が来たのではないか。逮捕が近いのか？

なんとも自分勝手な空想だった。そんなことありえないのは分かっていた。そりゃ出来すぎだよ。俺の人生結局は平凡だ。そんなドラマチックなことは起こらない。だいたい今日は日曜日だ。そんな日にわざわざ久保田が来ることはないだろう。

車に戻り、一応ミスターTに電話を一本入れた。この状況だけは伝えておこう。私はそのまま現場を後にした。


校了日の編集部は、若干ながら緊張感が漂う。みな静かに自分が担当しているゲラを見て、記事を一文字ずつ丁寧にチェックする。間違いはないか、誤字、脱字、日付けや年齢は合っているか……。静かに時間が流れ、三時過ぎには記者の校了作業が終了する。直された最終原稿は大日本印刷に廻る。以後変更はきかない。

私は鉛筆を二本削り、自分のデスクに座った。時間はちょうど一時。尖《とが》った鉛筆の先を一行目に当てて、視線を向けた。

まさにその瞬間だった。

私の嫌いな携帯が鳴った。ディスプレイの表示はミスターT。なんだこの忙しい時に、沈没した私へのお悔やみ電話か。

しかし、彼は開口一番こう言った。

「いやー、おじさんさぁ、いいカンしてるよ大したもんだ」

「え？　なんだ？　どうした」

「たった今、久保田の身柄が確保されたよ」

時が止まった。

信じられなかった。

私は電話に怒鳴った。繰り返し怒鳴り続けた。遠くにいる編集長に聞こえるように、立ち上がって手を振り、怒鳴った。

「県警が久保田を抑えた？　逮捕したのか？　未《ま》だ身柄確保段階なんだな、今日間違いなく逮捕まで行くんだな。冗談だったら怒るよ俺は……」

静かな編集部の雰囲気を、私一人がぶち壊していた。その時の私はいったいどんな顔をしていたのだろう。誰を相手に話をしているのか分からないような電話のやりとりだった。電話に怒鳴り続ける私にちらりと目をくれると、編集長はすぐに編集部の一番奥まで歩いていき進行担当者に指示を出していた。

「記事を差し替えます。できるだけ進行を遅らせてください」

私はミスターTから聞いたことをそのままゲラの上にメモしていた。もはや紙クズと化したゲラなんぞどうでもよかった。ミスターTは最後にこう言って電話を切った。

「じゃあ現場で会おう。約束は守ったよおじさん」

今日ばかりはそんなことを言われても言い返す気にはなれなかった。それに、とにかく今は時間がない。本当の締め切りは石器時代ほどの大昔に過ぎているというのに、一から記事を作り直さなければならないのだ。

原稿はベテラン記者の手によって書き直されることになった。四ページをまるまる差し替えるなど、もはやカメラマン上がりの私の手には負えなかった。編集部中が蜂《はち》の巣をつついたような騒ぎになっていた。

すでにスタンバイを解除していた桜井に電話して、上尾まで急行してもらう。桜井も驚いている。

さらに詩織さんのお父さんに電話を入れ、コメントを取る。この日休みだったお父さんは、娘の殺害現場に行って戻ってきたばかりだった。

「こんなところで刺されて、痛かったろう、悔しかっただろう。そう思って家に戻ったら清水さんから電話があったんです。思いが通じたんでしょうか……」

逮捕までの取材経緯や捜査情報もデータ原稿として書き、書いた端からベテラン記者にどんどん渡す。ベテラン記者の指はほれぼれするようなスピードでワープロのキーを叩《たた》き続けていた。写真も差し替えた。久保田の写真だ。久保田の横に写っている川上にはマスクをかけざるを得なかったが、桜井、大橋両カメラマンの力作はこれでようやく湿ることなく日の目を見ることが出来た。

たまげるようなものをお届けしてやる。約束の百倍返しだ。

二〇〇〇年度初めての発売号であるFOCUS1号を飾るタイトルは「桶川『美人女子大生刺殺』本誌が摑んだ『実行犯』逮捕までの全記録――追い詰められたストーカー

男」として、これまで溜めていた情報をぎゅうぎゅう詰め込んだ。この記事が出れば小松が逃げ出すのは明らかだった。どのみち我々の記事が出ようが出まいが、久保田が逮捕されたことを知った段階で小松の選択肢は自首するか逃亡するかしか残されなくなる。どうせ警察も今回のようにもたもたしているに決まっている。小松の事件への関与が深いことが取材から明らかである以上、逃亡されるくらいだったらきちんと実名を報道し、いっそ情報を募ることにしてはどうか。FOCUSは、小松の実名報道と写真掲載に踏み切った。

　しかし、なおも問題は残されていた。

　久保田は身柄を抑えられたとはいえ、まだ逮捕されたわけではないのだ。ミスターTの取材では、久保田は任意同行後、すぐさま令状請求、殺人罪で逮捕となる予定だった。ただし、それはあくまで予定だった。まず間違いないはずだったが、万一のことがあってはならなかった。

　私は編集長に頼んで、現場に出してもらった。こんな時にじっとなどしていられなかった。結果を会社で待つなんて、そんなのはごめんだった。自分の目で久保田の連行を確認しなければ気が済まない。それが、私の仕事だ。

　いつものバッグを肩にかけ、会社のガレージへと走った。車に飛び乗ると、さっきは絶望のどん底でおりた東池袋ランプへ飛び込み、アクセル全開で一路高速を上尾へと向かう。この数時間の自分の強運が信じられなかった。また「何か」が動いた。だから奇跡は起きたのだ……。

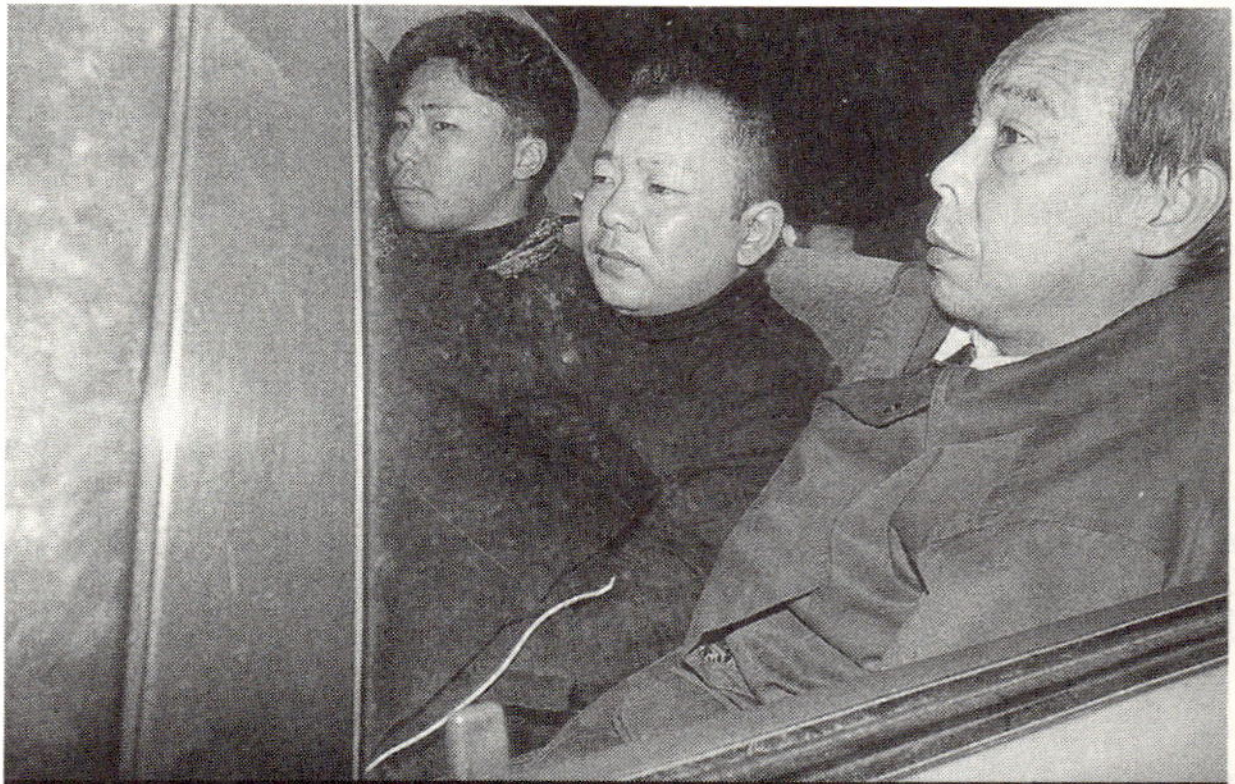

第六章　成果

上尾署に連行される久保田祥史

静かな夜だった。

さっきまでいた編集部の喧騒《けんそう》が嘘《うそ》のようだった。私達は上尾署近くの公園でスタンバイしていた。私と桜井、松原のおっさんは、エンジンを切った松原号の中でいつ来るかわからぬ久保田をじっと待っていた。松原号の隣には、ミスターTの乗った車がある。

昨夜から食事をしていないことを思い出したが食欲はなかった。車内のグリーン色のデジタルクロックはすでに七時を示している。

ミスターTの取材では、身柄を抑えられた久保田は未《いま》だに朝霞《あさか》署で任意の取り調べを受けているという。こんな時間になっても上尾署には到着していない。

私は正直不安でしかたがなかった。

原稿はすでに大日本印刷に廻《まわ》っている。今頃は製版カメラでポジフィルムを作っているはずだ。間もなく、二台のオフセット印刷機が唸りをあげて高速回転を始めるだろう。「久保田逮捕」の文字が巨大なロール紙に次々と印刷されていくのを、もう止められないところまで来てしまっていた。もしも、もしも久保田が逮捕されずに任意の事情聴取だけで帰されたりしたらどうなるだろうか。本当に令状は取れるのだろうか。考え出すと際限なかった。万が一にでもそんなことになったら、私は辞表を出さなければならない。いや、辞表どころでは済まないだろう。恐らく私はこの業界で二度と仕事をすることは出来なくなるだろう。一躍有名人だ。

「桶川事件で大誤報を打った記者」

サンゴを自ら傷つけて「自然破壊」と称した写真を新聞に載せたカメラマンと同様、永久に語り継がれることになる。

私は、三十分おきに窓を開けては隣の車のミスターTに話しかけた。それも毎回同じことばかり。

「ホントに久保田は逮捕されるんだろうなぁ」

「今日は調べだけで、明日もまた呼ぶ（任意同行する）ってことはないよなぁ」

あまりに執拗《しつよう》かつ堂々巡りの質問に、ミスターTもうんざり顔だ。

「大誤報を打っても、大スクープを打っても、間違いなくおじさんは有名人になるって」私の心配などどこ吹く風といった雰囲気だ。

しかし、私があの原稿を打ったのは、確信があったからだ。久保田が実行犯であるということは捜査本部情報ではない。自分自身の取材で割ったものだ。

実行犯は久保田だ。

彼しかいない。

捜査本部も最初から逮捕を前提に強引な任意同行をかけているのだ。今さらヤツを帰すなんてことはありえない。

昨日の今頃、私とミスターTは池袋の路上に座り込んでいた。あれから僅《わず》かな間に状況は一変していた。締め切りどころか、校了寸前の大逆転。ありふれた表現で言えば、九回裏二死満塁の三点差の負けゲームで、フルカウントからの打球はふらふらレフト線に上がり、そのまま音をたててポールを直撃したのだ。そんな気分だった。私には幸運の女神がついているとしか思えなかった。

今日も大丈夫だ。OKだ。そう自分に言い聞かせた。

八時を少し過ぎた頃だった。

携帯電話でどこかと連絡を取っていたミスターTが私の隣にやって来た。

「(久保田が)来るぞ。令状が執行されたよ」

そう言ったあと、ミスターTはにやりと笑って付け足した。

「良かったね。首がつながって……」

どっと肩から重たいものが下りた気分だった。この瞬間を迎えるまで、本当に長い長い二週間、いや二ヶ月だった。たったの二ヶ月とは到底信じられないほどだった。その間何度、もうこんな思いは二度としたくない、冗談じゃないと心から思ったことか。だがそれに比べて今のこの充実感はどうだ。これは何だ。こんなものの為《ため》に、私は人生で博打《ばくち》を打ち続けているのか……。

私と桜井は、上尾署前に移動した。

久しぶりにカメラを握った。私の前職だ。キヤノンEOS－RTに24～85ミリのズームレンズと小型ストロボを装着。さらにストロボのチャージ時間を短縮するために、積層バッテリーも接続する。これがいつもの私の事件取材時のセットである。機材にはあまり凝らない。軽くて故障しなければそれが一番だ。事件取材では重いカメラボディや明るい大型のレンズはかえって足かせになるだけである。レンズの絞りをF8、距離は一メートルにセットしておく。

犯人の身柄送検の撮影というのは数え切れないほどあったが、今回のように逮捕時の連行を撮影するというのは珍しい。特に週刊誌カメラマンがそんな場面に立ち会えることは、なかなかない。

私はコートの下にカメラを忍ばせた。撮影直前まで余計なトラブルは避けたかった。

捜査本部のある上尾署には夜廻りの新聞記者も多い。できることなら気がつかれたくない。

それに、あの副署長が私を見たら、また得意のセリフをかましてくれることだろう。こんな状況では面倒なだけだ。時間ギリギリまで警察の敷地には近づかず、近くの交差点でスタンバイすることにした。

久保田を乗せた護送車は、東京方面から来る。とすればこの交差点から上尾署に入ってくるはずだ。私はコートの中で、ストロボのスイッチをオンにした。そのままの状態で今か今かとその車を待つ。

九時少し前だった。国道十七号線を横切るように、警察署の反対側から一台の銀色のセダンが走ってきた。前部座席に二名、後部座席に三名が座っている。今時セダンに大の男が五人も座るのは護送くらいなものである。

我々は後部座席真ん中の男を注視した。見覚えのある顔だった。

交差点の信号は青。同時に我々の心のシグナルも青に変わった。私と桜井は走った。行け行け桜井、突っこめ！　もうバレても構わない、ガンガン撮るんだ。私はコートの下からカメラを取り出すと、警察署内にすべり込む車に飛びついていった。後部座席の窓ガラスに向かってノーファインダーでレンズを向けた。タイミングはぴったりだった。

1、2、3！

私と桜井はシャッターを押した。

真っ暗な駐車場で連続して発光するフラッシュ。その明滅する光の中に久保田はいた。距離は計算通り一メートル。すぐそこ、私の一メートル先に短髪、小太りの刺殺犯がいるのだ。黒いタートルネックのセーターの上にある顔を隠すこともなく、久保田は真っ直《す》ぐ前を向いて平然とフラッシュを浴びていた。手錠を隠すために腕に紺色の服がかけられていた。

車はゆっくりと警察署裏手の駐車場に入っていった。車を降りた久保田が、階段を上っていくのが暗闇《くらやみ》の中でもはっきりと見分けられた。

一瞬の修羅場が終わると、上尾署には再び静かな夜が戻っていた。

我々のストロボに気づいた新聞記者が一人、飛んできた。まだ署内に残っていたらしかった。何があったのかと怪訝《けげん》そうな顔をしていたが、関わり合いになればまたいろいろ面倒だった。我々はすぐに立ち去ることにした。

すでにＦＯＣＵＳの印刷は始まっている。写真は撮ったものの間に合うはずもない。結局この時の写真はその後も掲載のタイミングが合わずにお蔵入りとなったが、折角なので本書で公開する。本章扉の写真が、その逮捕連行時の決定的瞬間である。

意外なことに、捜査本部は逮捕をなかなか発表しなかった。そのため、刺殺犯逮捕のニュースはミスターTの通信社の独走になった。各社にとっては驚きであったろう。前触れもなく、他社の大スクープでいきなり事件が弾《ハジ》けたのである。しかもその後も警察発表はない。各社必死で調べても、確認が取れない。

「久保田って誰だ？　小松和人じゃないのか？」記者達は右往左往するばかりだ。

私は笑ってしまった。記者クラブに所属していても、発表がなければ手も足も出ないのか。

その晩は、各マスコミの浦和支局にとってうんざりするような夜になったはずだ。ミスターTの通信社だけが続報をどんどん送り、他社はそれを眺めることしか出来なかったのだ。

捜査本部は、共犯を逮捕するまで発表を控えた。記者達にとっては署にいくら詰めていても何も分からない状態が続いていた。司法権を発動し、逮捕状を請求し、一人の人間の身柄を逮捕拘束しても公表はしないということが警察には出来る。ひと一人隠すことなんか警察には簡単なのだ、と思わされる一方、クラブ制度は警察が何も言ってくれなければまるで機能しない、ということを痛感させられた。結局正式な逮捕の発表は、翌二十日夜まで行われなかった。

その夜、各社が久保田逮捕の確認に走り廻っているころ、我々は飲んでいた。桜井、松原のおっさん、それとたった一日の張り込みで久保田を撮影したラッキー男、大橋カメラマンとで祝杯を上げていたのだ。

話すことはたくさんあった。今ならなんでも話せた。本当に厳しい状態の連続だったが、辛《つら》い張り込みを耐えてくれたカメラマン達がいなかったらこの仕事はとてもここまで出来なかったろうと心底思う。一人で出来る仕事などない。彼らと祝えるのが何よりうれしかった。

夜が更《ふ》けるにしたがって、携帯が次から次へと鳴り出した。各社取材が動き出していた。新聞、テレビ、スポーツ紙、私が桶川の事件を担当していると知っている記者達からだった。情報集めに必死な様子が伝わってきた。

「通信社だけが久保田という男の逮捕を報じているんです。ところが確認がとれません。清水さん、何か知りませんか？」

そう言われても全部話すには一日かかる。それにうちの記事が出るまでは何も喋《しゃべ》れない。

「実行犯逮捕は事実だよ。後はうちの雑誌《ほん》読んでよ」とだけ答えておく。とにかく今日は楽しく酒を飲みたい。そしてゆっくり寝かせて欲しい……。芯《しん》から疲れ果てていたが、この二ヶ月間味わったことのない、心地よい疲れだった。

翌日の上尾署は中継車やカメラマンの脚立《きやたつ》が並ぶ騒ぎになっていた。昨夜の静けさがまるで嘘のようだった。おそらく上尾署始まって以来の大騒ぎだったろうが、その中にFOCUSのスタッフは一人もいない。もはや行く必要は何もない。

その日の朝は、ミスターTの通信社の記事を配信されている地方紙、スポーツ紙、テレビ、ラジオ局が記事を流用して刺殺犯逮捕を大々的に伝える一方、全国紙と呼ばれる大新聞社はみな「お手上げ」状態だった。クラブ非加盟のスポーツ紙一面にでかでかと久保田の連行写真が載っているのに、クラブ加盟社の新聞紙面には中途半端《はんぱ》な「後追い」と呼ばれる記事が小さく載っているだけなのである。その反対ならまま起こるが、ここまでの逆転は極めて珍しい現象だった。

あとで聞いた話だが、その日警察に詰めて今か今かと記者会見を待っていたクラブ記者達は、会見もまだなのに今度はFOCUSの誌面を見る破目になり、ひと騒動だったという。東京で早刷りを手に入れた社が支局経由でFAXしてきたのだ。ある記者は、久保田の写真を見て幹部に詰めよった。

「こりゃあ嘘だろう嘘。別人に決まってるでしょ、ねぇ人違いですよね」

などとその記者は言ったそうだが、記事には各社が知りたかった逮捕の経緯が一切合財書いてあったはずである。失礼な話だ。

事件発生以来、初めてぐっすり眠ることが出来た私は夕方になって会社に行った。もちろん事件はこれで終わりではないが、久保田の身柄を確保した以上、ある程度事件解決への道筋はつくのではないかと思っていた。警察も面子《メンツ》をかけて事件の枠組みを示さざるを得ないだろう。あとは警察の出方を待つしかない。

本来は休みだったが、どうしてもやっておきたいことがあった。編集部に入っていくと、やはり出社していた山本編集長がデスクにいた。休みだというのにどうしてこの編集部は人がいるんだろう。

私は何の気なしに編集長に話しかけた。

今じゃ笑い話ですけどね、と私は言った。昨夜久保田が逮捕されなかったら辞める気でしたよ。

それを聞いて、編集長はあっさり言った。

「あなただけじゃないよ。俺もクビだよ」

えっ、と一瞬言葉に詰まった。なんと返事してよいかわからなかった。こんな私のような記者に、この人は本当に自由にやらせてくれたのだ。ありがたかった。

デスクに戻ると、私は一本電話を掛けた。

会社まで来た理由とは、池袋の張り込みで桜井が廻していたデジタルビデオだ。苦労して撮った映像だけになんとか有効に使いたかった。そこで考えたのはＦＯＣＵＳ発売日の朝、どこかテレビでその映像を流してもらえないかということだった。編集長の承認も得ている。モノはいい。どこの局でも欲しがるだろう。

電話を掛けた先はテレビ朝日「スーパーモーニング」の高村智庸レポーター。事件担当の高村氏とは和歌山カレー事件以来、毎週のように現場で一緒になり、私はいろいろな面で高村氏を信頼していた。彼は自力で取材をするタイプのテレビレポーターだ。私はそういう人を信用する。朝番組という条件だったら、躊躇《ためら》わず私は彼のところを選ぶ。こうして、本来ならそのままお蔵入りするはずのビデオ映像も世に出ることになった。

その日の夜、私はある新聞記者と会っていた。彼は警視庁担当の事件記者である。ジャズが流れる小さなバーでグラスを傾けながら、私は事件の顚末《てんまつ》を話していた。

「すごいですね。そんなことが一度でも出来たらもう辞めてもいいなあ」と彼は言う。だが、私が本当に話したかったこととはそういうことではなかった。私は彼に助けて欲しかった。私よりも彼らの方が桁《けた》違いに力が発揮できることがあったのだ。

それは警察のことだった。

私は上尾署、いや埼玉県警と一戦交えなければならないところまで来ていた。書くタイミングは熟してきている。だが、一誌ではとても火を起こすのは無理だった。味方が必要だった。埼玉県警に詰めている記者では県警批判記事など書けないかもしれないが、彼のような警視庁担当記者なら何かやりようがあるのではないか。

ところが、話題は不思議な方向に転がっていった。まるで今までの私の疑問を解くように、彼はこう言った。

「僕らは事件記者じゃないんです。警察に詰める警察記者なんですよ」

分かりやすい話だった。警察詰め記者イコール事件記者ではないのだ。そうか、彼らはあくまで警察を担当している記者なんだ。だから警察発表を記事にしていくのはなんら不思議ではないのか……。

私が取材で求めているものと、警察に詰める記者達や新聞社が求めているものは似ていて違うのだ。私は事件を取材する。だから事件記者。彼らは警察を取材する。だから警察記者。

私はこの新聞記者が好きだった。彼はいつも迷いながら、悩みながら取材に当たっていた。本当は事件取材が好きなのだが、そんなことを軽々しく口にしたりしない男だった。いい男だった。

また携帯電話が鳴った。私は店の入り口付近まで移動して着信ボタンを押した。

捜査本部がようやく久保田の逮捕を発表したとのことだった。共犯として川上聡（三一）、小松武史（三三）、伊藤嘉孝（三二）の三名の名前が上げられていた。逮捕容疑は四人共殺人罪で、教唆《きようさ》や幇助《ほうじよ》ではなかった。

川上の逮捕は予想通りでもあった。あれだけ久保田とつるんでいた男である。聞けば事件当日も逃走車両の運転手役を務めていたのだという。伊藤というのも小松の風俗店幹部として取材メモにはすでに書き込んである名前だった。この男は詩織さんの自宅を張り込んで、彼女が家を出たのを確認して連絡する見張り役だったという。この二人の写真は桜井があの池袋のマンションで撮っている。川上の写真は1号にも掲載されているが、逮捕前のためやむなくグレーマスクをかけてある。せっかく撮った写真だ、年明け発売の2号ではマスクを外そう。

問題は小松武史だった。私は正直驚いていた。和人を飛ばして、なぜいきなり武史が逮捕されるのか。事情を知らないテレビ局の中には、小松と聞いて慌《あわ》てて「ストーカー小松逮捕」と流したところもあったという。しかし違うのだ。小松武史は、小松和人の実兄なのだ。久保田は取り調べで、「小松武史から悪い女がいるので殺《や》ってほしいと依頼された」と供述したのだという。その上武史からは三人合わせて千八百万円の「殺しの報酬」をもらったとも言っているという。

事実なのだろうか。

大体肝心の和人はどうなったんだ。どこに消えたのだ。身柄を確保できなかったと言うことは、警察もやはり行方を見失っていたのか。だったらなぜ捜査本部は指名手配すらかけないのか……。

私はジャズが響く店内に戻った。だが、なんだか白けた気分になっていた。

十二月二十一日、ＦＯＣＵＳ新年1号が店頭に並んだ。なんとかここまでたどり着いた。これで翌年まで締め切りも発売もなかった。

しかし事件は動き続けていた、取材をやめる訳にはいかなかった。

やはり不思議なのは小松兄弟の関係だった。実は、かなり以前から私もこの小松武史という男に関心を寄せてはいた。

話は大幅に遡《さかのぼ》らねばならない。六月十四日に猪野さん宅に押し寄せた三人の男達のことだ。詩織さんの殺害事件後、ミスターＴはかなり早い段階でこの三人の人物を特定しており、私もそれを把握していた。もちろん一人は小松和人。もう一人は仲間のＹという男。そして和人の上司と名乗り、猪野さんに「誠意を見せてもらえませんか」と詰め寄った大柄な男、それが実は小松武史だったのである。

十一月初旬にミスターＴが調べてきた話では、武史の職業は東京消防庁の職員、しかも勤務地は板橋消防署。私はその頃板橋という場所にこだわっていた。援助交際のニセカードが撒《ま》かれた場所が板橋区内だったからである。ストーカー達の活動範囲の中では、そこだけがぽつんと離れていた。おまけに武史は、詩織さん刺殺事件の翌日いきなり電話で上司に辞意を伝えている。事件になんらかの関係があると見る方が自然だった。

それらの事実をもとに、私は桜井と松原のおっさんに頼んで武史を自宅前で気づかれぬよう撮影してもらい、写真を押さえた。この時期、毎日のように店屋物の出前を取ってひっそりと暮らしていた武史は、有給休暇の消化という形で十一月末の退職を待っていた。退職金もそれなりの額を受け取っていたというが、公務員でポンプ車の隊員であるはずの彼が埼玉県の郊外で豪華な一戸建てを構え、複数のベンツを乗り廻《まわ》していたことには首をひねらざるを得なかった。だが、当時はなにも分からなかった。

それが分かったのは、この日風俗店の関係者が掛けてきた電話によってだった。テレビのニュースを見たと言って電話をくれた彼は、意外なことを口走った。

ニュースで小松武史の顔を見たが、その顔が「一条さん」そっくりだというのである。

は？　私は思わず聞き返していた。

小松和人のバックに暴力団員風の男がいたことは三章で述べた。全身白やら黒やらのスーツを着たいかにもな風体の男が、風俗店の影のオーナーとして「一条さん」、「一条さん」と小松に立てられていた、という話である。風俗店の中では「一条さん」、「小松君」と呼び合う彼らが、周りに人気《ひとけ》がなくなるとタメ口を利《き》いていたのも別の従業員に目撃されている。二人の関係がどのようなものなのか分からなかったが、相当に親しいことだけは推察できた。

だが今、その風俗店関係者は小松武史は「一条」に間違いない、と言うのだ。確かに「一条」が小松武史であるならば、話の辻褄《つじつま》は合う。金廻りがやたらによかったこと、人気がなくなると小松とタメ口を利いていたこと。「一条」という架空の存在を作り上げることである種のハクを付けて、風俗店を経営していた小松兄弟の姿も浮かび上がってくる。現職の消防士でありながら、武史が風俗店のオーナーをやっていたことは後日、別の取材からも明らかになった。

小松武史が「一条」であり、風俗店のオーナーだったというのは分かった。ありそうな話だった。

しかし、なぜだ……。

電話を切ると、私は頭を抱えた。なぜ武史が殺人での逮捕ということになるのか。なぜ和人の兄が詩織さんの「殺人」を指示する必要があるのか。従業員の久保田、川上、伊藤達が、和人に依頼されたのでは、と考える方が自然だ。しかも兄の武史は、本来なら弟の暴走を止める立場であろう。消防庁職員という肩書きだってあるのだ。それがどうして、弟の元交際相手を殺す必要があるのか。武史が詩織さんと会ったのは、六月のあの日が最初で最後だったことは詩織さん側の取材からも明らかだ。武史個人の怨恨《えんこん》が発生するとは考えにくかった。

少しは分かってきたつもりのこの事件に、また霧がかかってきた感じだった。どうも事件は簡単に終りそうもない。

逮捕後、小松武史は弁護士にこんな趣旨のことを語っていたという。

「名誉毀損《きそん》についてては一部は認めるけど、殺人は俺は関係ない。七月十日頃、和人が二千万円持ってきて、この金であの女を懲《こ》らしめるビラをまいてくれ、レイプしてビデオを撮影してくれ、と頼まれた。それでその金の一部で伊藤がチラシを作ったんだ」

「あの事件（殺人）が起きた日、俺は二時までパチンコ屋に行ってたんだ。帰ろうとしたら伊藤から電話が入った。大変なことになってしまった、久保田が二回も刺してしまった、と。慌てた俺は、赤羽で久保田に会った。お前ら何やってんだと怒鳴ると、これくらいやらないとマネージャー（小松和人）が納得しないと思いました、と言ってた。それで俺は弁護士費用として久保田に一千万円渡したんだ。翌日は西川口で伊藤に会い、川上と二人分八百万円渡した。事件は病的な俺の弟のせいかもしれない。今までも二人の女とトラブルを起こしている。別れるなら死ぬ、と異常なんだ」

小松和人は、詩織さんにもちらっと洩《も》らしているが、彼女と出会う前にも女性とのトラブルを起こしている。一人はかつて沖縄にいた頃知り合った女性。もう一人はやはり埼玉の女子大生。詩織さんに対してと同様、どちらの場合も別れ話を持ち出されるとストーカー行為を繰り返していた。沖縄ではトラブルの果てに自分の手首を切って自殺騒ぎまで起こしていたという。

私はあるジャーナリストを通じて、これらのストーカー被害者が当時から保存しておいた小松和人の声が入った留守番電話のテープを聞くことが出来た。

（順序はテープに収録されたまま）

九日十五時四十七分

あっ、小松ですけど、ええ、お宅の父親にどういうように脅迫されても、私は一歩も引きません。たとえ何を出そうと、暴力ざたでこられようと、絶対に引きません。必ず百八十万、貸した百八十万、貸したというより騙《だま》し取られたお金ですね、必ずどんなことをしてでも請求して取り立てさせていただきますので、えー、ご了承下さい。えー、よろしくお願いします、楽しみにして下さい。

八日二十三時五十三分

もしもし、電話くださーい。

九日〇時十四分

もしもし、今でも電話出ないけど、そういうことしてないで、ちゃんと話し合いしようね。ちゃんと携帯に電話下さい。

九日十時二十七分
あっ、もしもし小松ですけれども、おたくのねえ、父親という方から脅迫電話がありました。ということですので、取るべき処置を取らせていただきますので、よろしくお願いいたします。

九日十五時二十二分
（無音が二秒ほど続き、ガチャ）

九日十一時五十六分
ああ、小松ですけども、私のうちからロレックスの時計盗んでいきましたよね。あれの損害請求と、告訴と、すべて一緒にさせていただいて進行させてもらいます。もしくは、早急に返還して下さい。お願いいたします。

日時不明
（イライラした声で）どこほっつき歩いているんだよお、早く電話しろよ。

日時不明

お前、おちょくんのもいい加減にしろよ、お前。今日中に電話しろよ、このやろう。

日時不明

（絶叫し、わめきながら）おい、何でお前一回も電話でき……（切れる）

日時不明

お前一日も早く実家に戻ってこい、とにかく○○（聞き取れず）。しかも、俺に対しても二股《ふたまた》よくもかけてくれたなこの野郎！　ふざけやがってよ！　ええ、どう責任とんだよ、お前。とにかく、ゆっくり話しないと何にもなんねぇから（以上までは凄《すご》みはあるが冷静な声）、てめえ、一日も早く電話してこいよ、この野郎（絶叫する）、分かったか（声、元に戻る）。

日時不明

今ね、パーティーやってるんだけどさ、すげえ楽しいからさ、早くおいでよ、何時ぐらいに来れるの、連絡一本もないけどどうしたの、ねえ、心配だよ、俺。聞いてる？　心配しなきゃ追っかけ廻さないよ、連絡すぐ頂戴《ちょうだい》ね。

日時不明
お前何で電話出ないんだよ！

文字では分かりづらいが、感情の起伏が激しく、猫なで声を出したり怒鳴りつけたり絶叫したりとすさまじいものだ。第三者が聞いてもぞっとさせられる。この被害者も警察に小松和人のことを相談していた。「金を返せ、二股をかけられた」という言い分は、詩織さんの時と同じだ。

小松武史の殺人事件への関与がどこまでのものなのか、もはや私には取材のしようがない状態だった。彼はもう塀の向こう側なのだ。これでようやく普通の事件取材になったとも言えるが、もどかしいことに変わりはない。

そろそろ小松武史や兄弟らの実家の取材をするべきなんだろうか。私はこの事件にあまりに深く関わりすぎていた。小松側に取材をかけることで、警察の捜査やこちらの動きが小松兄弟や果ては久保田達に伝わってしまう可能性を考えて、これまではずっと躊《ちゅう》躇《ちょ》していた。深い事情を知らない記者の中には、小松家にいわゆる直当《じかあ》たり取材をしていた記者もいたようだが、知らないということは時として強い。結果、逮捕前のコメントとして記事に使えるのだ。私もやっておけばよかったかなとちらっと思う。

　実行犯達の供述から、小松和人は七月五日頃沖縄に逃げていたことが判明した。ビラ貼《は》り事件の直前である。刺殺事件当日も沖縄にいたようだ。そういう意味では、彼のアリバイははっきりしていた。「俺は自分では手を下さない。金で動く人間はいくらでもいるんだ」という小松和人の高笑いが聞こえてきそうだった。

　こんなことが許されて良いはずがない。やはり彼と接触して話を聞かなければ事件の深層へは到達出来ない。

　しかし、小松和人の行方は杳《よう》として知れなかった。

　捜査も取材も再び暗礁《あんしょう》に乗り上げてしまったのである。


　編集部は前倒しの正月休みに入った。週刊誌編集部は発売日の関係で早めに休みに突入し、年明けすぐに取材が開始される。二〇〇〇年の仕事始めは一月二日であった。しばらくの間はのんびりと過ごせるはずだったが、その頃私の身の上にも変化が起き始めた。

　マスコミ各社から取材の依頼が来るようになったのである。取材のための問い合わせなら別に珍しくもないが、私自身を取材したいという連絡が来るようになったのだ。桶川事件のスクープをとった記者、というより、警察より先に犯人を割ったというのが面白いようだった。

もともとFOCUS編集部はこういった取材に応じなかった。取材記者は黒子であるという考え方だ。同じ理由で私はそれらの取材を断っていたが、知人に頼まれるとさすがに弱い。

断りきれなかった最初のものは、ラジオ番組の生放送だった。これには編集長に代わりに出演してもらった。事前に幾つかの質問が用意されていた。

「続編はあるのか」という内容だった。私は二弾、三弾と続けますと答えて下さいと編集長にお願いしておいた。これは警察批判記事への布石を打ったつもりであった。

以後テレビを中心に、私も何局かの取材を受けることになる。なんだか妙なことになって来たが、この事件を取り上げてもらうには好都合であった。小松和人を探し、年明けの号で警察批判を行うには話題が続いていることが前提条件だった。味方が欲しい、と願ったことがいつの間にか現実になり始めていた。

ある日のことだった。編集部に一人の女性から電話が掛かって来た。桶川事件の担当者を、とのご指名だった。自分は小松和人の知り合いで、消息不明の彼の行方を知りたいというのだ。居場所についても何かヒントを持っているような口ぶりだった。

1号のスクープ以降、似たような電話は時々掛かって来ていたが、信頼の置けそうなものは少なかった。私がこの女性に興味を持ったのは、彼女が小松のことを「教えたい」のではなく「知りたい」と言ったことと、「五月から、小松和人に口説かれていた」という二つの点であった。電話取材が嫌いな私は彼女に会ってくれるように頼みこんだが、返ってきたのはこの事件では馴染《なじ》みのあの反応だった。名前も言えないし連絡先も教えられないと言うのだ。

またか。この事件の登場人物はほぼ全員そうだ。みな小松和人の報復を恐れているのだ。私にとってはそれもう、いつものことになっている。会ってくれさえすれば、それはそれで構わなかった。

私が指定した待ち合わせ場所は池袋。それもなるべく人通りが多い三越前だ。向かい側には交番もある。

正直に言おう。

私は怖かったのだ。

新年1号が出た段階で、FOCUSは完全に突出していた。FOCUSは小松和人の実名、写真を掲載している唯一《ゆいいつ》のメディアだった。実行犯達を割り出し、撮影もし、逮捕にまで追い込んでいた。小松和人はそんなFOCUSをどう見ているんだろうか。あの執念のストーカーである。金もたんまり持っているはずだし、なにより彼の所在は警察も摑《つか》めていない。その辺をうろついていてもおかしくはないのだ。冗談抜きで刺客を送り込んで来る可能性だってあった。私はテレビで顔も出している。狙《ねら》おうと思えば狙えるだろう。

「俺を馬鹿《ばか》にするヤツは許さない、いくら金を使っても叩《たた》き潰《つぶ》す」と激高する性格。白昼堂々と駅前で人を刺し殺して、笑って立ち去り平気で生きていけるような連中をしたがえているのだ、壊れ方は段違いだ。その上ストーカーチームはまだ四名しか捕っていない。これで怖くならない方がおかしいと思うが、そんな状況で「桶川の担当者を」と指名してきた女性なのである。彼女がどんな人物で、何の目的を持っているのかさっぱり分からないまま私は会う約束をしてしまっていた。だいたい来るのは本当に女なのか……。

一人でタクシーに乗った。

夕方の池袋の街は師走《しわす》の賑《にぎ》わいを見せていた。窓の外には幸せに、普通に暮らす人達がいた。不況ながらクリスマスやお正月を控え、買い物に勤《いそ》しむ人々。到るところ大勢の買い物客達が歩いていた。怖かった。人ごみが怖かった。あれだけ人がいたら私を襲おうとする奴《やつ》がいたってわかりゃしない。かといって人気のないところで待ち合わせたらどうする。それこそ待ち合わせ場所に来るのは女じゃなくて見も知らぬ屈強な男かもしれない。

私はもう普通じゃないのか。なんでこんなことをやってるんだ。

「恐怖」がフラッシュバックした。

航空撮影のヘリコプターがトラブルを起こし不時着したことがあった。上野駅構内で組の幹部にフラッシュを浴びせてヤクザ二百人くらいに囲まれ脅されたこともあった。阪神大震災の余震で取材中の家が潰れそうになったこともある。どれも強烈な印象が残っている仕事である。

伊豆大島・三原山噴火の時は、全島民が避難していなくなっている深夜の大島にチャーター漁船で逆に上陸した。津波の余波で揺れる真っ暗な船倉で、膝《ひざ》を抱えて自分の人生を呪《のろ》った。無事に帰れるなら念仏でも賛美歌でも唱《うた》いたくなる。波の上下動がひどく、接岸した岸壁で飛び移りに失敗した私は、あわや船とコンクリート護岸の間に挟まれかかった。あの時一緒だった先輩が引っ張ってくれなかったら、どうなっていたか分からない。私の身代わりに首から下げていた堅牢《けんろう》なニコンF2が音をたててスクラップになった。私を助けてくれたその先輩も今は亡《な》き人になっている。自分の身を守れないヤツはこの仕事は止《や》めた方がいい。誰も助けてはくれない。自分のカンと経験、そして判断だけが安全へのコンパスなのだ。しかし、今日はやばい。

それともなにか、虎穴《こけつ》に入らずんば虎子を得ず、か?

虎子なんか手に入れてもやがては大虎《おおとら》になってしまう。そんな物は放り出したい。写真部にある防弾チョッキを借りてくればよかった。何かが起きる予感がしていた。銭金で割り切れない、たまらない仕事に思えた。

「俺が今死んだら、犯人は小松だ」

この頃私は酒を飲むと、必ず桜井やミスターTにこう言っていた。冗談めかして言いはしたものの、私は本気だった。心の中からどうしても拭《ぬぐ》い切れない不安が、いつも私を脅《おびや》かしていた。

〈冗談じゃないんだ、この言葉をちゃんと覚えていてくれ、忘れないでくれよ〉

今の私は、この世の誰よりもあの頃の詩織さんの気持ちに近い立場だと思った。少なくとも自分ではそう思う。異議があるヤツは今ここで私と代わってくれ。そうでなければ黙ってろ。そう叫びたかった。こんな気持ちは当事者になった者でなければ分かるまい。絶対に無理だ。

私は孤独だった……。

詩織さんはこんな気持ちで警察に行ったのだ。そして死の恐怖を訴え続け死んでいった。誰にも助けてもらえぬまま……。

夕方の池袋三越前。広い歩道には驚くほど多くの人達が歩いていた。次から次へと人が溢《あふ》れるようにやって来る。

詩織さんは自転車の鍵《かぎ》をかけようとした時に、後ろからいきなり刺された。私は自然と正面入口前に置かれたライオン像に寄りかかった。そのまま手のひらを見る。今のところ生命線は切れていない。

誰が来るのか。

何のために。

私の目は、次の瞬間、雑踏の中から一人の人物を見つけ出していた。大勢の人波の中から、初対面のはずの相手を、その人より先に発見してしまっていた。

目が釘付《くぎづ》けになっていた。驚愕《きょうがく》で腰を抜かしそうだった。

それは小松和人でもなく、ナイフを持った小太りの男でもなかった。

猪野詩織さんだったのである。

第七章　摩擦

札幌市・ススキノ

雑踏の中に立つその女性を見て、私は茫然《ぼうぜん》としていた。

どう見ても詩織さんだった。

この事件、いったいなんなのか。私はもはや笑い出したい思いだった。私が取材に詰まるごとに、次々新しい人物が現れるのだ、息つくヒマもなかった。これがテレビドラマなら、あまりのタイミングの良さにご都合主義のそしりをまぬがれないだろう。

小松和人が詩織さんの次に口説いていたというのだ、似たタイプの女性が現れることくらいなら予期出来たかもしれない。だが、彼女は似ているどころではなかった。まるで瓜《うり》二つだった。年齢も詩織さんと同じ二十一歳。聞けば名前さえも一字違いなのだ。

もちろん私は、生前の詩織さんに会ったことはない。私が知る彼女は写真の中の彼女だけだ。それでも、私は目の前にいるのは高校時代の詩織さんだというありえもしない幻想と戦わなければならなかった。私の脳裏に焼き付いている詩織さんの写真の中でも、高校時代の彼女とは同一人物と言えるほどだった。

その女性は、佳織（仮名）と名乗った。

私は姿を見ただけで瞬間的に佳織を信じそうになっていたが、警戒を解くわけにはいかなかった。私の身にだって何が起こるか分からない。尾行者に気を使いながら、とりあえず近くの喫茶店へと誘った。疑り深くなければ週刊誌記者などやっていられない。直感を信じるよりはまずウラをとろうと、私は何気ない風を装《よそお》っていくつかの質問を投げかけていった。

彼女は、和人の乗っていた車の車種、池袋のマンションの場所、誕生日、癖や嗜好《しこう》などどこのマスコミも書いていないようなことをすらすらと答えてくれた。態度にも不審な点はない。とりあえずの危険はなさそうだった。そして、佳織が和人と親しい関係にあることも、もはや疑う余地はなかった。

佳織は、都内のあるクラブに勤めていた。この頃小松和人を実名で報じていた唯一《ゆいいつ》のメディアだったFOCUSを読んで、彼女はストーカー「K」が小松和人であったことを知った。それまでは刺殺事件自体よく知らなかったという。

実は、彼女が記事を読んで最初に連絡したのは捜査本部だった。捜査の協力を申し出たのだというが、警察の対応は私が聞く限りお粗末きわまるものだった。

捜査員は都内に住む彼女にこう言ったのだ。

「じゃあ、話を聞きたいから上尾署まで来てくれる？　遠い？　そんなら上尾駅前の交番でもいいから」

いかにも警察である。いくら取材と捜査は違うとはいえ、我々の感覚では信じられない。わざわざ情報を教えてくれるという協力者に対してもこういう態度を取るのだ。それでも来てくれた人をどうするかといえば、協力者から名前や住所、男女関係まで含めたプライバシーを疑い深い調子で根掘り葉掘り聞くことから始める。それが嫌になって彼女は編集部に電話してきたのだ。

「警察は信用できないんです」と彼女が言ったとき、ああ、ここにもまたそういう人がいた、と私はひとり納得するものを感じていた。この事件で私に情報を提供してくれた人はみなそうではないか。なんだかストーカーチームを巡って、警察陣営と詩織さん陣営が出来ているようだった。

佳織は、小松さんと会いたい、彼を探して自首させたい、と私に言った。それが警察や私に連絡をとった目的だった。

彼女と小松和人の関係はこうだった。

「知り合ったのは今年の五月頃でした。小松さんはウチの店にお客さんとして来たんです。最初ぜんぜん話もしなかった。彼はお酒もほとんど飲みませんし、水ばかり飲んでいて、変わった人だなぁと思ってたんです。友達もほとんどいないみたいでした。だけどなぜか私には段々と悩みごとを話してくれるようになって……。小松さんは詩織さんとのトラブルで悩んでいたんです。詩織とのことが解決したら付き合って欲しい、と彼に言われてたんですけど、ちょっと危ない感じを受けていたので、友達の方がいいんじゃないの、と答えたりしてました。正直、そういう対象ではありませんでした。好意も持ってはいませんでした」

しかし、姉御肌の彼女は、放って置いたら和人が何かやらかしそうだと心配し、交際をはっきりとは拒絶せずに、上手にあしらいながら付き合っていた。二ヶ月くらいはそんな調子でドライブに行ったり、食事に付き合ったりしていたのだという。

「車がベンツのオープンカーなのに、グローブボックスを開けると厚い札束が入っていて驚きました。トランクにはもっとあるよ、なんて言ってました。私には本名を教えてくれましたよ。仕事のことも、金になるから風俗業をやっているんだって」

本当はキャバクラを経営したい、とも言っていたという。

「小松さんは、詩織さんに浮気されたと思っていて、裏切られたってものすごく恨んでいました。普通に生活できないようにしてやる、風俗で働かなきゃならないようにしてやるんだ、俺の部下達に輪姦《まわ》させてやる、身体《からだ》を傷つけて、心もめちゃくちゃにしてやるんだって泣きながら話していました。いけないことをしていると思っているから泣くんでしょ、と私が言うと、自分は人を好きになるとそれしか見えなくなるんだ、仕事も手に付かなくなる、他のことが見えなくなってしまうんだ、この頃は拒食症になってしまったって言ってました。実際、私の前で食べたものを吐いてしまったこともあります。詩織さんを許せない気持ちが、だんだんエスカレートしているのが私にもわかりました。壊れやすくて繊細な人だと思いました」

「詩織は俺を裏切ったんだ、どうしても許せない、絶対仕返しをしてやるって言ってました。まるで玩具《おもちゃ》を取り上げられた子供みたいでした。いくら言っても詩織は反省もしない、そのフリはしているけど見せかけだけだ、俺はあいつの友達に金を渡して話を聞いているから、あいつのことはみんな分かる、なんてことも言ってました」

島田さん達の話から、そうした友人がいたということを聞いてはいた。和人は詩織さんの女友達に金品を渡してスパイを依頼していたのだ。その女友達は、それがこんな深刻な事態を引き起こすとは思いもせずに情報を流していたようだ。さすがに途中から小松の危険性に気がついて、逆に小松からも逃げ廻るようになったというが、その時すでに詩織さんはどうにもならない状態まで追い詰められていたのである。

佳織の話と、詩織さんが受けてきたいやがらせの話は見事に一致していた。詩織さん側からの詳細な証言は島田さんからもご両親からも聞けてはいたが、小松側から見た証言は初めてだった。どちらにも矛盾はない。やはりストーカー行為は、和人が後ろで糸を引いていたとしか思えなかった。和人が逃げ廻るはずだった。

「私は小松さんに自首して欲しいんです。だから、小松さんの居場所が分かったら私を一緒に連れていってください。取材する前に、彼と話をさせて欲しいんです」

懸命に話す彼女は、次の瞬間驚くべき行動に出た。

「あなたはどこまで知っているんですか」そう言うと、彼女はいきなり私が持っていた取材メモをテーブル越しにひったくり、パラパラめくり始めたのだ。私はメモ帳を持つ形で固まった手を宙に浮かせたまま、彼女の行動を見守るよりなかった。顔に似合わず、かなり勝気な女性だった。残念ながら、私のメモ帳は他人にはまず読めない。

こんな取材対象者にあったのは初めてだった。今思えば、彼女は必死だったのだ。その必死さの裏にあるものが何なのか、未熟な私には分からなかった。それが分かるのはもっとずっと後のことだ。ただ、佳織と和人の関係には、私に話した以上の何かがあるだろうとは感じていた。しかし、それを聞き出す能力は私にはなかった。

彼女も和人の居場所を知っているわけではなかった。しかし逃亡先のヒントは持っていた。和人からこんな話を聞いていたのである。

「七月頃です。急に沖縄に行くって言ってました。那覇《なは》空港からそんなに遠くない、海の見える場所に部屋を借りたって。車庫のある物件がなかなかなかったんだそうです。小松さんは最近買ったベンツのワゴンを持って行くって言ってました。実際に持っていったのかどうかは分かりませんけど……。一回遊びに来いと言われていて、住所も聞いてメモしたんですけど、携帯電話にかければいいと思ってどこかに置いてなくしてしまったんです。まさかこんなことになるなんて思ってなかったから……。その頃から電話はかかってこなくなりました」

これだけの情報ではとても探しきれなかった。沖縄には何十回と通っているが、イメージ以上に遥《はる》かに広い土地だ。空港付近の海沿い、と限定したところでかなりのエリアになってしまう。

この頃確かに、和人が「沖縄に逃げた」という噂《うわさ》は捜査員や報道関係者の中で囁《ささや》かれてはいた。佳織と同じように、和人から「今、沖縄にいるんだ」と電話を受けた知人がいたのだ。

小松武史も逮捕後、和人を探しに沖縄に行ったという話をしている。そのため俄然《がぜん》「和人沖縄潜伏説」が注目を浴びるようになってきていた。ワイドショーレポーター達はいそいそと沖縄に飛び、那覇近辺や海をバックに、立ちレポートを行っていた。夕刊紙などの報道では、すでに沖縄から台湾に渡ったとか、マフィアのルートで中国本土に行ったなどという話まで出ていた。

しかし、私はあまりこの情報に強い関心を寄せてはいなかった。沖縄というだけではあまりに漠然としすぎていて簡単に探せるはずもない。それに、これだけ騒がれたのでは和人がすでに沖縄から立ち去っている可能性も高い。私が会いたいのは小松和人本人であって、沖縄の町や海ではなかった。

佳織には、もし私が和人の居場所を突きとめられたら同行してもらうことにして別れた。接触できた場合でも、我々が自首を勧めるよりはよほどましに思えたからだ。

とりあえず、別の仕事で沖縄に行っていたFOCUSのスタッフやいつも沖縄取材でお世話になっている現地の知り合いに、ベンツの特徴やナンバーを伝える。関東ナンバーの高級車だ。ひっかかるとしたらこれしかないだろう。どこかで見かけたら教えて欲しいと依頼しておく。

あとは沖縄といえば、事件前の九九年三月に詩織さんが和人と一緒に行った沖縄旅行だ。私はその際同行した詩織さんの友人に接触すると、当時の記憶を出来る限り思い起こしてもらった。和人が何を話し、どこに行ったのか、どんな場所を知っていたか、などである。少しでも手がかりがあればそこに電話を入れて、それとなく調べてみたが反応はなかった。かつて和人が沖縄に住んでいた頃のアルバイト先もすでになくなっていた。閉塞《へいそく》した状況が変わることはなかった。

実行犯は逮捕されたものの、私は和人の行方と警察に対する不審を抱えたまま年を越すことになった。

和人は詩織さんをこう言って脅したという。

「詩織には最後に天罰を下す。お前は二〇〇〇年を迎えられないんだ」

まさに和人の言葉通りになったわけだが、それで終わりだと思ってもらっては困るのだ。


一月六日。FOCUSは新年2号を発売した。タイトルは「『美人女子大生刺殺事件』これが犯行グループ4人組——ついにストーカーの兄も逮捕」。逮捕された実行犯四名の写真を一気に並べ、1号では書けなかった三人の容疑者のことも書き込んだ。川上のマスクも外せたし、桜井、大橋の写真がまたも大活躍だった。校了後、すぐに編集長と翌週の打ち合わせをする。上尾署には様々な問題点がある、ということはすでにある程度編集長に伝えてあった。問題は、どこまで書くかである。なにしろ相手が相手だ。編集長が「それは無理だ」と言えば、それまでである。

しかし、山本編集長はこういう点は強気で攻めるタイプだ。

「それはやるべきだよ」

実に簡単な結論だった。むしろ私より積極的にGOを出したのである。

もはや障害はなかった。編集長はその上、強力な助っ人まで付けてくれた。「ライフスペース」取材のときは私のせいで悲鳴を上げていた記者、小久保大樹であった。これはありがたかった。

彼とは、これまでさんざんコンビを組んで事件取材をしてきた。私が最も信頼を置いている記者で、その上不良カメラマン上がりの私と違って、原稿も上手だ。今まで一人で息を切らしながらやってきたこの取材、キツイ登り勾配《こうばい》を前に心強い応援だった。

記事のポイントは二つ。

一つは刺殺事件前の、詩織さんが上尾署に訴えていたストーカーの相談や告訴に対する県警の不適切な対応。

もう一つは殺人事件の捜査について。特に小松和人に捜査の手がなぜ延びないかである。

警察の対応については島田さん達に再取材した。すでに書いたように、詩織さんはその時のやりとりを島田さん達に細かく話している。改めて話を聞いてみて、島田さんの記憶力のよさと几帳面《きちようめん》さにまたも感嘆させられた。ひとつひとつの語句についてまで、重要なところはすべて記録しているのだ。すでに詩織さんのご両親には、刑事の対応などの事実関係についてあらかた確認を取ってある。

ここで整理しておこう。

まず、六月に初めて詩織さん達が相談に行った時の県警の対応の悪さだ。

六月十四日、小松和人を含む三人の男が猪野家に押しかけ「詐欺《さぎ》で訴えるぞ、誠意を見せろ。お父さんの会社に請求するぞ」などとわめき散らした。その翌日、詩織さんは母親とともにその様子を録音したテープを持って初めて上尾署に足を運んでいる。

テープを聞いた若い警察官は「これは恐喝だよ恐喝」と言ってくれたが、年配の刑事は「ダメダメ、これは事件にならないよ」と取り合わなかった。

さらにその翌日、警察の対応に納得できなかった父親も加わって上尾署に行くが「事件にするのは難しい」と繰り返すだけ。「殺される」と訴えた詩織さんに対し、刑事は「そんなことあるわけないじゃないですか」と笑ったのだ。さらに、こんな心ないことまで言っている。

「そんなにプレゼントをもらってから別れたいと言えば、普通怒るよ男は。だってあなたもいい思いしたんじゃないの？　こういうのはね、男と女の問題だから警察は立ち入れないんだよね」

テープは一応警察が預かったが、その後何の音沙汰《おとさた》もなかった。

次は七月の名誉毀損《きそん》での刑事告訴時の刑事とのやりとりだ。

このとき詩織さんは例の中傷ビラ、援助交際カード、インターネット掲示板等の被害にあっている。警察に赴いた直接のきっかけは中傷ビラである。今回は物的証拠もある。本来なら十分名誉毀損の要件を満たす証拠だ。ところがこのとき対応したKという刑事二課長のやる気のなさときたら、少々信じがたいものだった。必死で訴える詩織さんに対して、

「今試験中でしょ。試験が終わってから出直して来ればいいのに」

と答え、

「よーく考えた方がいいよ。全部みんなの前で話さなくてはいけなくなるし。時間かかるし、面倒くさいよ」

などとも言っている。詩織さんにしてみれば、告訴することで更なるストーカー被害にあうのではないかと悩んだ末の決断だったにも拘《かかわ》らず、である。

この二課長は、告訴が受理された後にさらに起こった、詩織さんの父親に対する中傷文書送付の件でも対応している。このときの発言はこうだ。

「これはいい紙を使ってますね。手が込んでいるなぁ」

そして、九月二十一日頃に刑事が詩織さんの自宅にやって来て、「告訴取り下げ要請」をした際の話だ。このときはっきりと、このHという巡査長は「告訴取り下げ」という言葉を使っている。

まず、これらの文言をＦＯＣＵＳでは掲載することにした。

次に、なぜ小松和人が逮捕も指名手配もされないのか。その頃私が感じていたことはこうだ。

実行犯久保田を特定した理由はすでに書いた通りだ。私は、小松和人の経営する風俗店の部下達がストーカーチームならば、刺殺犯もその中にいるはずと踏んで取材した結果、久保田を発見した。久保田を逮捕した捜査本部自身も、翌日の記者会見で「逮捕に至る経緯」として主語を「私」から「埼玉県警」に変えて、そう発表している。「マスコミからの情報提供で犯人が分かりました」とは言えなかったのだろう、それはそれで良い。広報文では「被害者と交際をめぐってトラブルが発生していたA（27歳）が判明し、同人は都内東池袋の性風俗店に勤めていた……（中略）……東池袋の性風俗関係者数名の写真を入手し、目撃者十数名に写真面割を実施したところ、目撃者数名が被疑者久保田祥史を抽出した」となっているが、小松和人を基点にして性風俗店を割り、久保田を割ったという手順に変わりはない。

問題はここからだ。久保田の逮捕は和人を基点にしたと捜査本部は言っておきながら、同時に久保田が「武史に頼まれた」と供述したのでそれをもとに兄の方を逮捕することにしました、とも言うのだ。

手品のように和人が消えてしまうではないか。和人がまるで関係がないのならば、どうして久保田や武史のところに捜査の手が延びたのか。ある原因から調べていって結果が出ると、今度は原因など関係ないという。どういうことなのか納得できる説明が欲しい。

まさか県警は「詩織さんとたった一度しか会っていない武史が、なぜか詩織さんに対して殺意を抱き、大金を使って殺害を依頼した。一度も会っていない久保田と仲間二人は金のためだけに詩織さんを殺した」と本気で思っているのだろうか。

そして、「以上のことから、和人は殺人事件とは無関係。詩織さんに対して殺意も恨みもなく、事情を聞く必要もない。だから指名手配の必要もない。もちろん一連のストーカー行為とも無関係だ」と考えているとでもいうのか。

あまりに不自然である。捜査はあえて小松和人だけを避けて進行しているように見えてならない。捜査本部は小松和人を逮捕したくないのか……？

猪野さんのお宅にお邪魔したときに感じた警察への不審を、私は忘れられない。

あのとき私は、「刑事告訴取り下げ要請」を隠すために警察は犯人逮捕に全力を挙げないのではないかと疑っていた。上尾署は、詩織さんがやっとの思いで刑事告訴したにも拘らず、嘘《うそ》をついてまで刑事告訴を取り下げさせようとした。その上、その後それを嗅《か》ぎつけた記者には「告訴を取り下げさせようとした事実などない」と二重の嘘を並べて見せたのだ。その「不祥事」が漏れてはならなかったし、捜査本部もおかれたような凶悪事件だ。「犯人」を逮捕しないわけにはいかなかったろうが、ほとぼりが冷めた頃に犯人逮捕、事件解決となればいいと思っていたのではないか。あの頃「迷宮入りか」「進展なし」という言葉が、いくつメディアに躍ったことか。

だが、これだけ注目を浴びている事件だった。得体の知れない週刊誌記者は御丁寧に情報提供までして来る。警察としては「犯人」をなんとしてでも逮捕しなければならないところまできてしまった。しかし「犯人」を逮捕してどうする？　逮捕してみて「すべては被害者が言い遺《のこ》していた通りでした」では、自分達の無能ぶりを自分達で証明するようなものではないか。小松和人に手を延ばしたら、詩織さんの「遺言」通りになってしまう。事件前詩織さんが、散々被害を訴えつづけたストーカー男本人なのである。

この矛盾を解消する方法が「武史主犯説」なのではないか。動機は無視して刺殺犯だけ逮捕し、和人は関係ないとする絵柄だ。動機など簡単だ。兄が弟を思って指示を下した、とすればよい。和人が事件に関係なければ上尾署の責任が追及されることもない。とにかく「犯人」は捕らえたのだ。それでよかろう。

県警はそうした筋書きを必死に書いているようにしか私には見えなかった。疑問を上尾署にぶつけたかった。そして、詩織さん達の必死の訴えを適当にあしらったといわれるK二課長や「告訴取り下げ」に来たH巡査長達らに言い分があるならそれも聞きたかった。

上尾署が取材に応じないのは分かりきっている。通常の範囲の事件取材ですらあの態度である。自分達に都合の悪い話などするはずもなかった。しかし、ただ決めつけるわけにも行かない。彼らに言い分があるならば、こちらも聞くチャンスだけは作らねばならない。それを見送るようならそれは相手の勝手だ。

一月七日に、小久保記者に上尾署に行ってもらう。方法はいつもと同じだ。まず県警本部広報に行き、取材申し込みをしてから上尾署に向かう。所轄《しょかつ》の広報担当は副署長である。いつものあの方であった。

名刺を見た副署長は、カウンターの中を、落ち着きなく歩き廻《まわ》りながらこう言った。

「来てもらっても、話すことはないよ。まったく煮え繰り返るよ」

「何がですか？」

「いったいどこからこんな情報が出るんだ」

〝こんな〟というのは、FOCUS1号、2号で久保田らの写真や逮捕の詳細な記事が載ったこと、或《ある》いは今回の刑事告訴取り下げ要請に対する取材を指しているようだった。明らかに副署長はご立腹だった。誰かが捜査情報をFOCUSに流していると思い込んでいるようだったが、彼は上から何も知らされていないのであろう。どこからもなにもない。情報はこっちが出しているのではないか。

「とにかく桶川の件は一切話せない」

K刑事二課長の名前を出すと、

「捜査員には会わせられない」

小松和人をなぜ指名手配しないのかと問うと、

「その必要がない」

そう言ってカウンターの奥に消えたのである。いつもと同じだった。これ以上やっても時間の無駄だ。

私達は容赦無用でバッサリと書くことになった。編集部からもらったページは四ページ。今までの取材で溜《た》め込んでいた警察関連のデータ原稿が小久保に渡され、最初から最後まで厳しい警察批判記事が仕上がった。どれだけの人が注目するか分からなかったが、警察が刑事告訴取り下げを要請した話はどこのメディアも報じていなかった。スクープには違いなかった。

記事のトーンとは少し違う気もしたが、編集長に相談して、記事の末尾には情報提供のお願いも入れてみた。ホットラインの電話番号も書き込んだ。最大の焦点、小松和人の情報がなんとしても欲しかった。

私は会社不在の場合が多いから、もし情報提供があったら携帯電話に廻して欲しいということも編集部中に頼んで廻った。ＦＯＣＵＳでは初の試みだ、あとは県警にせよ情報提供者にせよ反応を待つばかりだ。

和人は沖縄にいるという噂《うわさ》は根強かった。和人自身が直接電話をかけてくる可能性もあった。彼が事件にまるで無関係だと言うつもりならなおさらだ。毎週のように自分のことを書かれているのだから、抗議の電話の一本でも寄越さないだろうか。

さまざまな思惑の中、一月十二日、FOCUS3号が発売された。

記事のタイトルは「桶川女子大生刺殺『主犯』を捕まえない埼玉県警の『無気力捜査』——事件前の対応から問題」。

事情を知らなかったり、詩織さんの両親に接触できない他のマスコミからすれば信じられないような内容だったかもしれない。

「こんなの大嘘だよ」と言う、警察官や新聞記者達の声が聞こえてきそうだった。久保田逮捕の時の記事を見てもそうだが、大手マスコミは基本的に週刊誌などまるで信用しちゃいないのだ。事件記者ではなく警察記者なのだから当然なのかも知れないが、警察の発表だけをもとに書くから県警が書いた武史主犯説という絵にまんまと乗ってしまうのではないのか。

桶川の事件は分かりにくい、と言われることが多い。それは、この時期の大マスコミの報道に負うところが大きいと私は思う。どこのワイドショーも週刊誌も和人を追っているのに、大マスコミは武史のことしかやらない。逮捕されたから武史の名前は出してもよくて、和人はなんらの容疑もかけられていないから名前も出せないなどという理屈は、それこそ県警の不祥事隠しの思惑に乗ったも同然ではないか。混乱が起こるのは当然だろうと思う。

3号の我々の警察批判記事だって、上尾署の一部の刑事達とミスターTを除いて、誰も本気で読んではいなかっただろう。

実際、県警からは記事に対して何の抗議もなかった。どうもこのまま黙殺するつもりらしい。こちらにしてみれば事実を認めたようなものだと言いたいところだが、他のマスコミも同様に沈黙していた。かなり多くの問題点を並べたつもりだったが、ほとんど反応はない。最大のポイントである刑事告訴の取り下げの件にしても猪野さんに取材が出来ない以上、確認が取れないという理由もあっただろう。しかし、警察相手の喧嘩《けんか》はしたくない、というのが根底にあるような気がした。警察を取り締まる組織はない。こういう時こそ警察記者クラブの「監視」という機能を生かして欲しかったのだが……。

なんとか続報を書き、上尾署に対するキャンペーンでもなんでもするつもりだったが、刑事達は知らん顔を決め込み、上司達はそれをかばい、最も事実を知る詩織さんは亡《な》くなっているという現状では、新たな事実も証拠も出てこない。

残る証人は詩織さんの両親だけだったが、事件後の報道に大きく傷ついていた家族の口は重い。そうなると島田さん達のようなごく親しい友人をのぞけば真実を知る人などいなかった。上尾署はたった一誌で騒いでいる週刊誌の記事など、とぼけ続けていればよかったのである。

桶川の動きは止まっていた。やれることが尽きつつあった。やむを得ず私は次の週、「連続爆弾男」の取材をしていた。埼玉県浦和駅のコインロッカーや、新幹線のゴミ袋、果ては東海村の原発核燃料工場まで爆破しようとした男が逮捕されたのだ。

男は池袋の大型ＤＩＹショップで爆弾を作る資材を購入し、市販の材料から、爆薬が詰まった精巧な凶器を製作した。決してこのＤＩＹショップに責任があるわけでもないが、実は九九年九月に池袋で起きた、あの通り魔事件の凶器も同じ店で購入されたものであった。どんなものでも揃《そろ》ってしまう、大都会の危険な一面がよく見える事件だった。

取材は順調に進んだ。しかし満たされなかった。私は桶川が気になって仕方がなかった。

一月十六日、ＦＯＣＵＳの締め切り日が来ていた。私は会社に戻り、「爆弾男」の原稿を書く用意をしていた。

ＦＯＣＵＳは表紙に三本だけタイトルを載せる。他誌は表紙がタイトルで埋まっているが、ＦＯＣＵＳは三本だけだからスカスカである。逆に言えば、表紙に載せた三本の記事というのは今週の自信作ですよ、という意味でもあるわけで、記者としてはやはり自分のネタがこの三本に入ると嬉《うれ》しい。その週の表紙に入る三本の見出しは決定していた。私のネタではない。私はノートパソコンを前に、資料とデータを広げうんうん唸《うな》っていた。

ミスターＴが電話を掛けてくる時というのは、決まってそんな場面だ。私の守護神でもあるが、地獄の使いに思える時もある。携帯のディスプレイにはミスターTの番号表示が浮き上がっていた。今回は地獄だろうか天国だろうか見当もつかないが、タイミング的には実にやばい時間帯である。

「県警がこれから記者会見するみたい。詩織さんの名誉毀損《きそん》で大量に仲間を逮捕したようですな。小松和人も入っているかもしれませんぜ。いひひ」

脅かすだけ脅かして、電話は切れた。

今週号の「県警の無気力捜査」記事が利《き》いたのだろうか。昨年の七月に詩織さんが告訴して以来、名誉毀損に関してほとんど何の捜査もしてこなかった県警が、雑誌の発売四日後に大量逮捕の挙に出たのである。偶然とは思えなかった。彼らなりに、かなりプライドが傷ついたのかもしれない。

とにかく、この大量逮捕を記事にしなければならなかった。だが、どうしてこの事件はこう締め切りだの校了だのに警察が動くのか。タイミングが良いといえば良いが、大慌《おおあわ》てで始めなければならないではないか。

会見の写真が欲しいが折悪《あ》しく桜井は別件で取材に出ている。急遽《きゅうきょ》別のカメラマンに上尾署にぶっ飛んでもらった。私も行きたいのだが今度は数時間のうちに桶川の記事を作るための素材を集めねばならない。

「爆弾男」はベテラン記者に原稿を引き継いでもらい、大急ぎで桶川のタイトルを決める。編集長は、表紙のタイトル三本のうち一本を桶川に差し替えるという。時間がまるでなかった。カメラマンから連絡が入る。やはり会見には入れてもらえない。メディア名を出したとたんに「ダメ、ダメ、ダメ」の三連発である。誰が行っても全く同じだあそこは。

ミスターTの配信記事をもとにするしかない。捜査本部は、詩織さんを誹謗《ひぼう》中傷するビラを撒《ま》いた名誉毀損の容疑で、実行犯四人を含む十二名を逮捕していた。たった一人の女子大生を脅すために、大の大人が十二人である。仕掛けた小松グループも異常だが、こんな犯罪を野放しにしてきた警察も犯罪取締りのセンスがないとしかいいようがない。

この中には、六月に猪野家へ小松兄弟とともに押しかけたY（二九）も入っていた。猪野家に上がりこんだばかりか、この男はビラ事件にも関与していたのだ。

そして、ここにきてようやく、小松和人が指名手配されていた。ついこの間、副署長自ら「その必要がない」と言い放ったにも拘《かかわ》らず、その舌の根の乾かぬうちに指名手配とは、どういう神経をしているのか。

しかも容疑は名誉毀損。こんな微罪で指名手配なんて聞いたこともなかった。そんなウルトラCが出来るのならば、詩織さんの訴えがあったときになぜやらなかったのか。私の警察に対する不満は止まるところを知らなかった。今回のタイトルはそれでいこう。

「今頃『指名手配』桶川ストーカー男の容疑は『名誉毀損』——結局『主犯』は所在不

明」

二週連続で上尾署には厳しい批判を浴びせることになった。図らずもキャンペーンを張れたというわけだが、この指名手配の影響力は大きかった。厳密には名前等非公開の指名手配だったのだが、小松和人の名前はマスコミ各社の判断の下で公開されていくことになった。上尾署の煮え切らない態度にマスコミも態度を決めたということのようだった。

この夜のニュースから、テレビ各局で小松和人の名前と写真が流れ始めた。新聞でも翌朝小松和人の顔写真が出ていた。これならどこかで見つかるかもしれない。私の期待は高まった。

その週の締め切り後、私は「担当者様宛《あて》」となった読者からの手紙を読んでいた。FOCUS編集部にも、桶川事件の記事の反応が起こりはじめていた。手紙や電話、それも激励する内容が増えてきていた。事件発生当時も、記事を見てぽつぽつと葉書などを送ってくれる人はいたが、やはり増えたのは久保田の写真を掲載した1号以降だった。

「一連の記事を見て、ストーカー達と警察が許せない。頑張ってどんどん記事にして欲しい」

「自分にも娘がいるが、その子供が同じような目にあったら困る。徹底的に追及して欲しい」というような文面や電話が多かった。
一例を上げよう。

前略
貴誌創刊以来の読者です。タイムリーな記事を解《わか》りやすく写真で知らせてくれる……（中略）……内容も姿勢も立派です。特に「桶川ストーカー事件」。
娘を持つ母親として我が事のように胸を痛めていました。絶対に許せない無残さです。警察が手をこまねいているのが腹立たしくてなりませんでした。
故《ゆえ》に貴誌が断固たる態度で犯人を追いつめて行くのを見て、どんなに勇気づけられたことでしょう。新聞ではほとんど報道されてなくて、貴誌がやらなければこんな事件だとはまるで分かりませんでした。娘も含めて、ふつうの家庭の育ちでは見抜けない「悪」がこの世にあるのです。詩織さんはどんなに怯《おび》えてくらしていたでしょう。ご冥福《めいふく》をお祈りすると共に、今後も正義の為《ため》にがんばって！

都内に住む主婦の方からだった。世の中を斜めにしか見られない「三流」週刊誌記者が、「正義の為に」なんて言われると赤面してしまうが、こういった反応はやはり嬉しかった。

そんな中に一つ、気になった手紙があった。「取材資料として使ってください」と封筒から小松和人の顔写真がいきなり二枚出てきたのだが、私はむしろ手紙の文章の方に強い印象を受けた。

「FOCUSを見て上尾署は目を覚ましたのでしょうか。ようやく指名手配をしましたね」と始まる長い手紙は、今までの記事の感想や事件に対する思いが書かれているのだが、後半はこう綴《つづ》られていた。

……でも考えてみればなんで私がここまでするのか、自分でもよく分かりません。ただ言えることは、自分達はまったく手を汚さずに多額の報酬金を払って殺人を犯した小松兄弟の存在が絶対に許せないからです。人間のクズと言っても過言じゃないと思います。(中略)編集部の皆さん、この事件を絶対に風化させないで下さい。悪いことして逃げられる訳はありません。

私自身も、この事件の取材をなんでここまでやるのかよく分かっていなかった。だが、同じような思いを持つ人がいるということが、新鮮だったし、心強かった。

「俺は自分では手を下さない、金で動く人間はいくらでもいるんだ」と言い放った男は、自分では決して動かず詩織さんを苦しめ続け、その言葉通り詩織さんは殺されたのだ。

そんな犯罪が堂々と許されるのならば、この国は終わりだ。

これまで取材に協力をしてくれた人達は、それぞれどんな思いだったのだろうか。私と同じように感じていた人も中にはいたのだろうか。


その頃、私の耳に、こんな話が入ってきた。猪野さんのご両親が捜査本部の刑事に対して、「なぜ週刊誌の方が先に犯人にたどりつけたのか、警察はちゃんと捜査をしていたのですか」と質問したというのだ。

その答えはこうだったという。

「あいつらはやり方が汚いんです。金ですよ金。金をじゃんじゃんばらまいて情報を集めるんです。我々は公務員だからそれは出来ないんですよ」

私はミスターTとこの話をして大笑いした。私は小松ではない。金で何もかもが解決するとは思えない人間である。実際金もない。そんな我々をつかまえて、金が使えるからとは大笑いしたものの、情けなかった。彼らの捜査がなぜダメなのか良く分かった気がした。金でなんとかなると考えているのなら、それは小松と同レベルではないか。

我々は自分の足で歩き廻《まわ》り、調べ、情報提供者を大切にしてきただけだ。それは、一昔前の警察の手法と同じだ。逆に言えば、それだけ今の刑事達は変わってしまったということなのだろうか。

私達がどうやって実行犯を特定したかはすでに書いた。その間特別な出費などない。そりゃ情報提供者にお茶を奢《おご》ったりカラオケボックス代を持ったりもした。ネタを売り込みに来た男に交通費として二万円ほど払ったこともあった。だが、総額でいったいいくらになるというのか。警察手帳を持たぬ我々だって、せいぜいその程度でやっているのだ。その上、現実的に動いていたのは、私と桜井、そしてミスターTの三人だ。それに比べて、捜査本部には百人もの人間がいたのである。

捜査本部が立てば、特別予算も超過勤務手当ても出る。我々のように残業手当てもないのとは大違いだ。人件費も捜査費用も我々とは一桁《ひとけた》も二桁も違ったであろう。

おもしろい話も私は聞いている。上尾署で事情を聞かれた詩織さんの友人達は、帰り際《ぎわ》に捜査協力の謝礼としていくばくかの現金を渡されている。そのこと自体は法で定められたことなので問題はないが、その渡し方である。受け取りにはサインが必要なので上尾署の用意した受け取り書を彼らが見ると、金額欄がみな空欄だったというのだ。そこにいくらと警察が金額を記入するのか知らないが、随分得体の知れない金が出たことだろう。

お金なんて警察の方がよっぽどあるのだ。おまけにそれらは税金だ。もともと私達が払っている金だ。それらを二ヶ月間のんたら消費したあげく、週刊誌には金があるというのだから恐れ入る。

久保田の身柄を抑えたときもそうだったが、肝心の場面では警察以外のものは排除する。情報提供するにしても、その場所を教えたが最後、マスコミは出ていけ捜査優先だ、お前らなんかに聞かなくてもここは割っていたんだ、となる。遺族に捜査状況を教えることもなく、捜査に協力しようとした人達は呼びつけたあげくに片端から容疑者扱いする。

結局、何も分かっていないのである。

久保田逮捕の経緯をこんなに細かく書くつもりも実はなかった。我々も警察もお互い大人。何も言わなくても事件が解決すればいい。知らん顔をしているのが粋《いき》ではないか。だが、前記のような捜査員達の勝手な話ばかり聞いているうちに、黙っているのが馬鹿《ばか》らしくなってきた。

やはり警察の人達というのは、人の心というものが分かっていないのではないか。せっかく捜査に協力しようと申し出ても、週刊誌記者より疑うことが得意な警察にアリバイからプライバシーから家族構成から、何から何まで聞かれて協力する気をなくしていく人達ばかりではなかったか。

私のところに情報を提供してくれた人達は口を揃えてこう言うのだ。

「最初は警察に連絡したんです。でももう嫌です。何から何まで聞くだけで、こちらには何も教えてくれない。向こうが困った時だけ呼び出されるんです。それなのになんであんなに偉そうな態度なんでしょうか……。私達の協力が小松にバレて、狙《ねら》われたって助けてくれないんでしょ。詩織さんもそうだったじゃないですか。だから名前なんて言いたくないんですよ。それにいつまで小松和人を放っておくんですか。私達だって怖いんですよ……」事情の差はあれ、趣旨はみな同じだ。みんな事情がある中で、なんとか事件を解決して欲しいと思うからこそ情報を提供しているのだ。

私はそういう人達の話を、それなりに真剣に受け止めてきたつもりだ。たぶんそれだけの違いでしかないと思う。それでもまだ金のせいだと言うのなら、使えない捜査員を減らして人件費を削減し、情報提供料を増やせばいい。

さて、私にも金がないせいか、小松和人の行方についてまったく情報は集まらない。私は縁起をかついで携帯電話の着メロを沖縄民謡にした。万策尽きてもはや神頼みだ。読者からの情報提供が頼りという状態で、私は人間一人の力なんてたかが知れている、所詮《しょせん》こんなもんなのだと悟りの境地に達していた。

ＦＯＣＵＳ4号の発売日、待ちに待ったそのメロディーが鳴った。

だが、沖縄の曲を鳴らすその携帯の向こうから聞こえてくる声は、まるで正反対の方角を指し示していたのである。

第八章　終　着

屈斜路湖畔

「小松和人は北海道にいる」

沖縄のメロディーで私を呼び出した電話の主はこう言った。

あまりの方角の違いに間抜けな印象は拭《ぬぐ》えなかったが、その民謡こそ間違いなく第三ラウンドのゴングだった。一月十九日、誌面で情報提供を呼びかけたFOCUSが街に並んだ日のことだった。

翌日、私は全日空六五便で千歳空港に向かっていた。同行者はもちろん桜井カメラマン。いつか二人で沖縄行きの便に乗ることになるかもしれないとは思っていた。が、北へ向かうとは思ってもいなかった。

それまでの取材で私が知っている和人は、沖縄のように温かい所が好きな男だった。冬の北海道とは意外だったが、そこが盲点だったのか……。

電話を掛けてきたのは、北海道内のその筋の関係者だった。彼の話はこうだった。

「あんたが探している男は、北海道のある〝組〟が匿《かくま》っているよ。小松は知り合いに頼んでその組に保護を依頼してきたんだ。金なら一億円ある、これで逃がしてくれってね。とりあえず二千万円払ったんだよ。今は札幌とA市を行き来してる」

「世の中、金でなんとでもなる」という和人の考えそうなことではある。北海道に渡った彼は、札幌のマンションや関係者の家でのんびり過ごしているという。毛糸の帽子を被《かぶ》ってサングラスをかけ、夜はススキノのキャバクラに通い、時には登別温泉にまで遊びに行っていた。何かの薬をやっていて、意識が朦朧《もうろう》としてやや危険な時もあるという。

「ところが最近になって組の連中が、やっかいなモノを預かった、という状態になってきたんだ。ついに指名手配にもなったしね。実は、組の最高幹部達は小松を匿っていることを知らないんだ。バレたらみんなヤバイんだよ。それで連中は小松を釧路か根室に移すそうだ。最終的にはロシアへ逃がすつもりなんだ」

　根室の手前に花咲港という漁船基地がある。花咲カニの水揚げ港だ。ここから北方四島を経てロシアに脱出するルートがあるという。

　もう一昔も二昔も前になるが、このあたりの国境海域にはレポ船と呼ばれた密漁船がいた。これらの船は、国境警備をしていた当時のソ連兵に日本の情報や製品を渡すことを条件に、国境を越えての操業を認められていた。といっても、彼らが高度なスパイだったというわけではない。沿岸のソ連兵を喜ばすような食料品や家電品、ストッキングなどを与えることで、拿捕《だほ》の危険から逃れていたということに過ぎない。

それが今では、その国境海域が覚醒剤《かくせいざい》やトカレフの輸入路になっているという。そのルートで和人は国外脱出を企てていたのだ。俄《にわ》かには信じられないような話ではあったが、私はこんな情報も持っていた。実は、和人は偽造パスポートを持っていたのだ。いや、パスポートだけではなく偽造免許証も持っていたのである。

佳織はこんなことを言われたことがあった。

「車を一台あげようか、兄貴に預けているベンツがあるんだよ」

「えー、いりませんよ。私免許も持ってないし」

「大丈夫、免許もつけてあげるから。そんなもの金さえあれば作れるんだよ」

その後の取材で明らかになるのだが、彼は池袋のある業者に精通していた。驚くことに免許証の偽造品を作る業者がいるのだ。価格は十万円前後。偽造免許証は実在する人物の免許データを元にして、本来の所持者が持っているものとは全く別個に製作される。元データの氏名や住所、生年月日、公安委員会の免許ナンバーなどを使い、写真だけは偽造免許の所持者の顔を組み合わせるのだ。

その出来栄《できば》えは相当なもので、検問程度ではまず発覚しない。仮に交通違反をしても、写真は本人だし免許内容は実在するものなので、違反現場で警察官が警察無線を使って照会センターに問い合わせても偽造が発覚することはない。その後も罰金だけ納めておけば、違反点数は本当の所有者のところに行くが、所有者もそれが自分のデータを騙《かた》った他人の違反だと気づくことはまずない。仮に気づいたとしよう。警察に訴えたところで「ウソつくな。あんたの違反に決まってるだろ」でおしまいだ。

かつてはオウム真理教もほぼ同じ手口で免許を偽造していたという。彼らは偽造免許のデータを入手するために、なんとレンタルビデオ店を営業していたほどだ。レンタルを希望する客の免許をコピーし、勝手にデータを入手していたのである。

日本国内において、自動車免許は最高の身分証明書になる。これさえあれば、携帯電話から銀行口座、レンタカー、いや現金までなんでも入手できるのである。

パスポートの方は免許より少し高い。二十万円から三十万円が相場だ。こちらの方が少し偽造が難しいためだという。しかし、日本の入管の「出入国」の印鑑もちゃんと押してくれるので海外へも自由に出入りが出来るという。

和人はこれを持っていた。これさえあれば方法はともかく、海外へ出さえすればよい。ほとぼりが冷めた頃日本に帰国しても、パスポートの名前は別人、出国印もちゃんと押してあるからフリーパスで入管を通れる。ロシアルートで海外に渡ろうという企てにはそのような裏づけがあったのだ。北海道からの電話を受けて、私はその可能性に初めて思い至った。

この男は私や捜査員が考えるよりはるかに危ない存在だったのだ。捜査本部は定期的に和人の出入国チェックを繰り返していたというが、これではまるで無意味だ。とは言うものの、逃げ続ける和人が現在置かれている立場というのも本人が思う程安全ではなさそうだった。

その筋の男の話は続く。

「でもね、そんなに甘くはないんだ。というのも、もともと組の連中は金が欲しくて小松を預かっただけだからね、もう厄介払いしたいんだよ。ロシアに逃がすなんて言っても、たぶん山の中か海の中にでも放り出しておしまいになるんじゃないかな。カニの餌《えさ》にでもなるのが関の山だよ」

安全どころの話ではないではないか。下手に金を持っているだけに狙《ねら》われる可能性は高い。身ぐるみはがれてもどこかに駆け込むわけにもいくまい。金でなんでも自由になるという世界は、和人だけのものではない。金で安全を買うつもりが逆に命を狙われ始めているという話だった。

彼の情報で、和人が出入りしているという札幌のいくつかの店の名と、住んでいる可能性のある家やマンションが分かった。情報の確度は不明だったが、調べている時間はなかった。私と桜井はダメ元でとにかく札幌に向かうことにした。思えばこの事件、ずっとダメ元の連続だったのだ。今回はどうだろう、空振りになるんだろうか……。

記者クラブ問題、さらには「批判記事」で完全に袂を分かった形になっている私と上尾署ではあったが、この情報に間違いがなければ、やがて何らかの形で提供をしなければならないだろう。しかしそれにはまず確認するしかない。我々は札幌へと急いだ。

新千歳空港でJR「快速エアポート」札幌行きに乗り継ぐ。ホームは地下にあるのだが、新しい駅なので携帯電話は繋《つな》がる。そんなことは知らずに私がなんとなく携帯の電源を入れると、同時に着メロが鳴り出した。こう驚かされるんじゃ沖縄民謡はもうやめるか。

佳織からだった。私は席を立ち、デッキで電話を受けた。彼女は早口になっていた。

「小松さんが北海道にいるんだって！　知り合いから電話があったの。警察も捜しているんだって、警察から何か知らないかって聞かれたの……」

また何かが始まった。同時に二ヶ所から情報が入るところをみると、和人の居場所はやはり北海道だったのか。この情報は正しいのだ。捜査本部も北海道潜伏説を知り、捜査を始めたならこちらも遠慮はいらなかった。捜査員はまだ東京で電話掛けをやっているらしい。彼らが和人の元にたどり着く前に、こちらが先行できる可能性は十分ある。

「実は今千歳なんだ」という私の一言で、佳織はすべてを察した。そして素早い判断で、また私を驚かせた。

「私もこれからすぐそっちに行きます」

この女性、一度言い出したらもう後へは引かない。そういう人なのだ。取材に同行するという彼女をどうしたものかと思ったが、我々も和人の顔は写真でしか知らない。彼と接触するためには佳織の存在はありがたかった。それに、私は彼女に以前約束してしまっていた。和人に会えたらまず彼女に説得をしてもらう、と。

「全然無駄に終わるかもしれないよ」そのセリフの方が無駄になるだろうと思いながら一応は釘《くぎ》を刺し、千歳に到着したら再び連絡するように言って電話を切った。

電車がピーッとホイッスルを鳴らして走り始めた。窓の外は激しく吹雪《ふぶ》いていた。夕《ゆう》闇《やみ》に広がる果てしない雪原。和人はこんなところにいたのか……。

彼は知人達にも「沖縄にいる」と連絡していた。捜査員やマスコミは見事に裏をかかれていたわけだ。彼の方が一枚も二枚も上手だ。

私は和人と同じ大地を踏みしめていた。こうなったらなんとしても和人に会いたい。なぜあんなにも詩織さんを追い詰めていったのか、その答えを持っているのは彼だけなのだ……。

日本でも有数の歓楽街ススキノ。赤、青、黄色と、まぶしいばかりのネオンの中から「その店」の看板を探して歩いた。実にありふれた店名だった。ススキノ近辺だけでも同じ名前の店が何軒もある。街頭の温度計の数字はマイナス十度。コチコチに凍《い》てついた路に足を取られながら、私と桜井はその店を探して歩いた。強引な手腕で有名なススキノの客引きを相手に、逆に聞き込みをして歩くのだ。

しかし、和人の通う店はなかなか特定出来なかった。ここは、と思う店では用意していった写真を見せたが、ススキノは広い。まるで雲を掴《つか》むような状況に自分達が足を踏み入れたことに気づくのに、時間はかからなかった。

和人は札幌から一時間ばかり離れているA市にもいたという話だったので、そこにも車を飛ばして行ってみた。その家は組幹部の自宅であった。張り込んでみたかったが仕事柄か、異様に警戒している。近づくことさえ容易ではなかった。我々がロケハンのためにに外を歩こうとするだけでカーテンが揺れ、隙間《すきま》から逆にこちらを窺《うかが》う人影が見える。これでは張り込むどころか、近所で情報収集することすら難しかった。諦《あきら》めるしかなかった。

遅れて札幌に到着した佳織が、手がかりになる情報を持ってきた。彼女の携帯には最近二回程無言電話がかかってきたという。番号通知されたその市外局番は〇一一、札幌の局番だ。この地に知人がまるでいない佳織は、この無言電話が気になってメモしていたのである。確かに和人からの電話の可能性はある。

電話の所有者を調べてみると、札幌郊外にある高級マンションの一室に住んでいることが判明した。他には何も分からないままではあったが、昼間は桜井にそこを張り込んでもらうことにした。根拠は希薄だったが、張り込みから分かることだって多い。佳織には、彼女自身の安全を考えて、詳細な住所は教えない。なにしろこの女性は気が強い。いきなり突入でもされたらやっかいである。

桜井はレンタカーを借りて、遠方からの張り込みを始めた。私は他に名前が上がっていたマンションやスナックを廻《まわ》る。

張り込みは日没までしかできない。それ以後は佳織も含めて三人でススキノ繁華街を歩き廻った。身長一八〇センチの男を見なかったか聞いて廻る。

簡単に会えるはずもなかった。

私は札幌の親しいジャーナリストに連絡を入れ、内容を伏せて協力を頼んだ。この人は暴力団関係に強い。関係者の住所を調べてもらった。いくつかリストアップしてもらった場所を、出来る範囲で潰《つぶ》してみたがこれも空振りに終わった。

東京では別の動きが生じていた。FOCUS3号の「警察批判」記事は掲載後も各メディアから無視されていたが、小松和人の指名手配で少し風向きが変わってきた。テレビ局が取材をしたいというのである。最初に連絡をくれたのは、TBS「ブロードキャスター」という番組の原山理一郎レポーター。彼の担当するコーナーで上尾署の問題を放送したいというのだ。私は嬉《うれ》しかった。電話でのやりとりしか出来なかったが、出来る限り協力すると約束した。

こちらの取材はまるで進まぬ中、一月二十二日夜、その番組は放送された。聞くところによると、やはりテレビの影響は凄《すご》かったようだ。番組終了後、上尾署には全国から抗議の電話が殺到したという。読み手の時間がバラバラである雑誌とは反応の仕方がこうも違うのか――。

しかし、上尾署は当然のようにこれも無視した。ＴＢＳに抗議もしないかわりに依然知らん顔を続けたのである。

我々の札幌での張り込み、捜索も続いていたが、依然和人の行方は分からなかった。桜井が担当しているマンションの部屋も、女性と子供が出入りしているのが目撃されただけで男の姿はない。女性と子供と和人、という組み合わせには違和感があるものの、もうちょっとこの部屋を見ていたら何か分かるだろうか。それとも、ここでないとしたら一体どこに消えてしまったのか……。

残念ながら時間切れだった。締め切りを迎えてしまっていた。しかし和人の札幌滞在は間違いなかった。各方面の情報がそれを指し示していたし、捜査の手も延び始めていた。編集長と相談の上、取材が出来た範囲で記事を書くことにした。これ以上は次なる情報提供に賭《か》けるしかない。

引き上げ間際《まぎわ》に、札幌のジャーナリストに詳細な話を伝えた。指名手配の小松和人という男を探している、何か気がついたら教えて欲しい、そう頼んでおく。

佳織はもう少し札幌に残ると言うので、何か分かったらお互いに連絡を入れると約束して市内で別れ、我々は疲れた体を引きずって千歳空港に向かった。

少し後になって判明したことを付け加えておこう。札幌を去った数日後のことだ。我々が小松和人を追って謎《なぞ》のマンションを張り込んでいた、という情報を入手した北海道警察の捜査員がそのマンションの部屋を直接訪ねたのだという。

そこに小松和人はいなかった。住人は女性とその子供。二人ともそんな人物をまったく知らなかった。ではなぜ佳織に無言電話が掛かってきたのかという謎は残されたが、それもやがて判明した。その母親の所有する携帯の番号と佳織の携帯の番号は末尾二桁《ふたけた》が逆転しているだけであとはそっくりだったのだ。つまり、幼い子供が母親に電話をしたくて携帯番号を押したのだが、間違えて佳織の電話につながってしまっていたという、知ってしまえばそれだけのことだった。我々の仕事によくある情けない話で、せっかくの桜井の長い張り込みはまるで無意味だったのである。

東京に帰ると締め切りが待っていた。「1億円の札束抱え桶川ストーカー男『沖縄→札幌→ロシア』必死の逃亡」というタイトルで、小松和人が札幌にいること、非常に危険な状態にいることを盛り込んだ。どこもこのネタは摑んでいないはずだった。

この事件の取材では、発生直後はともかく、その後はどこに行っても同業者と会うことがなかった。スクープが続いたという言い方も出来るかもしれないが、私にとっては孤立感の方が強い。実際他メディアのネタ元にもなっていたらしく、各社の桶川事件担当者は発売日前日にFOCUSの早刷りをチェックするのが欠かせなくなっていたという話も後日聞いた。私は和人がどうこうよりも、警察問題の方が動いて欲しかった。このまま動くことはないのか。上尾署は逃げ切ってしまうのか……。

私はこの記事に、迷った末「最期《さいご》はカニの餌に？」というサブタイトルをつけた。まぁ本当に死ぬことはないだろうという気持ちだった。挑発的なタイトルだったがこれで電話をくれないだろうか、そう思いながらその週の取材を終えた。

翌日から一週間の休暇をとった。その日私は、また昼過ぎまで寝ていた。正直なところ、桶川の事件とその他の仕事との二本立てで疲れ果てていた。溜《た》まっていた用事もたくさんあった。クリーニング屋に出しっぱなしになっている夏用のあのジャケットを取って来なければ。出したまま結局年を越してしまっているのだ。今週こそはやりたいことをやろう、とも思うが長い休みだ。今はグッスリ眠ろう、午後になれば子供が学校から帰ってくる。たまには一緒に図書館にでも行こうか……。うつらうつらしながらそんなことを考えていた。

電話が鳴った。休みの時くらい電源を切っておけばいいのだが、相変わらずの貧乏性だ。さすがに休暇中なら電話に出てもそんなに不幸な事態は起きないはずだ。

電話を取ると意外な相手からだった。札幌のあのジャーナリストだ。突然彼はこう言った。

「小松和人と思われる遺体が屈斜路湖で発見されました」

一瞬言葉に詰まった。

頭の中で何かがグルグル廻っていた。なんだ、なんなんだこの事件は。どこまで私を驚かせるんだ。これではもう、何も分からなくなってしまったではないか。

遺体発見は二十七日、前日の夕方だった。先程ようやく身元がはっきりしたとジャーナリストは言った。死因は不明。これから解剖だという。

ともかく編集長とミスターTに電話を入れた。慌《あわ》てて着替えて家を飛び出した。休暇は中止だ。やはり俺は休ませてなんてもらえないのだ。俺が行かなきゃ、きちんと終わらせなきゃ、そう思いながら私は走っていた。外出中の妻には「緊急事態が起きた。休暇はなしだ」と電話を入れた。彼女からすれば毎度の「緊急事態」だ。もはや驚くこともない。先週から車のトランクに入れっぱなしだったダウンの防寒着と冬靴を引っ張り出すと、タクシーに飛び乗り羽田空港に向かった。

車はレインボーブリッジを渡っていた。思いだけが無闇に駆け巡っていた。

あぁ、もうちょっと早く北海道に着いていたら、この結末は少し違ったのかもしれないのに。結局届かなかった、もう少し、もう少しで……。

テレビのニュース速報を見た詩織さんの母親から携帯電話が入る。ニュースの真偽の問い合わせだった。

「おそらく間違いないようです。私も今北海道へ向かっています。詳しいことが分かったらお電話します……」こんな話を、私が被害者の肉親に伝えることになろうとは思ってもみなかった。

考えてみれば、もう誰もいなかった。詩織さんは殺された。和人も死んだ。事件の他の容疑者達は、みな塀の向こうに行ってしまった。誰も残っていなかった。無力感だけがあった。

マスコミ各社からの問い合わせ電話が鳴り始めていた。なんだかもう何もかも面倒だった。

タクシーの窓から羽田空港に着陸するカラフルな飛行機が見えた時、佳織のことを思い出した。そうだ電話を入れなければ。

電話を受けたとき彼女の声はとても元気そうだった。明るく問いかける彼女に、なぜか申し訳ないと思いながら私は和人の死を伝えた。状況を説明している間、自分の声が電話の向こうに吸い込まれていくような違和感を感じながら、私はいつか返ってくるはずの彼女の声を待ち続けた。もしや、と思ったときだった。電話の向こうから嗚咽《おえつ》が聞こえた。

やはり、彼女と和人との間には私の知らない何かがあったのか。しかし、それを聞くことは出来なかった。彼女が泣いている。それだけで私は何も言えなくなってしまっていた。

携帯を耳にあて、その奥から時折聞こえる彼女のかすかな泣き声を聞きながら、私も無言になっていた。キャッチホンが何本も入ったがすべて無視した。もううんざりだった。

何で俺のところばかり電話してくるのだ。俺は普通の記者なんだ。いいかげんにしてくれ。

しかし、頭の中と行動はいつもバラバラだ。離陸するジェット機の轟音《ごうおん》が聞こえていた。タクシーは羽田空港に滑り込んでいた。飛行機に飛び乗る時間だった。「また電話をかけます」私は佳織との電話を切った。

日本エアシステム一三七便で釧路《くしろ》に向かう。機内にはTBS「ブロードキャスター」のクルーが乗っていた。女性アナウンサーから話を聞かれたが、私も何も分からなかった。今週書いた記事のように他殺の可能性があるのか、それともまるで無関係な自殺なのか。はっきりしているのは小松がやはり北海道にいたこと、そして彼は道東に向かっていたという点だけだった。

楕円形《だえんけい》のウインドウから、雲の下に黒い海が見えた。そのガラスに写る自分の顔。奇妙な失調感が私を支配していた。誰に言うともなく、私は頭の中で呟《つぶや》いていた。

〈俺はどこまで行くのだろう。いったい何のために、何をしようとしているのだろう〉

その答えを知りたいからこそ、この仕事を辞めずに続けているのではなかったか。もう一人の私が答える。だが、いつの日かその答えにたどり着くことなど、あるのだろうか。


屈斜路湖は釧路から内陸へ約八十キロ。厳冬期はマイナス三十度位まで気温が下がることもある極寒地だ。現場までの足として釧路空港でレンタカーを借りた。すでに暗くなり始めた道を飛ばす。路面はアイスバーンだったが、こんな取材ばかりしている私にとってスノードライブは怖くなかった。運転中にも電話が鳴り続けている。ほとんど付き合いのない新聞記者からの問い合わせや私への取材まであった。

「清水さんの予言通りになりましたね。今のお気持ちをきかせてください」

予言者になったつもりはなかった。それに、「気持ち」を答えるような「当事者」になっているつもりもなかった。少なくともそう聞かれるまではそう思っていた。しかし、そうなのだろうか。すでに私は取材のエンドラインをオーバーしているんじゃないだろうか。私はあまりにこの事件にのめり込んでしまっている……。

真っ暗な根釧《こんせん》原野を、雪煙をあげて車は走っていた。携帯電話は釧路郊外で圏外になる。いつもは困る圏外だが、その日の私は一刻も早くそこに突入したかった。背中に貼《は》りついた、どこまでも延びるゴムが引きちぎれるその場所に向かって、私はアクセルを踏み続けた。

ヘッドライトが照らす真っ白な圧雪路面、車内のカーナビゲーションのモニター。この二つ以外はすべてが闇《やみ》だった。カーナビモニターの右隅に表示される、屈斜路湖までの距離カウンターが少しずつ減っていく。それはそのまま私と小松和人の距離だった。そして、その終着点が移動することは、もうない。彼はもうその場所から動くことは出来なくなってしまっていた。

小松和人よ、なぜ死んだのだ。それではあまりに罪作りではないか。これで捜査は終わりなのか。なぜ詩織さんは死んだ、誰がそうさせたのだ……。

二時間のドライブの果てに、川湯温泉に到着した。ここから屈斜路湖までは僅《わず》かな距離しかない。夜もまだ早いというのに、公園の電光デジタル温度計はマイナス十七度を指していた。何もかも凍りつく街。この極寒の地で、和人は数日間を過ごしていた。

彼が宿泊していたホテルを探し、話を聞いてまわった。和人が初めてここに来たのは一月十四日頃だったという。

バスでこの温泉郷に到着した和人は、黒色のベストに黒のズボン、黒のトレッキングシューズを履いていたという。黒いリュック、黒い毛糸の帽子、さらに時計まで黒という黒ずくめのスタイルだった。驚いたのは髪形だった。目撃者によると坊主頭《ぼうず》にして、髭《ひげ》を伸ばしていたというのだ。

彼は宿泊名簿に札幌市南三条の住所を書き、「山田耕一」という名前でチェックインしていた。ホテルではのんびり過ごしていたようだ。

十五日に朝食を食べてから現金で支払いを終えてチェックアウト。タクシーで屈斜路湖に向かった。しばらくうろうろした後、午後二時に今度は湖畔のホテルに三泊の予定でチェックインしている。ここでは一人でゆっくり食事をしたり、湖岸の白鳥と遊んだりしていたという。

ところが十六日の夜、事態が急変した。十一時過ぎになって突然「不幸があった」と彼はホテルをチェックアウトしている。

十六日というのは小松和人が指名手配された日だ。彼は、自分の名前と写真が出た指名手配のニュースを見たのだろう。よほど慌てていたようで部屋のテレビはつけっ放し、飲みかけの赤ワインのボトル三分の一と、なぜか下着が一枚残されていた。

迎えに来たタクシー運転手には「友人が事故を起こしたので、待ち合わせしている」とホテルに言ったこととは違うことを話し、釧路駅まで向かわせた。しかし途中で行き先を変え、釧路市内の路上でタクシーを停めると、そこでなぜか領収書をもらって車を降りている。

近くのホテルに「山本光一」の名前でチェックインしているが、その後の足取りについてははっきりとは分かっていない。

ところが十八日には、これまたなぜだか和人は屈斜路湖に舞い戻っている。湖畔にある砂湯という場所のレストハウスで目撃されているのだ。砂湯は、湖畔の波打ち際から温泉が湧《わ》き出る場所で、この周辺だけは湖も凍結しない。そのため、冬でも観光地になっているところだ。十九日夕方、再び砂湯にふらりと現れた和人は、名物のイモ団子を頼み、ジュースやビールを飲みながら、湖が見えるカウンター席に腰掛けていた。店員には、まるで顔をそむけるようにしていたという。

それ以後は湖畔のホテルに宿泊していたようだ。そのホテルの関係者によると、二十四日朝、彼が起きて来ないので部屋を見に行ったら荷物だけを残して姿を消していたという。我々が札幌で彼を探し廻《まわ》っていたころだ。それが彼の足取りの最後だった。

遺体となった和人が発見されたのは、二十七日の午後四時過ぎだった。第一発見者は夕日と白鳥の写真撮影に来ていた地元の若いカメラマン。その青年は撮影の帰途、もう薄暗くなった湖畔の波打ち際で人が倒れているのを発見した。氷の下に打ち寄せられ、黒い服を着たその男は仰向《あおむ》けになっていたが、顔には厚い氷が張りついていて表情は分からなかった。耳のあたりだけは見えていたので声をかけたが、反応はなかった。

カメラマンはレストハウスに戻り、和人自身もタクシーを呼ぶのに使った公衆電話から一一〇番通報した。

事件を担当した北海道警弟子屈《てしかが》警察関係者の話では、遺体の顔には厚い氷が張りついており、無理にはがすことも出来なかったため、そのまま署内で解凍を待ったという。ところが時間が経《た》って氷が溶けてみると、指名手配中の小松和人の顔が現れたので大騒ぎになったそうだ。身長などの特徴も手配書に記された通り。埼玉県警に指紋照合を依頼したが、埼玉県警側の不手際《ふてぎわ》が重なって確認まで丸一日かかったということだった。

新聞報道によると、彼の遺体は背中など下半分は温泉の地熱で何ヶ所も火傷《やけど》をし、反対に上半分は凍り付いていたという。あまりに哀れな末路だった。

「お前に天罰を下す。地獄に落としてやるんだ」と笑って詩織さんを脅し続けた男は、自分自身が地獄に落ちたかのような死に方でこの世を去っていたのだ。

解剖の結果によると死因は水死。死後数日たっていたという。遺体発見現場から五十メートルのところに、コートと黒いリュックサックが残されていた。中身は現金数万円と宛名《あてな》のない遺書のような走り書きだったという。その内容もまた和人らしいものだった。

そこには「天国には行けない……」と記されていたという。

和人の体内からはアルコールと睡眠薬のような薬物も検出された。首には浴衣《ゆかた》の帯が巻かれており、首吊《くびつ》りをしかけたものの、死に切れず屈斜路湖に飛び込んだと見られた。腕にはためらい傷のようなものもあったというが、この傷が昔の自殺未遂の傷なのか、新しいものなのかははっきりしなかった。

首に巻かれていた浴衣の帯は、ポラロイド写真で撮影され、どこのホテルのものか特定するため捜査員が近辺の旅館を聞き込みして廻っていた。

状況的には明らかに自殺だった。

最後に宿泊していたホテルの関係者の話では、「埼玉県の自宅にこれを送って欲しい」という置手紙と健康保険証や愛用のヘッドホンステレオ、多額の現金が部屋に残されていたという。遺品のつもりだったのだろうか。

彼は、「道東からロシアへ逃げようとしたが失敗してしまった」と知人にも連絡を取っていたという。和人は誰かと待ち合わせるために道東に来ていたのだろうか。それとも、有り金を巻き上げられて放り出されたのかもしれなかった。実際、北海道に渡る際には一億あったという金も、ほとんどなくなっていた。

「世の中金でなんとでもなるんだ」と言っていた和人は、まるでその言葉を自ら覆《くつがえ》すようにリュックやホテルにいくばくかの金を残し、彼の嫌いな寒い地で好きでもない酒を飲んで果てた。

「これで事件の真相は闇に消えてしまいました。最後まで卑怯《ひきよう》な男でした」

川湯温泉の部屋にある赤いプラスチック製の旧型テレビの中で、女性アナウンサーが話していた。

確かにそう思う。思うのだが、和人を憎みきれないもう一人の自分がいた。何も死ぬことはなかった。小松和人が事件の原点であるのは間違いない。しかし、その日の私は、あんな調子で言い切る勇気はなかった。もともと詩織さんも和人も死ぬ必要などどこにもなかったのだ。若い二人がなぜ無残な死に方をしなければならなかったのか。どうしてこんなことになったのか。何が二人の人生を終わらせてしまったのか……。

翌朝、東京を遅れて出てきた桜井と合流した。彼は女満別《めまんべつ》空港から北海道入りした。

「やはり北海道だったんですね」会うなり桜井は言った。「生きている和人に会いたかった」と彼は悔しがった。

親しくしているテレビ記者の情報では、小松和人の遺体は弟子屈署にあるというので、とにかく朝から警察に詰めることにした。本来なら静かな地方の警察署なのだろうが、駐車場にはマスコミの車が並び、防寒具を着たテレビカメラマン達がずらりと並んでいた。

　和人の家族が遺体を引き取りに警察に到着したのは、私達が着いて少し経ってからだった。面識はなかったが、どうも母親と姉のようだった。それまで取材ができなかった小松兄弟の家族と、こんな北の地で会うことになろうとは思いもしなかった。そんなことを思いながら私は二人を見送っていた。

　まもなく遺体が搬出されるのだろう、黒いワゴン車が一台到着し、署内のガレージにバックで入っていった。私は桜井のカメラを一台借りて、一人報道陣の輪から抜け出して署の裏側に向かった。遺体安置所は裏手にある。正面とは違ってこちらにはマスコミがほとんど来ておらず、静かなものだった。

　署内の様子が俯瞰《ふかん》できる場所を求めて、除雪のために積み上げられた雪の山に登った。が、あまりに足場が悪かった。私の右足は雪を踏み抜き、すっぽりと太ももまで埋まってしまった。なんとか抜け出そうとしていたその時、署の二階のガラス窓ががらりと開いた。そして先程の、姉と母親と思われる二人の女性が顔を出した。

　二人は、あらかじめ用意してあったと思われるメモを、下にいる私に向かって一方的に大声で読み始めた。

「ハイエナ！　おまえ達マスコミは死体に群がるハイエナだ。和人はマスコミに殺された。お前達に人の気持ちが分かるのか。先日ＦＯＣＵＳに電話をして、男の人に和人がロシアになんて行くはずがない、と抗議をした。でたらめ。和人は無罪だ」そんな内容を大声でわめきたてた。まるで私が誰か分かってやっているような展開だった。

私はハイエナでもなんでも構わない。おっしゃる通りマスコミなんてそんなものだろう。しかし、ハイエナは誰かを殺したりはしない。死体があるからこそ集まるのだ。

「それでは猪野さんを殺したのは誰なんですか、なぜ彼女は死んだのですか」私は怒鳴っていた。

しかし、彼女達は聞く耳など持っていなかった。ただただ一方的に怒鳴る二人に質問することは諦《あきら》め、右足を雪山に突っ込んだどうにも格好悪いポーズのまま、カメラのシャッターを切った。

二人は、ぴしゃりと窓を閉めると姿を消した。


話は少し遡《さかのぼ》る。思えば和人の遺体が発見された二十七日のことだったのだ。確かに和人の母親と姉と名乗る人達が、ＦＯＣＵＳ編集部に電話をかけてきた。私は会社にいなかった。彼女達が言う抗議相手の「男の人」とは小久保記者であった。二人は警察署の窓から怒鳴ったように、小久保記者に猛烈な抗議を始めた。

「家族も知らない息子の行方を、なぜあなたたちが分かるのか」と。

だが、そこまで必死に電話をかけてきたということは、追い詰められた和人の状況を何か知っていたのだろう。すでに「遺品」が届いていた頃だったのかも知れないし、もしかしたら北海道に潜伏していたことも知っていたのかもしれない。

しかし、家族が必死で電話を掛けてきた時、和人はすでにこの世にいなかったのだ。

私は警察の正面に戻った。

駐車場のシャッターが開いて、黒いワゴン車が静かに動き出した。中に白木の箱が見えた。おそらく彼の身長に合わせたやや大きめのものだろう。

事件発生から九十五日、探し続けた男がそこにいた。僅か数メートルのところだった。

しかし、その距離も何の意味もないものになっていた。冷たくなった彼は、もはや何も語ってくれないのだ。


その日、詩織さんのお父さんが弁護士を通してマスコミにこんなコメントを出した。

〈犯人発見の連絡を警察から受けて、娘に報告をしました。「お前を本当に苦しめてきた犯人が発見されたぞ、おまえは本当に家族思いだから、でも家族のことは心配しないでいいよ！　お父さんがついているからね。既に逮捕されている悪い奴等《やつら》は、皆が頑張って必ずかたきをとるからね。悔しいだろうけど、もう少し辛抱していてね！　家族を見守っていてね！」〉

そしてこうも書かれていた。

〈なんで娘が殺されなければならないのでしょうか？　娘はもっと生きていたい、と強く願ったのです。何といっても、あまりに可愛《かわい》そうでなりません……〉

夜になって、私はホテルの部屋から詩織さんのお父さんに電話を掛けた。現場の様子を伝えたあとで、こんな結末をご遺族がどう思っているのか訊《たず》ねると、猪野さんは落ちついた声で心境を話してくれた。最後に、猪野さんはこう付け加えた。

「清水さんには、本当にご苦労様でしたと言いたいです……」

私が受ける言葉ではないと思いながら、何も言えないまま電話を切った。

窓の外には雪がちらついていた。すべての葉を落とした樹木にも、雪が凍り付き風で揺れている。根元には点々と小動物の足跡が続いている。「のすけ」のことが頭をよぎる。

どうしてみんな死んでしまうのか……。

私は缶ビールを手に安手のソファに座り込んだ。

週刊誌記者、カメラマンとして、事件取材は嫌になるほどやってきた。しかし殺人事件の遺族から労《ねぎら》いの言葉を掛けてもらったのは初めてだった。大抵の場合はまず逆だ。我々が事実を報じたつもりでも、関係者からすればマスコミはどう転んでも嫌な存在でしかない。

そっとしておいてくれ、あんた達が来た時は不幸のどん底なんだ。今は静かにして欲しいんだ。

　みんなそう思っているだろう。自分が事件でも起こしたのならいざ知らず、家族や自分の愛する人が不幸な目にあった時に、まるで関係ない我々のような人間に取り囲まれ、葬儀を邪魔され、感想を聞かれる。取材に応じなければ訳知り顔で勝手な記事を書かれる。そんな状況で冷静でいられるはずがない。

　この仕事を長くやればやるほど私はそれを感じる。どんなに立派な記事を書く新聞でも、問題意識の高いテレビニュースでも、取材時の事情というのはあまり変わらないと思う。

　事件取材は難しい。一寸先は闇《やみ》である。落とし穴が連続する中をいつも手探りで取材を進めていくのだ。一歩間違えれば読者を違う方向へ導いてしまう。この事件もそうだった。どこまでも続く長い長い取材の間、私は果たして「正しい」と言えるようなルートを歩いてきたのだろうか。そして、いつまでこんなことを続けていくのだろう。そこにはどんなゴールがあるのだろう。私はいったい何を知ろうとし、何を伝えようとしているのだろう。

　外はまだ雪がちらついていたが、部屋の中は十分に暖房が効いていた。私はいつの間にか眠りに落ちていた。

　翌日、私達は北海道を後にした。

和人の死後、新聞、テレビでは怒濤《どとう》のようにニュースが流れた。詩織さん宅周辺にビラが撒《ま》かれる少し前、和人がアリバイを作るかのように沖縄に渡っていたことも報じられた。

あるニュース番組が、刺殺事件の翌日に沖縄で和人と一緒だった男性のインタビューに成功していた。その人の話では、詩織さんの事件を知っていたはずの和人はまるでいつもと変わらない様子で過ごしていたという。過去に付き合いのあった女性が殺されたのだ、ストーカーであってもなくても、普通ならば平気な顔で過ごせるはずはないと思うのだが、「立派な」アリバイがありながら和人は無実の証明をするでもなく、十一月中には沖縄を逃げ出している。その足で一度東京に戻り、渋谷で兄の武史から逃走資金を受け取り、今度は札幌である。

小松武史は逮捕後に、次のようなメモを弁護士に渡している。あくまで武史の言い分ではあるが、久保田、川上、伊藤、そして和人四人が、自分の知らぬ間に共謀して殺人事件を起こしたというものだ。武史自身は、みんなに自首するように説得していたという。

久保田が逮捕された十二月十九日のことだ。

〈(省略）だから一緒に警察に行こうと話をしたら、弟は「俺の方は話ができているか

ら心配ないから、だから警察なんて行かないよ、俺大キライだからオマワリは」と言って切られた〉（原文ママ）

翌日、久保田の逮捕を知った武史は、慌《あわ》てて和人がいると思っていた沖縄に行ったという。そこで武史は空港からもう一度和人に電話している。

〈久保田が警察につかまった話しを、弟に私が沖縄空港から十五時ぐらいに、TELしたところ、弟は、久保田がつかまったって、へーきだよ、やつら俺の名前なんか出さないから、それよっか、自分の心配してた方がいいよと、はっきりいった〉（原文ママ）

実際、小松武史はこの日の夜東京に戻って逮捕されている。

一方の和人は指名手配も受けずに大金を持って札幌へ逃げ、キャバクラや温泉でノンビリと過ごしている。捜査本部は完全に舐《な》められていたとしか言いようがない。とは言ってもその警察も、真剣に捜査などしてはいない。この頃埼玉県警の幹部は、こう言い放っているのだ。

「今、和人に出てこられても困るんだよな」

逮捕はおろか、事情を聞こうという気持ちすらないというわけだ。和人だけを避けて捜査が進められていたのは明らかだった。

しかし、その姿勢が徐々に批判されるようになってきていた。和人の死後、テレビ報道、スポーツ紙、週刊誌では「名誉毀損《きそん》での指名手配しかできず、刺殺事件の重要な参考人である小松和人を死なせてしまった埼玉県警」という論調が多くなっていた。少し前に起きた、神奈川県警の一連の不祥事も影響していたようだった。

そして同じ頃、さらに警察が矢面に立たされることになる事件が起きた。いや、事件が起きたというのは正しくない。正確に言えば、事態が発覚したと言うべきだろう。

新潟県三条市で九年前から行方不明だった少女が、同県柏崎市内の男の部屋で拉致《らち》監禁されていたのが発見されたのである。迷宮入りしていた難事件が解決したとも思われたこのニュースだったが、これが新潟県警の「不祥事」のスタートになった。初動捜査のミスや女性発見時の虚偽報告、さらにはそんな大事件が弾《はじ》けた最中に県警本部長が温泉で接待麻雀《マージャン》をしていたということまで発覚し、批判はとどまるところを知らない勢いだった。

しかし、埼玉県警にメスが入るのはまだ先のことだった。

二月に入った。一連の名誉毀損事件のメンバーは七名が略式起訴、二名が起訴猶予《ゆうよ》となった。十日には、実行犯のうち小松武史、伊藤、川上の三名が別件の強盗と住居侵入で再逮捕された。上尾署は実行犯達の取り調べは厳しく行っているようだった。

二月十五日、テレビ朝日の情報番組「ワイド！スクランブル」で「警察がおかしい!?」という特集が放送された。ＴＢＳに次いで、上尾署の問題を放送してくれたのだ。

私自身もインタビューを受け、出演した。大新聞やテレビニュースがまるで無視する中、いわゆる「ワイドショー」と呼ばれる番組だけが、この問題を取り上げ始めていた。突破口が見つかるなら、出演でもなんでもしようという気持ちだった。

だがその一週間後、二十三日に小松和人の名誉毀損罪が被疑者死亡のまま起訴猶予となり、事実上、小松和人の刑事的責任についてはこれで幕引きとなった。ある意味予想通りだった。結局、上尾署は殺人事件はおろか一連の名誉毀損事件についても、和人の法律上の責任をまるで追及せずに、事件を終わらせたのだ。

この結果を知ったら、詩織さんはいったいどう思うだろうか。

あれほど和人のことを警察に訴え、証拠を集め、告訴までして、遺書まで書き遺《のこ》していった詩織さんが、予想もしていなかった和人の兄を含む実行犯四名を逮捕しただけの結末を見たら。

真実はこのまま闇の中に消えてしまうのだろうか……。

佳織から電話が入ったのはそんな頃だった。

この日も彼女は泣き出した。私が尋ねたからだった。なぜあんなに必死になって和人を探していたのか、二人の間に何があったのか。

屈斜路湖に向かったあの日と同じように、電話の向こうですすり泣きが聞こえていた。

しかし、この日彼女は口を開くと、思いもつかぬことを言い出した。

「小松さんは、泣いてた。あんなことをするんじゃなかった、あなたの言うことを聞けば良かったって、こんなことになってもう生きていけないって……」

「ちょっと待ってよ」

何を言い出すんだ、この人は。和人からの電話はとっくに途切れてたんじゃなかったのか。

「本当は、ずっとあの人から電話が入ってた。でも、どこにいるかは言ってくれなかった。断続的に、短い電話が何度もあったの」

「最初の頃はまだ元気だった。お兄さんが逮捕された時も、あれは金で解決できるから、なんて言ってた。だけど感情の変化が激しい人だから……」

「死ぬ少し前は、もうダメだ死ぬって、ごめんなさいって。だから私、探したかった。私、もう一人でこのことを背負っていられない……」

電話の向こうで彼女が泣き崩れているのが分かった。

私は茫然《ぼうぜん》とした。

小松は彼女とずっと連絡をとっていたのだ。

そして、この責任感の強い二十一歳の女性は、ずっとそのことを胸に秘めたまま小松和人を探し続けていたのだ。この世でたった一人、和人の心の奥深くから吐露される言葉を聞いていた彼女は、だからこそ必死で私と接触し、メモ帳を奪い、沖縄まで行こうとしたのだ。私の電話を受けるとすぐ札幌まで飛んで来たあの必死さを、私はそのときになって初めて理解した。彼女もまた「遺言」を受けとっていたのだ——。

小松和人は殺されたのではないか、という噂《うわさ》が流れていることも知っていた。だが彼女の話を聞いて、小松和人の死はやはり自分で選んだ人生の終着だったのだと思わざるを得なかった。自分が犯した罪を悔やんでいたという和人。ごめんなさいと言ったという和人。しかし、それは詩織さんや、彼が傷つけてきた多くの人への謝罪というよりは、自分が選んでしまった人生への悔恨のようだった。

私は携帯を握り締めながら、和人が死んだあの場所のことを思い出していた。

和人の遺体が私の数メートル先を通り過ぎていったあの日、私と桜井はレンタカーでアイスバーンの坂道を登りつめ、屈斜路湖畔に向かった。原生林の中を約一時間走り抜け、プオー、プオーという白鳥の集団の甲高い鳴き声が聞こえるその場所に着くと、私達の前には真っ白に凍りついた広大な湖面が広がっていた。波打ち際《ぎわ》に目をやると、僅《わず》かな水面からは温泉の湯気が立ち昇っていた。

和人が最後に目撃されたレストハウスから、湖岸に沿って北に三百メートル。あまりに静かなその場所では、凍りついた道を歩くばりっばりっという自分の足音がやけに大きく響いた。

過去の水難者の卒塔婆《そとば》が一本、風に揺れていた。ちょうどその卒塔婆の前、厚い板ガラスの破片のような、大きな氷が積み重なっている場所で、和人の遺体は発見された。私は桜井とともにそこに立つと、何事もなかったかのように静まり返った白い湖面を見つめた。私は思わずにはいられなかった。和人はこの氷の下の世界にいったい何を望んだのだろう。いったい何から逃げ続けたのだろう。何を、悔やんだのだろう……。だが、もう確かめる術《すべ》は、ない。

耳が切れそうな程冷たい風が吹いていた。湖面には小さな波が立っている。私達はカメラを取り出した。もうファインダーをのぞいても、私が撮るべきものは何もなかった。撮るべき人物も、誰もいなかった。私は何もない湖面に向けてシャッターを切った。

和人は手の届かぬところに去ったのだ。

あの白鳥の尾を引くような鳴き声が響く湖畔、あの湖畔こそが、我々の長い長い追跡の終着だったのだ……。

第九章　波紋

現場上空　手前が桶川駅

携帯電話が鳴ったとき、今度はいったいなんだよ、と正直私は思った。

和人が死んでしまったあと、私は取材をかける先をどうしたものか悩んでいた。「桶川女子大生刺殺事件」はもはや司法の管轄《かんかつ》下に入ってしまっていた。塀の中にいる人物、記者クラブの壁の向こう側にいる人々は、どちらも私の手の届かないところにいた。

私にとって、事件はこれで終わりではなかった。手渡されたバトンの一つは私の意に反してもぎ取られたが、もう一つは私の手の中で重みを増すばかりだったのだ。一人で支えきれなくなったそのバトンは、もうしばらくしたら手からずり落ちていってしまうかもしれなかったが、一度落とせば誰も気に留めなくなるだろう。鬱屈《うっくつ》が溜《た》まっていた。

だんまりを決め込んだ埼玉県警の件だった。

実際のところ、手に余る素材だった。なにを、どう動かせばよいのやら分からなかった。よほどのことがない限り、メスが警察の内部に入ることはなさそうだったが、それでも私は記者クラブの内側から声が上がることを期待していた。ポツリポツリと掩護《えんご》射撃してくれるところも現れたものの、時間ばかりが過ぎていき、火の手が上がるところまではいかない。週刊誌一誌ではどのみち限界があるのだ。バトンは私の手から落ちようとしていた。

そんな状況下での電話だった。

電話を取ると、ＡＰＦ通信社の山路徹という人からだった。テレビ朝日「ザ・スクープ」のアンカー、鳥越俊太郎氏が連絡を取りたがっているという話だった。番組で上尾署の問題を取り上げたいのだという。願ってもないことだった。鳥越氏はもともと週刊誌の編集長をしていた人だ。いわば今の私の仕事の大先輩にあたる。

数日して鳥越氏から連絡があったとき、私はテレビ朝日近くのホテルまで飛んで行った。この件に関しては、こちらからお願いしたいくらいだった。話を聞いてみると、鳥越氏もまたＦＯＣＵＳ３号の上尾署告発記事を読んで、何かを感じてくれた一人だった。

「私も雑誌の世界にいましたから、記事を読めば、内容が事実かどうかは分かります。興味を持って一連のＦＯＣＵＳのバックナンバーを拝見しましたが、これはとんでもないと思った。そして、たまには怒りを込めて作る番組をやろうじゃないかと番組を企画したんです」

そう話す鳥越氏が頼もしかった。もしやこれがきっかけになるのではないか。祈るような思いで私は話せることはすべて話した。話しながら、もはやこの事件での私の役割は、すでに記者であることから逸脱しているのではないか、いつの間にやら取材者と言うよりは情報提供者、事件の当事者になっているのではないかという気がしてならなかった。あの日カラオケボックスで、島田さんや陽子さんから「何か」を受け取ったように、今度は私が誰かに「何か」を託す番だった。私は取材先や資料を含む一切合財の情報を提供した。島田さんや陽子さんも紹介した。これでまた何かが動かないだろうか。私は鳥越、山路両氏に過大ともいえる期待をかけながら放映日を待った。

三月四日、「ザ・スクープ」が放送された。

「警察に〝無視〟された——桶川女子大生殺害の真相」というタイトルだった。私はその日、テレビの前に座り込み、じっと画面を見詰めていた。丁寧な番組作りだった。再現シーンを交えながら、上尾署の対応のひどさが報じられていた。徹底して警察の対応と「告訴取り下げ要請」に疑問を投げかけた番組だった。

鳥越氏は上尾署に質問書を送っている。十項目の質問事項の中では三項目の回答に焦点が当てられていた。質問内容はこうだ。一、告訴の取り下げを要請した事実はあるのか。二、嫌がらせ行為を受けた詩織さんが相談にきた際の上尾署の対応について。三、名誉毀損の刑事告訴を受理してからの猪野家への対応。

埼玉県警察本部広報の名で返ってきた上尾署の回答はこうだった。

一、被害者及び家族に対し名誉毀損《きそん》事案の告訴の取り下げを依頼した事実はありません。
二、弁護士への相談等を教示したところ、後日弁護士に相談して解決した旨《むね》の連絡がありました。
三、本件捜査を継続中、担当捜査員が再三にわたり被害者方を訪問し、必要な書類の作成、及びその後の捜査状況、被害確認などの連絡を実施しております。

思わず笑ってしまった。一の返答はまたかという感じだが、二や三など出鱈目《でたらめ》もいいところではないか。いつ詩織さんが弁護士に相談して、解決したなどと警察に連絡したというのだ。再三にわたって猪野家に警察が行った？　何度も警察に行ったのは猪野さん達の方ではないか。殺人事件が起こってからだって、実行犯の特定や逮捕、小松の死を伝えたのは私だ。警察が何をやったというのだ。

画面の中では鳥越氏がこう言っていた。

「警察が捜査しているときに詩織さんが殺されたら、これは重大なミスです。ですが、捜査していなくて殺されたのなら、これも重大なミスです。どう転んでも上尾署の責任は免れないのではないでしょうか」

内部調査をきちんとやってもらいたい、と締めくくりに彼はそう言った。

上尾署の問題がテレビで報じられたのはこれで三回目だった。なんとか反響を呼ばないだろうか。今はまだ小さな火種だが、これが大きく燃え上がれば――。

それから四日後の夕方、私は編集部で新聞を広げていた。目的はネタ探しだから次から次へと斜めに読み飛ばす。背後にある編集部のテレビが漫然とついていたが、興味薄の国会質疑応答だった。私は事件記者だ。国会の質疑応答にネタがあるわけもない。音声だけがなんとなく耳に入ってきていた。ふと、その女性の声で読み上げられているセリフを頭の中で組み立ててみて腰を抜かした。

「……それに対して刑事はこう言い放ったと言います。そんなにプレゼント貰《もら》って。別れたいと言えば普通怒るよ、男は。あなたもいい思いしたんじゃないの。男と女の問題だし、立ち入れないんだよね」

一瞬、頭にカラオケボックスが甦《よみがえ》った。時間と場所が混乱し、その女性の声が詩織さんの友人の声とダブった。いや、違う。これはＦＯＣＵＳの記事だ。記事が、そのまま読まれているのだ。慌《あわ》ててテレビ画面に目を向けると、予算委員会室で女性議員がＦＯ

CUSの誌面を広げているではないか。

驚いた。「三流」週刊誌の記事が、国会で朗読されているのだ。事情はなんだかよく分からないが、これなら警察も知らん顔は出来ないだろう。国会で議員から質問が出れば、さすがになんらかの回答をしなければならないのではないか。

記事の内容にもちろん自信はある。事実関係を争うのならば私の思うところである。質問していたのは民主党の竹村泰子議員だった。かなり長くFOCUSを引用した後、

「(告訴取り下げを依頼した) そういう事実はありますか」

と警察庁の林則清刑事局長に迫っていた。

「事実はないが、誤解を生ずる発言はあった」

刑事局長はこんな答弁をしているではないか。

そんなことを言ってしまって良いのだろうか、私は他人事ながら心配になった。「事実はない」と言い切ってしまっているのである。きっとまた、どこかで誰かが嘘《うそ》をついたというわけだ。これは面白くなってきた。調べてみると前日にはこんなやりとりも交わされている。竹村議員が記事に登場する刑事のその後の処遇を問うと、刑事局長はこう答えた。

「存じておりません」

質問は予告してあるのになぜ調べていないのか、という問いに対しては、

「怠慢でございました」

と発言し、失笑を買っている。あげく、不適切発言を訂正される始末だ。

後日、竹村氏は質問を行うまでの経緯をこう話してくれた。

「北海道に戻って自分の家で『ザ・スクープ』を見たのがきっかけです。翌日から東京で資料を集めてFOCUSを読みました。これが本当ならひどい話だ。こんなことがあっても良いものか、と思いました。そんな折、予算委員会で質問時間があったので、この問題を取り上げることにしたんです」

「質問後、マスコミの取材依頼が殺到し、賛成や激励の電話も頂きました。あの事件がここまで国民的関心事になっていたとは思わなかったですね。最大の問題は市民が恐怖を感じたら、結局は警察以外は頼るところはないわけでしょ。それがこんな状態では市民としてはどうしようもないですね」

「殺人事件の捜査でも、圧倒的な権力を持っているはずの警察が、たかが写真誌の取材にも及ばなかったというのは一体どういうことなのか、これは構造的な問題が露呈しているということの一つの象徴でしょうね。私が問題にしたかったのはそういうことなんです」

言いたいことを、バッサリ言ってもらえた、そんな爽快《そうかい》さだった。「ブロードキャスター」、「ワイド！スクランブル」と来て、「ザ・スクープ」でようやく火が点《つ》いた。また、「何か」が事態を動かし始めたのだ。私は少し、元気を取り戻していた。まだまだ大きな火になるはずだ。

この日をきっかけに、国会は「ストーカー法案」立法に向けて動き始めた。

国会質疑の翌日、九日には、今度は埼玉県議会でも県警がヤリ玉に挙がった。警察常任委員会で県議の長沼威《たけし》氏から追及を受けたのである。それを知って私は早速長沼氏に話を聞いた。

「FOCUSでは何度もストーカーの顔も名前も出ていたのに、なぜ逮捕できなかったのか不思議でした。それで質問してみたんです」

これに対し県警の横内泉刑事部長は、「関心は持ってはいたが所在が摑《つか》めなかった」と明らかに返答に困っていたという。

関心は持っていた……？　何だそれは。

被害者の真摯《しんし》な訴えをその程度で聞いていたというのか。それでロクな捜査もしてなかったのか。あなた達が本気で和人の居場所を探していたとは思えない。詩織さんが告訴した後に警察がやったことといえば、戸籍調査と池袋の小松のマンションに一度行ったことだけではないか。その上、刺殺事件以後もろくに和人を探していなかった。沖縄にさえ捜査員を出していない。

関心を持っていたのに探せなかったというなら、きっと久保田と川上もそうなのだろう。いったい百人もの捜査員はどこで何をしていたのか。どうして私の取材先でまるでかち合わなかったのか。県議に代わって私が質問をしたいくらいだった。

新聞やテレビニュースのいわゆる「報道」系のメディアも、国会で取り上げられると上尾署の問題を無視出来なくなってきたようだった。大新聞も、埼玉県版を中心にだが、記事にする社がちらほら出始めた。中には私に問い合わせてきてくれた新聞記者もいたが、ズバリと警察を批判する記事が出るところまではいかず、「遺族と県警の言い分が食い違っている」というような奥歯にモノが挟まったようなものになることがほとんどだった。私はもはや自分の力の及ばぬところで推移するこの事件を、当事者でもあるかのように祈りながら見守るしかなかった。

しかし、この問題に対する県警の一連の動きは、実に興味深いものがある。刺殺事件直後の十月下旬から、私を含めた数社の記者が、詩織さんの自宅にやってきた刑事の「告訴取り下げ要請」を知ってそれぞれに取材をかけた。しかし、この疑問に対して上尾署幹部は一貫してこう返答していた。

「調べてみたがそんな刑事はいない。記録も報告もない」

この姿勢は以後しばらくまるで変わらなかった。

一月、ＦＯＣＵＳがはっきりと「上尾署の刑事が告訴取り下げ要請を行った」と報じると、今度は記事そのものを全面的に否定。その一方で一連のテレビ取材の申し込みもほとんど拒否するようになる。唯一《ゆいいつ》「ザ・スクープ」の質問状には回答を寄せているが、告訴取り下げ要請を全面否定する姿勢には変わりがない。都合の悪い質問には回答すらしていない。

次いで、この問題が国会で取り上げられた後の三月九日の埼玉県議会においても、刑事部長は「反省すべき点は多い」としながらも、告訴取り下げ要請の有無についてはまだはっきりと否定しているのである。

問題だったのは、それらの回答が新聞紙面を飾っていったことだった。詩織さんのご両親が取材に応じないことをいいことに、県警は記者達に出鱈目を並べた。それがまた安易に紙面になるのだ。被害者側の取材が困難な状況で、警察がベラベラと話をしてくれれば取材は安易な方向へ流れる。組織内部のことについてならともかく、事件捜査については警察も嘘をつかない、という当時はまだ通用した幻想も影響しただろう。警察と被害者の利害は一致しているはずだという、よく考えれば何の根拠もない思い込みもあっただろう。その意図がどうであれ、現実には県警の嘘の言い分だけが報道されたのだ。

竹村議員の最初の質問から三日後の三月十日、それまで沈黙を守ってきた詩織さんの

父親が、見かねて弁護士を通してコメントを出した。警察がトボケ続ける中、猪野さんは文書によりはっきりと、

「告訴を取り下げてもらえないかと言われた。娘が殺されるまでの上尾署の対応には全く納得していない」

と発表したのである。ブスブス燻《くすぶ》っていた警察に対する批判はこれで一気に燃え上がるかと私は期待した。だが、それでも大新聞はこのコメントを県版やベタ記事程度にするだけだった。

私は不思議で仕方がなかった。それまでは、被害者側からの確認が取れないから記事に出来ない、と新聞記者達は言っていたのだ。遺族は弁護士を通した正式なコメントを出しているではないか。それでもこんな扱いでしかないのか？

県警のある幹部が、

「遺族達は、実行犯達が逮捕された時には菓子折りを持って上尾署にお礼に来た。感謝されていたはずだ」

と記者に耳打ちする。するとそれはそのまま新聞記事になるのだ。もちろんこんな事実はない。見事なまでの嘘である。しかし、警察官が言うだけで記事になるのだ。

幹部はさらにこんなことも平気で新聞記者に話していた。

「まぁ誤解を与えるような言動はあったかもしれない。でも三月に入ってから猪野さん

のご両親と会い、納得してもらった。今はお父さんも『早合点、誤解だった。そんな話はなかったような気がする』と言ってくれてるし、お母さんも『私もそそっかしいから勘違いしたかも』と言ってくれています」

これも全部嘘である。当時私は、これらの話を猪野さんに一つ一つ確認を取っていた。まったくのでっちあげであった。原則としてマスコミの取材を一切拒否していた猪野さんであったが、弁護士を依頼する前からの付き合いである私には、それとなく話をしてくれていたのである。

しかしよくもまあこれだけ嘘を並べ立てられるものだった。ならばこの県警の「嘘」からまず記事にしてやろう……。記事のテーマが決まった。タイトルも「桶川女子大生殺人『告訴取り下げ騒動』で警察がついた嘘の山――疑惑はついに国会へ」とする。

竹村議員のコメント、埼玉県議会の警察常任委員会でのやりとり、そして、焦点の「告訴取り下げ要請」に関して県警がつき続けた嘘を並べた。

詩織さんの両親のコメントも使わせてもらう。

「冗談じゃない、本当に警察はそんなことを言っているのですか。うそっぱちです。あの刑事は〝告訴取り下げ〟という言葉をハッキリと言いましたし、この事実は警察がどんなに隠そうとしても絶対変わりません」力強い言葉だった。

そして、なぜ刑事がわざわざ告訴を取り下げさせようとしたのか、警察関係者のコメントも挿入した。

「告訴を受理すると検察庁への書類送付義務が生じます。また、県警本部でも状況が管理されるのです。おまけに、あの九月は上尾署の署長が代わった時期で、継続捜査事案にはチェックが入るのです。受理してから二ヶ月近く捜査が進展してなければ、問題になります。でも被害者が自分から取り下げてくれれば、すべてチャラ。解決するより、事件そのものを無くしてしまおうと思ったのでは」

なるほど、そういう考えがあるのか、私はその話を聞いて唸《うな》った。

この頃、ミスターTは、ある警察幹部とこんなやりとりをしている。今見れば、この幹部が嘘をついているか、部下に嘘をつかれているかのどちらかだということは明らかである。事件発生当初から被害者側の言い分を知っているミスターTは、すべての事情を把握した上で懸命に食い下がっている。しかし、対する警察幹部も堂々と「嘘」を言い張る。

T　告訴取り下げ勧告の事実はあったのか。

警　ない。本人から長々事情を聴いているが、一貫して「そんなことは言っていない」と言っている。

T　疑わしいとは思わないのか。

警　事件の被疑者ではない。取り調べということでもやってない。「やったと言え」とでも言うのか。それこそ、事実をねじ曲げることになる。わたしは言ってないと信じる。

T　言った、言わない、の水掛け論をするつもりはない。ただ、少なくとも先方は、取り下げるよう言われたと思っているわけだから、まったくの事実無根ということではないはずだ。

警　その点については、誤解を与えるような言動があったということだ。ただ、本人も言っていないことは覚えているはずがないので、はっきりとどう言ったのかについてはまだ分からない。

T　文言が分からないということか。

警　そうだ。分かっているのは「犯人に到達するのは難しい」と言ったことぐらい。ズバリ、「取り下げてほしい」というようなことは言っていない。

T　普通の人はそれだけでは誤解しないと思うが……。

警　告訴状の扱いについての言動があったかもしれないが、わたしは確認していない。

T　それが「取り下げ勧告」ではないのか。

警　そうではない。扱いについての言動は、はっきりしていない。どういう趣旨のものだったか不明だ。

T　どうして猪野さんの両親が誤解したのか納得できない。

警　それは、一日だけのことではないと思う。それ以前からのこともあるのだろう。言動だけではなく、態度から誤解された部分もあると思う。本人は「態度と言葉で（両親を）傷つけることはあったかもしれない」と話している。しかし、「この言動で誤解を与えた」という明確なものについては「思い当たらない」と言っている。

警察はなんとも必死である。誰かが保身のために懸命に書いた脚本、それを唱え続ける警察幹部。

ミスターTがこう解説してくれた。

「実に馬鹿馬鹿《ばかばか》しい会話だろう？　相手が何のために嘘をつくのか、なにを守ろうとしているのか、百も承知で聞いているんだよ。いやそれどころか、相手もこちらが裏の事情を知ってて尋ねてるのを理解しているんだぜ」

いかにも警察らしい話だった。否定さえしておけば否定コメントが紙面に載る、それで「事実」が作られていくというわけだ。新聞記者も舐《な》められたものではないか。

「でも、俺はおじさんみたいにこういう警察の対応を許せないとは思わないよ。彼らは捜査本部なんか存在しなければ、夕方さっさと仕事を終えて、駅前の赤ちょうちんで一杯やるか、家に帰って野球中継でも見るか、そんな普通の人達なんだよ」

それはそうだろう。警察官だって人の子だ。普通で悪いとは全然思わない。だが、だからといって事件があるのに捜査をしない、ましてや事件そのものをなくしてしまおうという奴《やつ》らをかばって嘘《うそ》をつくなど許されることか。

「事なかれ主義と言ってしまえばそれまでだけどさ、保守的な人達はどこの世界にもいるよ。問題は避けて通りたいさ。警察官だって同じだよ。みんなサラリーマンなんだぜ」

私より年下のミスターTの方がよほど大人である。しかし、許せないものは許せない。私は頭に血が上って仕方なかった。子供のようだが「だって嘘じゃんよー!」と叫びたかった。

県警の嘘の連続に、三月二十四日、ついに詩織さんの父親自身が記者会見する覚悟を決めた。

午前十一時、浦和の弁護士会館ホールに弁護士と一緒に現れた猪野さんは、用意された原稿を淡々と読み始めた。弁護士主催のこの会見には、クラブ員でなくとも入れる。

私は新聞記者達の後方から会見を聞いていた。

　私の心に残ったのは次の言葉だった。

「告訴取り下げを言った、言わないの問題ではない、助けを求めたのに娘を殺されたのが残念です」

　本当にその通りだと思った。ああ言った、こう言われたなどということが本質ではないのだ。だのに我々は県警のつまらぬ嘘のおかげで、問題の入り口のところで足踏みしていた。なぜ詩織さんが死ななければならなかったのか、そのことの方がよほど大事であるはずだった。苛立《いらだ》たしかった。いつまで県警はこんな下らない三文芝居を続けるつもりなのか。


　またもミスターTが妙な話を持ってきた。久保田が犯行に使った凶器のナイフを、捜査本部は未《いま》だに発見していないというのである。しかも、その投棄場所は殺害現場のすぐ近くだという。

　事件当日、久保田は詩織さんを殺害した後、現場である大型ショッピングストアーの自転車置き場を通り抜け、裏手にある団地の敷地を徒歩で逃げた。そして、その団地の出口で待機していた川上の車に乗り込み逃走。ところが、凶器は車に乗った時にはすでになかった。久保田が言うには団地敷地内の植え込みに隠したのだという。

事件の物証として凶器以上のものはない。この事件では「犯人しか知り得ぬ秘密の暴露」ということにもなる。それをなぜ回収できないのか。久保田を現場に立ち合わせれば、捜索は比較的容易に思えた。すでに誰かが持ち去ってしまったということがあるだろうか。これほど有名になった事件の刺殺現場のすぐ裏手に落ちていたナイフである。おそらくは血痕《けっこん》だってついていただろう。そんなものを果たして拾っていく人がいるだろうか……。

私は興味をそそられた。まだ現場にあるのならば、私達で探せないだろうか。私とミスターTは、桜井と三人で凶器を捜索することにした。

いったいどこで取材してきたのか、ミスターTによると犯行に使われたナイフはアメリカのS&W社製のミリタリーナイフだった。型番も判明していた。久保田はこのナイフを池袋のDIYショップで購入したというのだが、その店とは、そう、池袋の通り魔や爆弾男が凶器や材料を仕入れたあの店である。

まず、現物と同じ物を見たかった。しかし、事件以後DIYショップではこの型のナイフを扱うのを中断しているようだった。ナイフの展示台の中でそこだけがすっぽり空いていた。インターネットなどでも探してみたが、どこも在庫切れであった。こうなるとますます見たくなるのが私の性格だ。書店からナイフ専門誌を探してきて、在庫を探して歩いた。編集部の他の連中は「今度はナイフか」と呆《あき》れた表情である。専門店の広告を見て電話を掛けまくる。

それは渋谷にあった。

専門店のショーウインドウの中で鋭く光るステンレスのナイフ。想像以上の怖さだった。全長二四五ミリ。刃渡り部分は一二五ミリで、その真ん中が広がった両刃。持つだけでも下手をしたら怪我《けが》をしそうな恐ろしい形状だ。柄は黒いゴム製で、ベルトクリップが付いた革のケースに入っていた。

「こんな両刃のナイフは人を殺すしか使いみちはないでしょう。下手したら持っているだけで銃刀法違反になるかもしれませんよ」

そのナイフを売っているはずの店主がそう言った。

久保田はこのナイフで詩織さんを二度も刺したのである。実物を見れば明らかに殺意があったことがはっきり分かる。このナイフを見るのと見ないのとでは、事件全体のイメージは全然違ってくるだろう。裁判官にはぜひ見てもらいたいと思う。

私は、ナイフ捜索のために用具も調達した。大阪の専門業者から二台の金属探知機をレンタルしたのである。試しに会社の前の植え込みにナイフを隠して探す実験をした。見つかるとピー、ピーと音がする。

翌日から我々混成捜索班は、刺殺事件現場裏の団地近辺や歩道の植え込みを探知機片手に探し廻《まわ》った。花粉症の私と桜井は、マスクを装備しての捜索だ。木々には大量の花粉が乗っている。ちょっと葉を揺らしただけで花粉は容赦なく飛び散った。涙と鼻水をずるずるさせながら、腰をかがめて植え込みをのぞいて廻る。せっかくだから空き缶などのゴミ拾いもして歩く。探知機は目立たぬよう黒いビニールにくるんで使った。

しかし、あまりに広すぎた。団地の内外には途方に暮れるほど植え込みがあったのだ。容疑者の詳しい供述がないことが恨めしい。

二日目からは松原のおっさんと、さらにもう一名スタッフを投入した。捜索班はこれで総勢五名である。だが結果は同じであった。樹木の下には枯葉が積もり、その中に落ちていたら発見は難しい。なにしろ季節は秋から冬、今はもう春へと移り変わっているのだ。ときには汗ばむほどの陽気の中で、数日間にわたって捜索は続いた。

結局凶器が出てくることはなかったが、とはいえこの作業の意味もなくはなかった。団地の管理者や住人達に話を聞いて廻った結果、十月の事件発生以降は、捜査員がここにはまるで来ていないということが分かった。凶器もろくに探していなかったのか。百名もいた捜査員は、例のごとくここにも来ていなかったのである。

三月二十六日、FOCUSの締め切りが来ていた。ナイフが見つからなかったので、記事には同型のナイフの原寸写真を載せることは決めていた。殺意が具象化したようなこの凶器を読者に見てもらいたかった。タイトルは「未だ『凶器』見つからず『桶川事件』もう一つのズサン捜査――事件に使われた両刃のナイフ」とでもしよう。だが、これだけでは写真が足りない。久保田の逃走経路と凶器の投棄場所を空から一枚に収めてみようと思った。

その日、私は現場から程近い「ホンダエアポート」にいた。荒川河川敷に位置するこの空港は小型機専門で、普段私が航空撮影をする時のベースだ。乗るのはセスナ172スカイホーク。アメリカ製で信頼性の高い機体だ。エンジンが心地よい音を上げていた。機内に乗り込み、ベルトで体を固定する。機体は滑走路をぐんぐんスピードを上げて走っていく。航空機の離陸方向は風向きによって変わる。今日は北向きだ。セスナがろくろく高度も上げずに右旋回すると、すでにそこは桶川駅上空である。

見慣れたはずの現場も、上空から見ると新鮮だった。航空法ぎりぎり一杯の千フィート（約三百メートル）まで高度を下げてもらうと、窓についているプラスチック製の撮影用窓枠の安全ピンを抜き、窓枠を全開にする。記事を書くのも自分なので、フレーミングに迷いもない。ズームレンズで廻りをきちっと切り取って、撮影はあっと言う間に終了した。三十六枚撮りのフィルム一本で十分である。

日曜日だった。ホンダエアポートはパラシュート降下訓練でも有名な場所だ。ちょうど降下を始めているスカイダイバーチームのために、セスナは上空で待機することになった。少し高度をとって旋回する。

足元にゴルフ場が見える。そして高圧線。そのすぐ脇《わき》が猪野さんの家だ。あの日、詩織さんは自転車に乗ってそこを出た。住宅地を抜け、公園の脇を通る。そのコースの先が桶川駅だ……。私の目が自然とたどっていった詩織さんがあの日通った道筋は、どうしてもある一点に吸い寄せられてしまっていた。久保田達の待ち受けた場所。彼女が生を終えた場所。

無理矢理、ひきはがすように東京方面に眼を向けた。池袋サンシャインビルが小さく霞《かす》んで見えた。そのかすかな姿は、私にストーカー達を思い出させた。

あのビルの影を、彼らは根城にしていたのだ、ここから何十キロも離れたあの場所を……。

事態が急激に動き出すことを知らず、四月四日、その日私は台北《タイペイ》行きの飛行機に乗っていた。とんぼ返りで台湾に行かなければならなかったので、早朝の便に乗り込んだのだが、私は睡眠不足でうとうとしていた。しかし、何気なく手に取った新聞の一面には眠気を吹き飛ばすような記事が掲載されていたのである。

「『告訴』調書、勝手に改ざん」という見出しのその記事は、上尾署の捜査員が詩織さんの告訴を単なる被害届に変えるため、調書を勝手に書き換えてしまったことを伝えていた。

なんなんだそれは。

私もそんなことまでは予想もしていなかった。県警は、告訴を取り下げさせようとしたことを隠しているものだとばかり思っていた。そのために嘘をついているのだと思っていたのだ。だが、実際に行われていたことは、はるかに悪質だった。調書を書き換えたというのなら、「告訴取り下げ要請」をしただのしないだのという話ではない。警察が勝手に取り下げてしまっているのだ、事件そのものをなくしてしまったということではないか。小松に対する捜査が進むわけがない。

私は航空会社のスタンプの押された新聞を持ったまま茫然《ぼうぜん》としていた。

四月六日、県警調査グループは内部調査報告書を発表した。同時に十二名の処分が決定。この中には県警本部長の名前まで含まれていた。書類改竄《かいざん》などに直接関わったこのうち三人の処分は懲戒免職、その上虚偽公文書作成などの容疑で書類送検されることになった。詩織さん達の訴えを真剣に聞かなかったK刑事二課長（四八）とF刑事係長（五四）、そして猪野家にやって来て「告訴取り下げ要請」をしたニセ刑事ことH巡査長（四〇）の三名だった。動機としては、報告義務や捜査が面倒だと思い、告訴を減らしたかったのだという。

あれほど「そんな事実はない」と言い続けていた埼玉県警が、事実がないどころではない、最悪の形ですべてを翻《ひるがえ》したのだ。「女子大生殺人事件」の裏に隠れ続けてきた、いや隠し続けて来た「桶川事件」の全貌《ぜんぼう》が、ようやく明るみに出ようとしていた。

私がカラオケボックスで「遺言」を聞き、取材を始めてから、実に五ヶ月の月日が流れていた。

大メディアの流れは急変した。被害者側の訴えなど、知っていてもほとんど記事にしなかった大手マスコミが、狂喜したように県警叩《だた》きに躍起になっていた。「桶川事件」がいきなり一面トップであった。しかもその根拠たるやさんざん嘘をついてきた県警が「これが事実です」と発表したことなのだから、ブラックジョークとしか思えなかった。警察の発表だと、どうしてこんなに簡単に信用するのだろうか。それまで県警は嘘を並べ続けてきたのに、それでも県警の発表の方が被害者の父親の会見より真実味があるというのか。詩織さんの「遺言」は記事に出来なくても、警察から文書が配布された瞬間に警察官の行為は犯罪として報じられ、突然事実となるのか……。あまりの変貌ぶりに、私は驚くしかなかった。

それでも、ともかくも火は点《つ》いていた。ぼうぼうと燃え盛っていた。神奈川県警、新潟県警に続く警察不祥事に、嬉々《きき》としてメディアが踊っていた。私が望んでいた通りの光景が、そこに繰り広げられているはずだった。

だが、本当にこれが私の望んでいたことだったのだろうか……。

私はこの事件で受け取った二本のバトンをなんとか誰かに手渡すことが出来たのだろうか。

県警本部長が会見の中で、

「名誉毀損《きそん》の捜査がまっとうされていれば、このような結果が避けられた可能性もある」

と、上尾署の対応の悪さが、結果的に詩織さんの殺害事件発生を見逃してしまったことを認めていた。あれほど否定していた名誉毀損の刑事告訴取り下げ要請を認めていた。調書の改竄、ニセ書類の作成を認めていた……。

県警の過《あやま》ちが明らかになることを、私は望んでいたはずだった。「警察が詩織さんを見殺しにしたのです」と大声で叫ぶメディアの登場を望んでいたはずだった。だが、何かが違った。

刺殺事件が発生したその日、上尾署の捜査本部は、通常の事件では考えられない程の、超一級の「捜査資料」を持っていた。それは、詩織さんが嫌な思いを我慢しながらやっとの思いで作成した告訴調書だ。検察或《ある》いは警察に行って口頭で告訴する場合、検察官或いは警察官が作成する調書のことを告訴調書という。告訴状と同様と思えばいい。そこには一連のストーカー被害の訴えから、事件に至るまでの経緯、それどころか「犯人」の名前や捜査のヒントまでこと細かに書かれていたはずである。私が、詩織さんの友人達からやっとの思いで聞き集めた話とは桁《けた》違いの資料である。

その告訴調書を、「告訴した」という内容から「被害届を出した」という内容に書き換えたのが、書類送検された三名の行った犯罪だった。だが事件が起こって、その告訴調書を捜査幹部や一線の捜査員が見ていないはずはなかった。それどころか、その書類を作った刑事達は捜査幹部に呼ばれてさらに細かい経緯を聞かれていたはずだ。

その告訴調書は「告訴」の部分が二本線で消され「届出」と書き直されているのである。調書を見ていた捜査員達が五ヶ月間にわたり、揃《そろ》いも揃って誰もそれに気がつかなかったということがありうるだろうか。

刺殺事件当日、九九年十月二十六日午後六時の記者会見の質疑応答では、こういうやりとりがあった。上尾署の答えは今から思えばとても重要だ。

Q　被害者にトラブルはあったのか。

A　トラブルかどうかわかりませんが、本年七月下旬ごろ、名誉毀損的な被害届を被害者から受理しています。

何のことはない、ここでハッキリと被害届と受け答えしているのである。猪野詩織という二十一歳の女子大生が出した「告訴状」ではなく「被害届」を確認しているのである。「告訴を取り下げる」どころではない、この段階で、すでに「告訴」の文字に二本線を入れて改竄された調書を上尾署は「確認」していたということではないか。以後、会見などでは「告訴」になったり、「届」になったりと二転三転している。

十一月には私が「ニセ刑事」という間抜けな記事を書き、年明け早々には「告訴取り下げ要請」の記事も出した。ワイドショーもさまざまな問題を指摘し続けていた。その間「告訴取り下げの依頼などするはずもない」と完全否定していながら、事件から五ヶ月もたった三月に入って特別調査チームとやらが調べてみたら、「驚いたことに改竄されていました。今初めて気がついた」とはよくも言える。事件の被害者に関する重要な書類が、その日まで「告訴」なのか「届出」なのかよく分かりませんでした、と言うのか。

それで責任を取らされたのが懲戒免職となり、書類送検された三名の警察官だけというのではどうにも納得いかない話だ。所詮《しょせん》トカゲの尻尾《しっぽ》切りではないのか。

FOCUS3号の「警察批判」の取材で、小久保記者が上尾署に行ったのは、一月七日のことだ。ここで彼は「K刑事二課長」の名前を出して、副署長に当てている。

すると、直後の一月十日頃から、Kを含む三名の捜査員達は名誉毀損の証拠品であるビラを処分してしまったにも拘《かかわ》らず、あたかも保管しているかのように見せかけるため、猛然とニセ書類作りを始めているのだ。七月二十九日に出された告訴調書を九月七日頃、被害届に書き換えたまま、何もしなかった捜査員達がこの時期になって突然動き出したのは、小久保の取材が原因しているとしか思えない。

　同じ頃、実は上尾署は詩織さんの父親からもう一度名誉毀損の告訴調書をとっている。詩織さんの母親を、今更のようにビラの貼《は》ってあった場所に引っ張り出し、写真を撮ったりしているのだ。週刊誌に「やる気がない」と指摘された時、詩織さんの告訴調書はすでに改竄されていたため「被害届」になってしまっていた。上尾署はあの記事で相当焦《あせ》っただろう。名誉毀損は親告罪だから被害者の告訴がなければ捜査は出来ても逮捕は出来ない。そのため告訴調書が存在しているかのように取り繕うためには、新たな告訴調書をとるしか方法がなかったのだ。

　だがそんなことを、一誌とはいえ週刊誌に問題にされている、当のK刑事二課長を中心とするたった三人で独自に行うことなど出来るだろうか。すでにこの段階では、上尾署、ひいては捜査本部でも相当の人数が、詩織さんの告訴調書が改竄されていたことを知っていたと考える方が自然なのだ。その上、H巡査長はその後の自身の裁判の中で、「調書の改竄は以前上司に指導され、別の事件でもやっていた」と述べている。警察では珍しいことではないようではないか。

　これはいったいどういうことなのか。

　市民が恐怖を覚え、助けを求めに行くとしたら、そこは警察署しかない。管内に住む住人の生命財産を守ること。それこそ警察官としての最も重要な任務ではないのか。そんなことは小学校の教科書にだって書いてあるだろう。しかし上尾署が必死になって守ろうとしたのは、「楽な仕事」や「名誉」や「地位」であって市民では決してなかったということだ……。

K刑事二課長は、長く鑑識課で仕事をしており、実は捜査の実務経験はほとんどなかったという。テレビ報道によれば、K課長は取り調べに対して、

「捜査を指揮する自分の能力に不安を感じていた。他の事件も抱えていたため、なるべく事件を背負いたくなかった」

と語ったという。

しかし、これが真実なのか。私は今、それすら疑問に感じている。本当にそんなことだけでK刑事二課長は、二日間必死で助けを求めた詩織さん達の訴えを聞き流したのか。告訴の受理を先送りにしたのか。刑事告訴の取り下げまでさせようとしたのか。

しかも、だ。私がこの取材を通じてずっと感じていた疑問。

百名の捜査員はどこにいたのだ?

刺殺事件から二ヶ月間、私が刺殺犯を特定するまで何をやっていたのだ。

最初の記者会見。桜井から電話で聞いたあの会見で、警察は何を発表したか。「グッチ」だ「プラダ」だ「厚底ブーツ」だ「ミニスカート」だ……。いったいどんなつもり

でそんな発表をしたのか？

詩織さんが友人に頼まれ、事件の一年も前にやむなく二週間だけ勤めたアルバイト先を記者達に流したのも警察だ。そこが酒を出す店であったばかりに「風俗店」と呼ばれることになるのは承知の上でだ。

詩織さんが殺害された直後、各社の新聞記者の夜廻《よまわ》りを受けていた捜査員は、接触してくる記者達になんと言い続けていたか。

「あれは風俗嬢のB級事件だからね」

失礼な話ではないか。このマスコミへの誘導ぶりはなんなのだ。何を意図して普通のお嬢さんをある型にはめたがるのだ？

飛びついたマスコミもマスコミだった。これらの話がどんどん増殖を重ね、ワイドショーや週刊誌、スポーツ紙を飾っていった。「風俗嬢」だの「ブランド依存症」だの、悪意があるのかとさえ思えるほど、警察協力のもと立派な虚像を描いてくれた。別の言い方でもよい。見事に多くのメディアがこの罠《わな》に落ちていった。なんとも皮肉なことに、詩織さんの名誉をめちゃくちゃにしたかった小松和人の希望は、警察とマスコミによってかなえられたのだ。久保田逮捕直後には、日本一の発行部数を誇る新聞までもが詩織さんのことを「ホステスとして働いていた」と書いたほどだった。これらの記事と、あの日バラまかれた黄色いビラにいったいどんな違いがあるというのか。しかも、そもそも風俗嬢だのブランド依存症だのホステスだの、この事件にいったい何の関係があったのか？

小松和人が指名手配を受け、ようやく各メディアが彼を実名で報じるようになると、今度はこうだ。「当時、風俗店店長と交際をしていた猪野詩織さんは……」すでに述べたように、小松和人は「カーディーラーの小松誠、二十三歳」と仕事も名前も年齢も嘘《うそ》をついて詩織さんに近づいたのだ。詩織さんは亡《な》くなるまで和人の仕事なぞ知らなかった。知りたくても分からず、警察も調べてはくれなかった。この表現が、果たして「事実」を伝えているといえるのか？

性風俗店の店長と付き合っている「普通」の女子大生などというイメージを一般読者が持てるだろうか。なのに、まるで詩織さんがそれと知りながら交際していたかのような報道は、あまりに配慮がないのではないか。

出鱈目《でたらめ》な情報をもとにして、ついには「そんなお店に勤めていたなら彼女も悪いですね」などと言い出す女性コメンテーターまでテレビに出現した。

いずれも同じベクトルだ。

「風俗嬢だから、ブランド依存症だから、殺されたんじゃないか。随分高価なプレゼントをいっぱいもらったみたいだしね。相手は風俗店の店長だったんでしょ……」

誰も殺人事件などに巻き込まれたくない。被害者は自分と似ていない人であって欲しい。自分と住む世界が違えば違うほど安心できる。

「あぁ、あの女性はやはりこんな女性だったんだ、私とは違うんだ、うちの娘とは違う。だから殺されたのだ。仕方がないんだ」世間にそう思わせたいわけか。

百歩譲ってマスコミは警察にミスリードされたのだとしよう、だが、どうして警察はそうまでしてイメージ誘導をしたがったのか。なぜこの事件は「風俗嬢のB級事件」でなければならなかったのか。

何度でも書こう。

県警はどうしても小松和人を逮捕したくなかった。

捜査本部は、ろくに捜査もせずに事件発生から二ヶ月を消費した。その間、たかが三人から成るチームが、多くの人の助けと、これまた多くの幸運に支えられたとはいえ実行犯を割り出し、撮影に成功しているというのに。我々はどこで捜査員に出会ったろう。

その頃彼らは本来の像とは違う詩織さんのイメージ形成に躍起になっていた。仕事がしたくないからという到底信じがたい理由で改竄《かいざん》された告訴調書も徹底的に隠蔽《いんぺい》した。武史は主犯格として殺人容疑で逮捕されたというのに、小松和人は最後の最後に名誉毀損で指名手配されただけでしかも起訴猶予《ゆうよ》だ。

この歪《ゆが》みようはいったいなんなのだ。

根本はやはり、詩織さんの「遺言」だけは拒否しなければならなかったということなのか。

二十一歳の女子大生が、必死になって「殺される」と訴えたにも拘らず、見殺しにしたことをどうあっても認めたくないと、そういうことか。

埼玉県警は処分者は出した。だが、本当に真摯《しんし》に反省などしているのか。

最終的に警察が描いた絵柄がどんなものか見てみればいい。実行犯久保田が小松武史の指示だと自供。武史の動機は、弟和人を苦しめる悪い女を懲《こ》らしめてやるつもりだった。よって和人は無関係、というものだ。その絵柄を最後まで押し通したのだ。現在公判もそれで進行している。和人を絵柄の中から外している限り、詩織さんの「遺言」通りになることはない。それが警察の描いた絵だ。

だが、それが何を意味するか分かっているのだろうか。詩織さんは、名指しして警察にその男からの救いを求めたのに、警察はその男だけ無視するのだ。それは警察の面子《メンツ》によるものなのか。だとしたら、その面子が被害者を二度殺すということになぜ気づかないのか。詩織さんの声は最後まで届かぬままなのか。「犯人」が捕まりさえすればいいのか。「真相」なんてものはどうでもいいのか。

それでは記者クラブの構造と同じだ。事件がどんなものかではなく、警察が何を発表するかが大事だというクラブと、「犯人」さえ逮捕すればいいという警察に何の違いがあるのか。

　詩織さんが刺された時の警察の対応などひどいものだ。猪野さんの家に電話を掛けて、なにごとかと気を揉《も》む母親などお構いなしに「お宅の娘さんは今朝どんな服装で出ていかれました？」というところから話し始める。詩織さんの所持品に免許証があってあらかじめ本人と確認しているにも拘らず、だ。やっと娘が刺されたことを知らされて母親が病院に駆けつけようとしても、まずは警察署に呼ばれ、その後は父親も呼びつけて延々事情聴取だ。その間病院に運ばれた娘の容体が気が気でない両親には安心させるようなことを言いながら、実に十時間以上も署内に引きとめて娘の死に目にも会わせない。結局警察署で娘の死を知らされ、ショックを受けている両親には次から次へと書類、書類、書類でそれが終わるまでは遺体にすら会わせない。そんなことが許されていいのか。そんなに捜査が重要か。記者クラブは官庁に奉仕する。警察は法に奉仕する。どちらも御立派だ。だが、そこに「人間」がいなければ、何の意味もない。日本という国全体がそうなってしまったのか。

　あまつさえ埼玉県警は、その後も彼女や、殺害事件そのもののイメージを安っぽくしようと散々努力した。マスコミの関心を「告訴しても被害届に勝手に変えられてしまうことがある」という事実から少しでもそらして、バレてしまえばトカゲの尻尾切りだ。それが被害者を三度も、四度も、五度も踏みにじっていることになると思わないのか。

「名誉毀損《きそん》の捜査がまっとうされていれば、このような結果が避けられた可能性もある」と県警本部長は記者会見で述べた。

違う。

他人事で言えることではないはずだ。詩織さんの名誉を、生命をもっとも傷つけたのは埼玉県警ではないか。

どうしてそこまで埼玉県警は小松和人を避けたのか。実際、まるで同極の磁石が互いを避けるように、捜査員は終始小松和人だけは避け続けた。沖縄にも捜査員は出さなかった。武史の話では取調べ中、和人が自殺する危険性を警察に何度も伝え、保護を頼んでも笑い飛ばしたという。自分の描いた絵柄がそんなに大事なのだろうか。私は武史に責任がないと思っているわけでは決してない。指示をしたのは武史かも知れないとも思っている。だが、このまま歪んだ形で裁判を進行させて、それでよいという県警の態度のどこにこの事件の反省があったのか。

冒頭陳述要旨には興味深いことが書かれている。

武史が詩織さんを殺害しようとした「経緯」なのだが、その趣旨としては、

「和人が詩織さんから交際を拒絶され、意気消沈してしまった。そこで兄の武史は、詩織さんや家族の名誉を傷つけ、何段階か嫌がらせの度合いを強くしていって、それでも詩織さんが目に見える形で傷つかない場合は殺害しようと企てた―

というものだ。これを読む限りでは主犯は明らかに武史だ。言わずもがなのことだが、弟が女に振られたからその女を殺したのだというわけで、私はそんな「殺人の動機」を聞いたことがない。まあそれはひとまず置くにしても、レイプの依頼や嫌がらせのビラ、カードの作成はおろか、配布や手紙の印刷まですべてが武史首謀ということになっている。しかも、武史はこんなことまで言っていたという。

「あいつの家は犬を飼っている。その犬にホウ酸団子を食べさせて殺して欲しい」

この筋書きは、どこかで見たことがないだろうか。写真がばら撒《ま》かれる、レイプされてビデオを撮られる、そして殺される……。島田さんが、詩織さんから聞いていたこととそっくりそのままではないか。では、誰がこの筋書きを書いたのか？

私は、ここで、ある話を伏せていたことを白状しなければならない。

佳織と初めて会った十二月末のことだった。私は喫茶店のテーブルの向かい側に座る詩織さんそっくりの彼女の口からその話を聞いた。和人についてだった。

記事には出来ない話だった。

刺殺事件が起きる数ヶ月も前、ちょうど和人が詩織さんとの別れを目前にしていた頃だ。和人はこう言っていたという。

「普通に生活できないようにしてやる、風俗で働かなきゃならないようにしてやるんだ、俺の部下達に輪《ま》姦《わ》させてやる、身体《からだ》を傷つけて、心もめちゃくちゃにしてやるんだ」

「知ってる？　人を殺すって簡単なんだよ。人に頼めば数万円でもできるんだ。詩織も、人に頼んで殺してやる。親も殺《や》ってやる。親にも責任があるんだ。仕事をできないようにするか、さもなければぶっ殺すかだ。やる時は、自分が信用している仲間が動くんだよ。俺にはそんな仲間や部下がたくさんいるんだ」

病んだ表情で言い募る和人に、佳織は必死に説得を続けた。

「自分だって親がいるでしょう。その人がそんなことされたら、あなたはどう思うの？」

「いや、自分が信用できるのは兄貴だけだ。兄貴は自分のためならなんでもしてくれる。親なんて関係ない、あいつらなんてどうなってもいいんだ……」

それは和人の「殺害計画」だった。詩織さんの前では決して「殺す」などの直接的な言葉を吐かなかった和人も、佳織には生々しいまでにその感情を吐露していたのだ。和人には十分な殺意があった。ストーカー行為を行う動機も十分だった。

私の取材は、それまで詩織さんサイドからしか出来なかった。しかしこの証言は違った。小松和人本人の口から出た言葉だったのだ。

だが、書くことは出来なかった。書けば今度は佳織が危険に晒《さら》されることにもなりかねなかったからだ。おそらく和人が記事を読めば、どれだけ記事から情報源の痕跡《こんせき》を消そうとしても出所を察してしまうだろう。

彼が塀の向こう側に行ってしまうまでは、私の胸のうちにしまっておくしかない話だった。

今私が冒頭陳述要旨を見て、堪《たま》らなく違和感を感じるのはこの話を聞いていたからだった。ここで和人が語っている「計画」は、警察が用意した武史の「経緯」と詩織さんの「遺言」と見事に一致しないだろうか。情報の出所はそれぞれまったく別個なのだ。そもそもの筋書きを書いたのが誰か、おのずと明らかではないか？　これでもなお、小松和人抜きで公判を進めていくと言うのだろうか。なぜそこまで小松和人を避けるのか。

詩織さんの「遺言」。

私はどうしてもそこに戻ってきてしまう。私は、半年間の取材でそのほとんどが事実であったことを確認してきた。最初は疑問に思っていたことであっても、新しい事実が出てくるたびに詩織さんの「遺言」の正しさを知る、という繰り返しだった。私はほんの小さなヒントから取材を始め、だが私が事実を追うというよりは、事実から逆に手繰られるようにしてここまで来た。いや来られた。詩織さんが島田さん達に手渡し、島田さん達から私に手渡されたその言葉と言葉以外の「何か」だけを頼りに。

「遺言」にはまだ最後に一つだけ残された疑問がある。

「やっぱり小松が手を廻《まわ》したんだ。警察はもう頼りにならない。もうおしまいだ。私、このまま殺されちゃうんだろうな……」詩織さんはそう言った。

「俺は警察の上の方も、政治家もたくさん知っている。この小松に出来ないことはないんだ」

小松は何度も詩織さんに繰り返した。

この一点だけが、私の心の中で未消化の部分だ。いや未《いま》だに背負い続けている「何か」か。

今、事件の陰でやれやれと胸を撫《な》で下ろしているそいつ。どんなに時間がかかっても、いつか必ず、そいつを表に引っ張りだす。心あたりがあるなら覚えていて欲しい。


「女子大生刺殺事件初公判で元東京消防庁職員は起訴事実を否認」

五月二日午前、通信社はこんなフラッシュニュースを流した。刺殺事件の初公判が始まったのだ。予想通り、小松武史は容疑を否認した。

その日の朝、浦和地裁の前には三百人程の列が出来ていた。抽選で入れる四十数席の傍聴席を求めて並ぶ人々だった。とはいえ大半はマスコミが取材のために並ばせている、いわゆる「仕出し屋」さんというアルバイトである。

大手マスコミ各社には、一般傍聴席とは別に、司法記者席というのが用意されている。よって各社一名は記者として入ることが出来るのだ。それでも足りなかったり、司法担当記者以外に事件担当記者や評論家を入れたい社は、アルバイトを動員するのである。そしてその列をカメラに収めてしっかりニュースにもするのだから、マッチポンプもいいところだ。

もちろん私には、司法記者席などという気の利《き》いたものはない。裁判所もまた同じで、記者クラブに加盟していない人間は記者とは見なさない。抽選で当てるしかない。

私は「1番」の抽選券を手にして列の先頭で並んでいた。休みを潰《つぶ》した自主取材だったが、別に気合を入れて早起きしたわけではない。抽選集合場所にぼーっと立っていたら、私のいた位置が先頭になっただけのことである。当たりそうもない番号だった。しかし、裁判の取材に来た新聞記者達の興味を引くには十分だったようだ。知らない記者が取材をかけてきた。

「失礼ですが、一般の方ですか」

仕出し屋アルバイトでもなく、記者クラブにも入れない私は「一般」なのか「特殊」なのかよく分からなくて返答に困った。

「随分朝早くから並んでいるんですね、この事件に興味があるんですか?」と矢継ぎ早に聞かれた。私なんかに聞かないでくれ。本気で答えようと思ったら三日かかったって終わらないぞ。夕刊に間に合わないどころの話じゃなくなるがそれでもいいのか? 第一私は、法廷に入れるかどうかも分からないのだ。

そんなことを思っていたら、予想は見事に当たった。思ったら負けだ。心に思うことは現実化していくのだ。「1番」の抽選券を持つおっさんは見事に抽選から外れた。私の運なんて、所詮《しょせん》こんなもんか。一緒に並んでくれた小久保記者も外れだった。これで初公判の自主取材はオシマイ。答えは出た。私の立場は限りなく「一般」なのだ。

私は、初公判の内容を新聞やテレビで知ることになった。


すっかり温かくなって来たある日、クリーニング店から電話が入った。ずっと預かっているジャケットを取りに来て欲しいんですけど、そう言って電話は切れた。忘れていた。時間がなくて、まだあの夏のジャケットを出しっぱなしだったのだ。

だが今日も取りに行くひまはない。取材に行こうと家を出ると、「のすけ」を埋めた芝生からひまわりの芽が顔を出していた。あの日一緒に埋めた彼の好物が、いつの間にかすっと立つ一本の若芽になっていたのだ。いくつか種は埋めたのに、伸びているのが一本だけなのが不思議だった。私は久しぶりに「のすけ」の墓の前に行くと、しゃがみこんでひまわりに手を合わせた。いつの間にか生命はこうして芽吹くのだ……、私は手を合わせながら思った。このまますくすく育ってくれよ。いつか大輪の花を咲かせてくれよ。「のすけ」の遺《のこ》してくれたこのひまわりは、私にとって特別だった。なぜなら詩織さんが一番好きな花もまた、ひまわりだったのだ……。

その日、国会では「ストーカー行為規制法」が成立した。まるで救いようのないこの「桶川事件」で、もし残せたものがあったとしたら、それはこの法律だろう。つきまとい行為を続ける相手を罰することが出来るこの法律があれば、この事件もまた違ったものになったかもしれない。

だが、いくら立派な法律でも運用するのは結局人間だ。これですべてのストーカー問題が解決するわけではないし、何より、懸命に訴えた被害者の気持ちをもう少し思いやることとさえ出来ていれば、逆に法律など要らなかったのだから。

この日五月十八日は、奇《く》しくも詩織さんの二十二回目の誕生日だった。

私は桶川駅前ロータリーの外れに車を停めた。

洒落《しやれ》た電話ボックスの脇《わき》をすり抜け、茶色のブロックレンガが埋め込まれた歩道を歩く。ジョギングコースのスタート位置の先、大型ショッピングストアーの角に立った。

十八年間現場にいた。だから何かあれば結局現場に戻ってしまう。三流記者の行き着く先、それがここだった。初めてこの場所に来てから、はっと気がつけば意外なほどに長い月日が流れていた。あの時私は、なんだか訳も分からないままこの現場を歩き廻っていた。そして、あれからいったい何度ここに立っただろうか。

一度は葉を落とした街路樹のケヤキは再び葉を茂らせていた。ツツジの植え込みにはいつの間にか緑色のプラスチックケースが三つ並べられている。詩織さんに捧《ささ》げる花が飾りやすいように誰かが置いたのだ。飾られる花も、季節によって移り変わっていった。

詩織さんのことを、あの事件のことを、忘れられずにまだここに通う人達がいるのだ。

あの日、いつものように、詩織さんはここで自転車の鍵《かぎ》をかけようとしていた。その時彼女は何を思っていただろうか。私はこの事件の取材を始めた当初、普通の人の考える不幸など自転車の盗難程度が上限だ、と思っていた。そうではなかった。彼女は自分に迫っていた危険を知っていた。二十一歳の女性が、恐怖と闘いながら、それでも一生懸命生きようと毎日を送っていたのだ。

そんな詩織さんが、突然に背中に受けた衝撃と激痛。それがどれほどのものだったか。振り向いた先にいたのは小太りの見知らぬ男。そして、刃渡り一二五ミリのナイフがもう一度胸に迫って来るのを彼女は見たのだ。その絶望感。孤独感。それは誰にも分かるまい。分かるはずがない。

詩織さんは、彼女が愛したこの街に座り込み、この場所に倒れた。あまりに短い人生の終着点は、家でも病院でもなくまわりに彼女を愛する人の一人もいない、茶色のレンガが埋め込まれたこの歩道だった。薄れゆく意識の中で、苦しい呼吸と痛みの中で、彼女はいったい何を思ったのか。愛する父、母、かわいい弟達のことか……。それともあれほど助けて下さいと警察に頼んだのに、こうなってしまった悔しさ、無念さだろうか。

もはや言うまでもないが、詩織さんは普通のお嬢さんである。ひまわりが好きで、両親や弟達を愛し、友人を大切にし、動物を可愛《かわい》がる、そんなどこにでもいる女性だった。

最後の最後まで「お父さんやお母さんがかわいそう」と両親を心配していた普通のあなたの隣にいるようなお嬢さんだったのだ。そんな普通の市民が、なぜこんな目に会わねばならないのか？

なぜあれほど助けを求めた詩織さんの声が警察には届かなかったのか？

なぜ詩織さんに「お前を地獄に落としてやる」と言い放ち、死ぬまで怯《おび》えて暮らすことを強いた男がなんの刑にも服さないのか？

なぜたった一人の女子大生に、よってたかって嫌がらせを繰り返した男達が微罪なのか？

なぜ普通のお嬢さんが一方的に風俗嬢と呼ばれたのか？

なぜ遺族の声が、警察にかき消されてしまうのか？

なぜ詩織さんの遺した言葉を信じられなかったのか？

そして、なぜ詩織さんが、もしかしたらあなたの娘であったかもしれない彼女が、死ななければならなかったのか？

彼女が遺した言葉を、もう一度、考えて欲しい。そう言い遺すこと以外、もう何も出来なかった二十一歳の女性の孤独な「遺言」を。

「私が殺されたら犯人は小松……」

あとがき

二〇〇〇年五月十八日、ストーカー行為規制法が成立した。
恋愛関係に限定されてはいるが、「つきまとい行為」を続けた者を告訴することがこれで出来るようになった。それまでは「つきまとい行為」そのものを罰する法律はなかった。各県レベルでの条例はあったが、桶川事件が発生したときに施行されていたのは鹿児島県のみだったのだ。
告訴されれば六ヶ月以下の懲役または五十万円以下の罰金。被害者が告訴しなくても警察などが「警告」や「禁止命令」を出すことができ、従わない場合には五十万円の罰金を科せられる。悪質な行為の場合には一年以下の懲役または百万円以下の罰金という
この法律は、成立を危ぶまれながらもなんとか可決されると、十一月の施行を待つことになった。

だが、本書でも述べたが、法律が出来ればそれでよいということではない。─ストーカーを取り締まる法律がなかった」ことがこの事件の本質ではないからだ。私のようなものが言うことでもないかもしれないが、人ひとりの命を犠牲にしなければこの国は法律一つ作ることが出来ないのかと思う。

九月七日には、詩織さんの告訴調書を改竄《かいざん》した三人の元警察官達に対して執行猶予《ゆうよ》付きの有罪判決が下りた。

「犯人逮捕に向けて迅速な捜査を行っていれば、恐らく殺害という事態は起こらなかった」

判決文中で裁判官はこう述べたが、これについてはいまさら何も言うまい。ただ、本書中ではこの三人の名をイニシャルでしか示さなかったが、それは調書改竄などの全責任を、この懲戒免職になった三人だけに負わせたくなかったからだということは付け加えておく。彼ら三人だけで行った犯罪だとして問題を矮小化《わいしょう》してはならないと思う。

詩織さんの死からちょうど一年がたった。

今年の桜を見ることもなく、蟬《せみ》の声を聞くこともなく、彼女の季節は止まったままだ。

そして、いまだに刺殺事件の裁判は続いている。警察が描いた絵を検察がなぞったまま。

本書の執筆に際しては、「私」という一人称で書いていいものかどうかほとほと悩んだ。詩織さんのご遺族のことを考えれば、「私」などというものが事件にしゃしゃり出てくるのは違うのではないかとも思ったし、事件ノンフィクションと考えても「私」とするのは不自然であるような気がした。しかし、この事件を考えるとき、私は自分に力を与えてくれた人達が大勢いたことを忘れることが出来ない。どうして実行犯を特定できたのか。どうして警察批判記事を載せたのか。どうしてこの事件にこだわるのか。いろいろな人にいろいろな形で尋ねられたが、不思議なほど多くの人が、絶妙なタイミングで私が動く力を貸してくれたからだ、としか答えようがなかった。

もちろん私自身の裡《うち》に、怒りのようなものがあったのは確かだ。私にも家族がいる。娘もいる。大切な人がたくさんいる。私にとってこの事件は、決して他人事ではありえなかった。娘をもつ親として、詩織さんはどこかの他人の娘などとは思えなかったのだ。普通に暮らす人々が、訳も分からぬうちにこんな犯罪に巻き込まれるなど許されるべきではない、その想《おも》いがずっと胸にあった。

だが、私は普通の記者だ。ひとりでジタバタしてどうなるものでもなかったのだと思う。私にとってはこの取材で関わったひとりひとりの「想い」こそが原動力であり、そして、この事件そのものを動かした「何か」だったのだと思う。それらを書くのには、やはり「私」という人称を使うしかなかった。ご了解いただければと思う。

そして今も、私はただの週刊誌記者だ。どこにでもいるような記者として、地を這《は》いずりながら仕事をしている。特別な力など何もなく、ひたすら歩き廻《まわ》り、何かを知ってはそれを伝えるということを繰り返すだけだ。それしかできない。ただ、前より少し週刊誌が好きになったかもしれないが。

本書を刊行するにあたっては、新潮社の故多賀龍介氏に本当にお世話になった。彼が「桶川のこと本にしなよ」と言ってくれなかったら、この本はなかっただろうと思う。ところが、かつて幾多の仕事を共にしてきた彼が深刻な状態で病魔と闘っていたことを私はうかつにも知らなかった。今年七月、あまりにも突然、彼は私の前から姿を消した。辛辣《しんらつ》な言葉を吐くことで知られ、人を誉《ほ》めることなどあまりなかった男が桶川の記事は自分のことのように喜んでいた、と別離の席で夫人の口から聞かされたときには、不覚にも涙が堪《こら》えきれなかった。何度悔やんでも、彼にこの本を見せられなかったことだけが心残りだ。

勝手な取材を続ける私を暖かく見守ってくれた山本伊吾編集長を始めとするＦＯＣＵＳ編集部、本書のために何度も事実関係の確認に当たってくれた島田さんや陽子さんなど関係者の方々、三人四脚で取材に当たってくれたミスターＴと桜井修氏には特に感謝を捧《ささ》げる。また、出版部の北本壮氏にも執筆当初から刊行まで本当にお世話になった。記して感謝したい。

最後に、私を含めたマスコミが幾多のご迷惑をおかけしたにもかかわらず、本書の出版に理解を示して下さった猪野詩織さんのご両親に、心からお礼を申し上げたい。

そして、何より詩織さんのご冥福《めいふく》を祈って。

二〇〇〇年九月

清水　潔

補章　遺品

詩織さんの腕時計

目の前にあるそれは、確かに「グッチ」の腕時計だった。

しかし、何かが違っていた。事件発生当時、詩織さんの代名詞ででもあるかのようにメディアの各所に踊った「グッチ」の文字は、いつの間にか私に、美しく輝く高級ブランド品をイメージさせていた。

だが、実物はといえば……。詩織さんのそれは相当に使い込まれ、銀色の本体もベルトも、無数に細かい傷がついていた。

なんの変哲もない、どこにでもありそうな腕時計。

事件から、二年以上が経過していた。押収《おうしゅう》されたままだった詩織さんの遺品の一部が、ようやく両親の元へと返却された。事件当日、詩織さんが身につけ、警察が会見で発表したこの時計も。

なぜ、こんなにも長いあいだ警察が被害者の腕時計を捜査に必要としたのか私には理解できない。だが、とにもかくにも私は、ようやくその時計と詩織さんの祭壇の前で対面していた。

見もしないものは報じられない。私がこの腕時計について、知っていたことといえば、「グッチ」というただそのことだけでしかなかった。

「グッチの時計」、「プラダのリュック」、「厚底ブーツ」に「黒のミニスカート」……。

メディアは、警察の発表通りに書いた。警察が押収したままで、それがどんなものであるか知る術《すべ》などなかったからだ。なかには「ブランド依存症」などと書き立てた雑誌もあった。いまどきの、遊び好きの、派手目の女の子を表すための記号。マスコミが、まんまと踊らされるに到《いた》った、最初の一歩。

だが、いま私の手の上にあるその時計は、なんということもない、鈍い輝きを放っているだけだった。二十代の女性がよく腕に巻いているような、それほど高価でもなく、おそらくは大事に、長い期間、使い込まれた時計。

あの日、この時計の針が、十二時五十分を指した時、詩織さんはその生を終えた……。

私は手のひらの上でそっと腕時計を裏返してみた。

そこには、詩織さんの血痕《けっこん》が黒く残っていた。

二〇〇一年一月、私は再び桶川の現場にいた。

私は依然FOCUSで、地を這《は》うような取材を繰り返す日常に戻っていた。

その日私は、ある事件の取材を終えて、桶川の現場に立ち寄ったのだった。大きな事件ではなかったが、その内容は、私にこの現場に向かわせるエネルギーを潜ませていた。

前年十月、埼玉県北本市のマンションの一室の扉前で火炎瓶三本が仕掛けられ、うち一本が爆発するという事件があった。部屋の住人で被害者のM氏は埼玉県警警視、詩織さんの事件が起こった当時は上尾署に在任しており、詩織さんの事件の捜査を指揮する立場にあった。その自宅に放火した犯人が逮捕されたという第一報を耳にすると、例によっていつもの4WDで現場に向かったのだった。また上尾署がらみか、と思いながら。

実際、詩織さんの事件以来、上尾署ではいろいろな不祥事が連発していた。私が鹿児島で別の事件取材をしている時に見かけた地元紙には驚いた。女児の折檻死事件の時効を放置したとして「また上尾署」と見出しが出ていたのだ。不祥事の中身もひどいが、遠く離れた鹿児島県でも「上尾署」だけで通じるとは、どんな警察署なのか。

取材を進めていくと、放火事件の概要がわかってきた。二〇〇〇年十月七日深夜二時頃、不審な匂いに気づいたM氏の長女が玄関のドアを開けると、入り口前で火が燃え上がっていた。周辺にはペットボトルやガラス瓶が倒れており、長女は急遽《きゅうきょ》M氏を起こしたという。M氏は火傷《やけど》を負いながらも消火器で必死に消火。大事には至らなかったものの、ドアの一部と周辺の壁や天井が焼けこげ、一歩間違えばマンション全体をも火災に巻き込みかねない状態だった。悪質な放火事件と見て、捜査を続けていた埼玉県警鴻巣《こうのす》署は、四十四歳（当時）の男を別件の脅迫の疑いで逮捕した。男は事件直後、M氏とは別の人物に、脅迫電話を掛けていたのである。

さて、問題なのはここからだった。この逮捕された男というのが、やはり埼玉県警の警察官なのだ。しかも、この男が脅迫電話を掛けた相手まで。その上、揃《そろ》いも揃って、詩織さんが身の危険を感じ、助けを求めて通っていた当時の上尾署員……。

さらに付け加えよう。この被害者のM氏は、詩織さんが出した名誉毀損《きそん》の告訴状を、現場の捜査員に突き返した警視その人なのである。これは後に判明した事実だが、「犯人が特定されていないのだから、何も告訴状を取らなくとも、被害届で捜査すればよかったんじゃないか」と「ひどく怒った口調で」事件記録を「机の上に放り投げるように」置いたというのだ。

詩織さんの告訴状を改竄《かいざん》した疑いでH巡査が起訴された「虚偽有印公文書作成・同行使事件」の判決文にはこう記されている。「被告人Hは、M次長が成績のことばかり話し、肝心の今まさに動いており、しかも詩織らが不安に脅《おび》えている名誉毀損事件の捜査をどのような態勢で進めるかなどについては、まったく話題にしないことから、M次長も真剣に名誉毀損事件に取り組む気がなく同次長の頭にあるのは成績のことばかりだと思い、腹立たしく思うとともに幻滅した……」

M次長に告訴状を突き返されたH巡査はどうしたか。やむにやまれずとは言わないが、H巡査は猪野家を訪れて告訴の取り下げを切り出し、それを断られるや調書の改竄に走ったのだ。要するに、M次長が「きちんと捜査せよ」と一言言えば、事件そのものが起きずにすんだかもしれなかったのだ。だが、M次長は不適切な指示を出したと減給処分は受けたが、それ以外はお咎《とが》めなし、かたやH巡査は懲戒免職処分で刑事被告人だ。

うんざりだった。

あれも上尾署。これも上尾署。桶川の一連の事件で書類送検三人を含む十二人の処分者を出した警察署が、放火事件の犯人と被害者で今度は三名を計上だ。そんな警察署、あるか。

この放火犯となった警察官は、M氏のせいで自分が刑事から交番勤務へと左遷《させん》されたと恨み、上尾署内で「あの野郎ぶっ殺してやる」と怒鳴っていたのだという。のちに刑務所内で自殺したこの警官がどんな思いでその言葉を吐いたかはわからないが、なんといっても警察署内なのだ。女子大生が必死の思いで「助けてくれ」と訴えていたまさにその頃、同じ署内で「殺してやる」と怒鳴る警察官。

そんな警察署を頼った詩織さんが不運だったのかもしれない。しかし、市民が事件に巻き込まれたとき、いったい他にどこを頼ればいいのか？

私はその想いをＦＯＣＵＳで記事にした。タイトルは〝「桶川ストーカー事件」問題警察幹部の自宅が放火された訳――遡《さかのぼ》ればやっぱり上尾署〟。

記事への注目度などさしたるものではないだろう。だが、私は記事にしなければならない、と思った。こんな警察署に、見殺しにされた被害者がいるのだから。

そうして私はまた現場に戻ってきていた。

取材を終え、度し難い警察にやりきれなさを抱えながら。

何度この現場に立ったことだろう。最初はわけもわからず「女子大生刺殺事件」取材のために一記者として、そしていつしか詩織さんの「遺言」にせき立てられるように犯人捜索のために、最後はもはや、記者なのか当事者なのかもわからぬような状態となって。何度となく私はこの現場を見つめ、通り過ぎ、足を止めてきた。

この事件は、いったいいつまで続くのだろう。

殺害事件の実行犯達の裁判すら終わっていなかった。二〇〇〇年十二月には、詩織さんの両親が埼玉県警に対し「適切な対応を怠った」として国家賠償請求訴訟を起こしていた。この訴訟は事件後、県警本部長が「名誉毀損の捜査がまっとうされていれば、このような結果が避けられた可能性もある……」と謝罪した事実を再確認し、県警の責任を追及するために起こしたものだった。「警察がきちんと捜査をしていたら、娘は殺されなかった」という思いは、両親にしてみれば当然だろう。被告は県警の上部組織となる埼玉県。国家賠償法に基づき、約一億一千万円の損害賠償が請求されていた。

私は訴訟の成り行きについては楽観的だった。県警側が和解を申し入れるか、仮に裁判が進んでいくとしても、原告側に有利な展開になるだろう。何と言っても、県警はすでに謝罪し、処分者も出しているのだ。懲戒免職となった三人の警察官の刑事裁判の判決でも、裁判所から「迅速な捜査を行っていれば、恐らく殺害という事態は起こらなかった」と断罪もされている。今さら埼玉県警になにができよう。

現場に立ち尽くしていた私が見つめる先には、事件から一年以上が経ったにもかかわらず、いまだ供えられている花束があった。


春が過ぎ、夏を迎えた。二〇〇一年は私にとっても激動の年だった。FOCUSでの一連の桶川取材は「編集者が選ぶ雑誌ジャーナリズム賞」に選ばれた。また、メディア規制を強化しようとした個人情報保護法が論議されるなか、報道被害が問われる一方、メディアが被害者を救った例もあるとして、桶川の件で私は取材する側からされる側へと廻る場面も多々経験した。慣れない立場は気が進まなかったが、一人のジャーナリストとして声を上げなければならない場面があることも知った。だが、何より私にとって大きかったのは、十八年間関わってきたFOCUSが休刊したことだった……。

残念でもあり、ショックでもあった。が、一記者としてはいかんともしがたい。「三流」週刊誌の「派手な見出し、愚にもつかないスキャンダル、強引な取材」というイメージが、結局読者の支持を得られなくなったということなのだろう。ここで深く触れるつもりはない。「三流」記者の肩書きすら失った私に、さまざまなメディアが声を掛けてくれた。結果、私はテレビ局の報道記者となった。媒体はかなり変わったものの、記者クラブに属することもなく、現場に拘《こだわ》った取材を続けることに変わりはなかった。

殺害実行犯達の裁判は、遅い歩みながらも進んでいた。刺殺犯の久保田には懲役十八年、見張り役の伊藤には十五年という実刑判決が下り、運転手役の川上の裁判も、順調に進んでいるようだった。

検察側が主犯とする小松武史だけは、「本来、ここに立っているのはわたしではなく弟です」と、法廷でも頑強に容疑を否認し続けていた。弁護士を解任したり、急病を訴えて審理が中断するなどの振る舞いで、彼の公判だけが大幅に遅れていたが、私には裁判の遅延は警察の――つまりは和人の――思惑通りに裁判を進めた報いに思えた。

傍聴席に黙って座っていることしかできない裁判報道に、私が出る幕はなかった。日々の取材を続けるだけだった。年が明けて、事態が予想外の展開を見せていることを知るまでは。

国賠訴訟が始まるや、警察は態度を一変させていたのである。

それは、猪野さんのお宅に久しぶりにお邪魔したときのことだった。

家の中は事件後、初めて上がらせてもらったときと何も変わらぬ様子だった。居間には大きな祭壇があり、ひまわりが周囲にちりばめられた額に納められた詩織さんの写真や、幾多の花、生前好きだったというキティちゃんのアクセサリーなどが飾られている。そして、いまだ納骨されていない遺骨。うかがうたびに、私はそこで線香をあげる。

何気ない会話の中で、詩織さんの父親、猪野憲一さんはそのセリフを洩《も》らしたのだ。

「国賠訴訟なんですけどね、警察が詩織のプライベートなことまで持ち出してきたんですよ……」

いったいどういうことなのか。

県警側は、遺族が提出した訴状に対し、訴訟棄却を求める答弁書などを出しているのだが、その中で、押収した詩織さんの日記や携帯、遺書などの遺品を元に、詩織さんについてさまざまな攻撃を始めているのだという。

「遺書なんか、あれは遺書じゃない、とまで言ってましてね……」

淡々とした口調の憲一さんが語る内容に、私は引っかかった。警察が、押収した遺品を使って被害者遺族と民事裁判を闘う？

そのときになって初めて、私はあるものに気がついた。時が止まったかに見えた祭壇の脇には、数々のファイル類が、厚い背を見せて鎮座していた。すべて裁判資料だった。私がのんきに、「裁判はうまくいくだろう」などと思っていた間に、着々とそれらの資料は増えていたのだ。私は憲一さんに頼み込むと、そのファイルをめくり始めた。

話は詩織さんが殺害された翌日、十月二十七日に遡る。

その日、埼玉県警の三人の捜査員は猪野家を訪れ、二階にある詩織さんの部屋を、押入れの中まで徹底的に捜索した。島田さんがカラオケボックスで話してくれた詩織さんの「遺書」も、この日の捜索で発見されたものだった。

発見したのは女性捜査員だった。慌《あわ》てて階段を駆け下りてくると、その女性捜査員は両親に「遺書らしきものがありました」と便箋《びんせん》の束を見せた。日付は三月三十日。殺害される実に七ヶ月も前に書かれている。それは両親や弟、そして島田さんや陽子さん達に宛《あ》てられ、十枚近くにも及んだ。

その一部を引用させてもらおう（表記は原文ママ）。

お父さん、お母さんへ　最後の手紙

今はH11．3．30　AM02：03です。

何故《なぜ》こんな手紙を書くコトになってしまったのか、
自業自得なんだけど、すごく自分がバカだったとしか言えません。
できればこの手紙も渡すことなく、無事に帰ってきたい……。

（略）

あたしは、自分でまいた種だと思い、
絶対、お父さん、お母さんには知られないように
何とかうまく別れる方法を考えていました。
これは3月24日ぐらいからのコトです。
頼れる友だちもいず、いろいろ考えて、明日、その日が来ます。

（略）

ある人に「父親からいっぱい愛情うけて育った子の笑顔をしている。」と、
言われたことがあるの、あたしは「そうだよ。」と得意気に言ったんだ。
何気にしっかりしている所は、お母さんをみて育ってる。
「素敵なお母さんだね。」ともいわれた。あたしは、何不自由なく暮らしてこれた。
言いたいことも言えた。猪野詩織で生まれてこれて本当に幸せ。
なのにこんな親不幸している自分がイヤです。
ゴメンナサイ。

20年間、幸せいっぱいの毎日をありがとう。

（略）

今度うまれてくるときも2人の子供で、弟も○○と○○がいいな。

（略）

今までありがとう。

さようなら。元気でね。

しおり

両親はこの遺書を、涙もなく茫然《ぼうぜん》と読んだという。娘が殺害された翌日のことなのだ。

引用した文面以外にも、自分を追い込んでいる人物「小松和人」の名前がはっきりと書かれ、自分の貯金は弟へ渡して欲しいと口座の暗証番号までが記されていた。

島田さん宛の遺書には「元気？　やっぱりあたし、ダメだったみたい……」と書かれ、陽子さんには「本当に死んじゃったみたい。この手紙よんでるってコトは……」と書き遺《のこ》されていた。二人は実際に、詩織さんの言葉通りの状況で、この文面を初めて目にすることになった。

この頃の詩織さんは、和人との間に起きていたトラブルをまだ両親に伝えることができずにいた。遺書は、和人に別れを切り出す前に、身の危険を感じて書き遺したものだろう。両親は、発見されるまでその存在を知らなかったと言う。

その日、捜査員は「犯人を逮捕するため」、「事件捜査のため」と、両親にとって何よりも貴重なこの遺書を押収した。娘が自分たちに宛てた、肉筆の残る最後の手紙、まさに「遺書」なのだ。手元に残しておきたいと思うのは人情だ。他にも、プライベートなダイアリーや手紙、写真など、詩織さんの想《おも》いの詰まった数々の品がダンボール箱に詰め込まれ、捜査車両のトランクに積まれていった。犯人逮捕のためと思えば、それらを両親はただ見送るしかなかった。

ところがその遺品を、国賠請求で訴えられた県警側はまるで違う目的に使用しているのだ。はっきり言えば自己弁護のために、刑事事件ではなく民事裁判の証拠として、しかも、被害者と遺族に対する攻撃材料として使っているのだ。

例えば。

詩織さんのダイアリーは、県警の警務部監察官室という部署によって無断で解析されている。結構な労力がかかったであろう。詩織さんが「助けてください」と言ったときにはまるで動かなかった警察が、今度は組織力を駆使し、被害者がいつ、どこで、何をしていたか、極めてプライベートな詳細を割り出そうとしたのだ。

その上で、何を言い出すのかと思えば、詩織さんはあの夏、友達と花火大会などに遊びに行っている、友人と酒を飲んでいた、などと事件と無関係な行動を羅列し始め、《生命・身体に危害が及ぶと考えたとするならば、詩織に当分の間外出を控えさせるとか、親戚《しんせき》の家で過ごさせるとか危険回避のための手段を講じるはずである》などと原告である両親の非難まで始めたのだ。詩織さんが、ストーカー・グループの執拗《しつよう》な嫌がらせに晒《さら》されながらも、必死になって普通の生活を送ろうと努力していたことなど、まるで無視されている。私は思った。ストーカー達がビラをバラ撒《ま》いたように、県警は法廷でプライバシーをぶちまけようというのか。

ダイアリーの件は、一例に過ぎない。警察は両親の言い分にいちいち揚げ足を取り、本来守るべき市民を本気で撃ち負かそうとしているようだった。県警側の主張で私が何より驚いたのは、詩織さんの想いが込められた遺書を、「遺書ではない」と言っていることだった。理由は、書かれた時期が殺害より半年も前だから。自らの死を覚悟して書くものが、遺書でなくてなんなのか。死の数日前でなければ、遺書は書けないとでも言うのか。いや、それより何より、殺人事件の被害者が想いを込めて遺していったものを、何の権利があって貶《おとし》めるのか。

しかも、押収した遺品を好き勝手に利用している警察に対して、遺品を返してもらえないままの遺族には、その真偽を確かめる術《すべ》もないのだ。遺書でさえ、再三の求めの末、ようやく戻ってきたのはコピーだけだ。

警察はなりふり構わなくなっている。

あの、県警本部長の謝罪はなんだったのか。

あの、警察官三人に対する判決はなんだったのか。


その日、借りられるだけの資料を借りると、私は猪野さんのお宅を後にした。

私の、記者というよりは人間としての本能が、「これはおかしい」と告げていた。

私の疑問はシンプルだ。

刑事事件で押収したものを、警察が勝手に民事裁判で使っても良いのか?

資料の中にあった一枚の書類。その最上部には「押収品目録の交付書」とある。作成者は埼玉県警。被疑者の欄は「不詳」となっているが、罪名は「殺人」。押収目的はまさに刑事事件の捜査のためだ。だが、県警は国賠訴訟のなかで遺品を使っている……。

射《さ》し込む夕日の中、JR桶川駅から高崎線に乗りこんだ私のバッグの中には詩織さんが使っていたテープレコーダーが入っていた。そして、小松兄弟など三人が、猪野さんの家に乗り込んで来た時の会話や、和人との電話のやりとりを録音した三本のテープ。そう、警察に持ち込んだものの「事件にならない」と言われてしまったあのテープだ。

東京へと向かう車内は、徐々に薄暗くなりつつあった。隅に席を占めた私はヘッドホンをつけ、再生ボタンを押した。最初は車中のざわざわした騒音と、レールの継ぎ目ごとに響くガタンゴトンという音ばかりが聞こえ、肝心のヘッドホンから耳奥に流れ込んでくるのは、聞き取りづらいノイズばかりだった。だが、やがて、私の耳がそれらに慣れ始めた頃、ノイズは次第に男女の声へと変わり始めた。

怯《おび》える詩織さんと、地の底から怒鳴るようなストーカー男の、声。

「……プライドと、てめぇ自分の名誉のためだったら、自分の命だって捨てるよ俺は、そういう人間なんだよ！　それだけお前を愛したんだよ！　それにたいして、てめぇはなんだよ。このクソ野郎、馬鹿《ばか》女、この野郎!!」

「……」

「俺は死んだっていいよ、ホントによぉ、詩織ん家《ち》の前で死んだっていいよ」

「……」

「おまえの馬鹿両親ができねえこと、俺が教えてやっからよ……」

「……親はやめて……」

「やるよ！　やる!!」

いたたまれなかった。聞くべきではなかった、と後悔さえした。やりとりには、なんの甘やかさもない。凄絶《せいぜつ》としか、いいようがない。こんな男と、二十一歳の若い女性が、直接対峙《たいじ》しなければならなかったのか。私は時間も空間も越えて、そのやりとりの場にいた。しかも、ヘッドホンから耳奥に流れ込んでくるリアルな声は、今はどちらももはやこの世にいない人のものなのだ。胸が痛く、背筋が強《こわ》ばった。じっとりと手に汗を握りながら、だが私は、そのテープを聴き続けた。

靴底には、ガタンゴトンという電車のノイズが響き続けている。

いつしか、デジャヴュのような感覚が私を覆《おお》っていた。

電車のリズムは、次第に、あの日カラオケボックスで私に伝わってきた八ビートへと切り替わっていく。背筋が寒くなるような気分は、リズムとともに、次第に何かに変わっていくのが分かる。

外は既に夜だ。車窓から見える家々からは、暖かい光が洩れている。そこには普通に暮らす人々がいる。

私は無性に、伝えたい、と思った。こんな事件に巻き込まれた人がいることを、理不尽な仕打ちを受けている人がいることを。当たり前のように平穏に暮らす人たちに、同じように平穏に暮らしていた人が、突如巻き込まれた人生の奇禍を伝えたい、と思った。

手のひらに乗っている詩織さんの遺品のレコーダーは、私のじっとりとした汗に濡《ぬ》れていた。このレコーダーは、警察に救いを求める時の証拠になればと、詩織さんがわざわざ買い求めたものだった。だが、それは今、私の手の中にある。また私は何かを受け取ったのだ。ならば、記者である以上、仕事はひとつしかない。

社に戻った私には、やらなければならないことが山ほどあった。まずは法律的な解釈だ。警察は刑事事件で押収《おうしゅう》した証拠を、民事裁判で使っても良いものなのか？　いろいろと調べてみたが、ほとんど前例のない話だった。警察がこのようなことになるなど、法律の方も想定していないようだった。桶川事件が、いかに特殊かということだろう。仕方なく、私は情報保護に詳しい弁護士に意見を聞いてみた。

明解なものだった。

「埼玉県の個人情報保護条例には、〝（略）個人情報を収集するときは、個人情報を取り扱う事務の目的を明確にし、当該目的を達成するために必要な範囲内で、適法かつ公正な手段により行わなければならない〟となっています。このケースの場合は刑事捜査の証拠品として押収したものを、民事事件で訴えられた県が利用しているので、適法かつ公正な手段の収集とは言えません。さらに、公務員法の守秘義務違反の疑いもあります」そして彼は、こうも付け加えた。「特にこの場合はひどすぎます。条例以前で、普通の人なら明らかにしたくないプライバシーです。憲法で保護されていることですよ」

次は映像素材探しだった。写真週刊誌に写真がなければ記事が成立しない以上に、テレビは映像がなければ話にならない。これを機に、私は自分が所属しているテレビ局の「桶川事件」関連のビデオ素材を漁《あさ》ることにした。私は局のライブラリーから、桶川事件に関するテープ全《すべ》てを借り出すと、編集室にこもった。

私の所属しているテレビ局は、膨大な量の素材を溜《た》め込んでいた。発生直後の現場、警察犬による捜査の様子、ヘリによる空撮映像、などなど。現場に残っていた詩織さんの自転車の映像からは、自転車には鍵《かぎ》がついていたことがわかった。本書を書いたときから気になっていたのだ。詩織さんは、鍵を掛けてから刺されたのか、掛ける前に刺されたのか。ささいなことかもしれないが、私はそういうことが気になる。そして、その鍵の先に揺れていたのはキティちゃんのキーホルダー。皮肉を承知で書かせてもらえば、警察はなぜ詩織さんの大好きだった「キティちゃん」のことは発表しなかったのだろう？

また、事件の翌日、詩織さんの遺品や遺書を入れたダンボール箱を、猪野さん宅前で捜査車両に積み込むあの女性捜査員の姿さえもカメラに収められていた。

そして何より。

私は一本のベータカム・テープを見つけてしまっていた。

局のライブラリーで眠り続けていたそのテープのラベルには、「一九九九年十月二十六日　上尾署会見」と書かれていた。詩織さん殺害事件当日の、上尾署での記者会見映像だ。深夜の編集室でそのＶＴＲをデッキに押し込むと、私はなんという感懐もなしにプレイボタンを押した。当日、自分が行けなかった会見がどんなものだったか、確認する程度の気分だった。

モニター内に映し出されたのは、上尾署一階の食堂だった。マイクが置かれた机の向こう側に、二人の警察幹部が登場すると名を名乗り、着席した。背広姿が捜査一課長代理、もう一人の制服姿は、ついに私が一度も会うことの出来なかった人物、上尾署長だった。なぜか二人は、記者達を前に、気味の悪い薄笑いを浮かべていた。なぜ殺人事件の会見で笑うのか？

会見は、妙な馴《な》れ合《あ》いの雰囲気を漂わせながらも、それでも淡々と進んでいった。クラブ所属の記者達を、身内だとでも思っているのだろうか、警察幹部二人の笑みは終始消えることがない。「殺人事件の会見だぞ」その笑顔に耐え難くなって、私はひとり編集室で呟《つぶや》いていた。画面の中の記者達はその日すでに、殺害事件とストーカー被害との関係について何度も質問していた。しかし二人は、

「最近は（被害は）聞いておりません」

「分かりません」

「何回も同じことを言わせないでください」

「話が違う方向に行っちゃったな」

などと笑いながら記者達を煙《けむ》に巻くだけだった。

詩織さんの刺された部位について質問が飛んだときだった。一課長代理は、やおら立ち上がると、尻《しり》を突き出し、手の平でペンペンと自らの腰を叩《たた》き始めた。「埼玉言葉で

言う、脇《わき》っぱらかな。ははは……」

人の最期《さいご》の姿を、ヘラヘラと笑いながら解説する幹部警察官……。

吐き気を催した。

脳裏に、久保田の顔が浮かんだ。同じ日、しかもたった数時間前に、詩織さんを刺したあと、ニヤニヤ笑いながら現場を立ち去ったとの目撃証言が残る男。

見終わったとき、私の中には明確な意志が立ち上がっていた。

この映像は一度も放送されたことがない。どうしてもこれを、電波に乗せてみたくなったのだ。


私は「桶川」の取材に没頭していた。県警側にも取材を入れなければならなかったが、あの埼玉県警だ。私の名前で取材を申し入れたのではおそらく出てきやしないだろう、と配慮し別の記者に取材してもらったが、その配慮は杞憂《きゆう》に終わった。「現在係争中の件につき、お答えできない」などと木で鼻をくくったような答が返ってきただけだったのだ。都合の悪いことになると、記者クラブ加盟社も非加盟社も関係ないのだ、ということはよくわかった。公平で、立派なことだ。

私が取材を行っている間も、県警側の反撃は続いていた。

例えばテープの件。県警側は詩織さんと和人の会話を収めたテープも反論の材料として提出してきた。ただしそこには、詩織さんが脅されているような箇所はない。県警側が出してきたのは他の部分、つまり二人のやりとりの中でも穏やかな、まるで、恋人同士が会話をしているように聞こえる部分だった。

全てのテープを聞いている人間には理解しがたい行為だった。悪意に満ちている、とさえ言える。恋人同士の会話をわざわざ録音し、ストーカー被害を訴えるために警察に提出する人間がいるとでも思っているのだろうか。

しかもこのテープ、オリジナルはいまだ返却されていない。私が借りたのは警察がコピーして返してきた三本だけだ。ストーカー被害を訴えたとき、詩織さんは何も隠すことなく、録音されたオリジナルのテープをそのまますべて上尾署に託している。だが実は、その託した本数について県警側の主張と遺族側では食い違っているのだ。返してきたのは県警にとって都合のいいテープだけだ、とまでは言わないが、「警察に都合のいい部分だけを使っている」と詩織さんの母親が主張するのも当然だろう。テープをすべて提出してしまった遺族には、確かめようがないのだ。

また、遺書についての県警側の主張はこうだ。

《若い女性が、「自分が死んだときのことを空想して情緒的に肉親等への手紙を書いたもの」であって、殺害される危険が迫って書かれたものではなく、日常経験するところの行為であり、遺書ではない》

県警の準備書面にはこうも記されている。

《なお、訴外詩織が書いたのは「遺書」ではなく、両親と友人に宛《あ》てた手紙であり、「遺書」ではないことは無造作に放置されたその状況から明らかである》

事件の翌日、慌てて二階の詩織さんの部屋から駆け下りてきて「遺書のようなものがありました」と両親に告げた女性捜査員の報告書も提出している。

《発見状況　本職は、詩織さん被害の殺人被疑事件捜査として、猪野憲一さん宅に赴き、詩織さんの2階居室において床上に散乱してあった雑誌、衣類等を片付けながら、容疑者につながる情報等を探していたところ、床上に無造作に放置してあった「ピンク色表紙の便箋《びんせん》：5通」を発見し、同便箋の内容を確認したところ、両親宛て及び友人宛ての文面であり、事件解明につながる資料と認められたほか（略）》

「遺書」という言葉を巧みに避け、「便箋」、「文面」などとしていることがおわかりいただけるだろうか。しかも、「床上に無造作に放置」である。つまりは、「だらしなく床に落ちていたただの手紙」というイメージにしたいわけだ。その反面、押収理由は「事件解明につながる資料」。遺族に返却を求められても応じない。いったいどっちなのだ。

詩織さんの部屋の捜索開始時には父親の憲一さんも立ち会っている。その時、床上など目につくところに遺書がなかった。なにしろピンク色の封筒が五通である。あれば目立つだろう。しかも、発見には一時間以上が費やされている。「無造作に放置」してあるにしては、時間がかかり過ぎてはいないか。そもそも、書かれてから事件発生まで半年以上が経過しているのだ。床上などではなく、引き出しなどの中にしまわれていたのではないかと思う方が自然だ。両親にだけは和人のことを知られたくなかった詩織さんなのだ。和人のことを告白する遺書を、その辺に放置しておくことなど考えられないではないか。

心ない県警の反撃はついに、あからさまな詩織さん攻撃にまで到《いた》った。

それを読んだとき、私は思わず呻《うめ》いていた。県警はあのダイアリーなどを元にプライバシーを蹂躙《じゅうりん》したあげく、都合の良いところだけを抜き出して、詩織さんを「性に対し自由奔放で、高価なプレゼントを求め、束縛を嫌って自由に行動する」とまで批判し始めたのだ。あまりと言えばあまりな言い草だった。その上、「(今の若者の間では)過激な痴話喧嘩《ちわげんか》は日常的に発生しているが、それら全てに警察が関与せよと言うのは不可能」とまで開き直った。絶句するよりない。

では、なぜ詩織さんは告訴までしたのか。なぜ警察は、その告訴を受理したのか。警察に、全ての事案に関与せよなどとは誰も言っていない。告訴したのだから動いてくれ、というだけだ。そのことを、問われているのではないか。

いくつもの問いがぐるぐる私の頭を巡った。事件発生時、警察がマスコミに流したあのイメージ作りが、今度は裁判官相手に再現されているようだった。

警察の反撃の中には、面白い話もあった。否定された「遺書」の代わりに登場した「菓子折り」だ。警察は、手品のように「遺書」をかき消して見せたその手で、やはり手品のように「菓子」を取り出して見せた。どうやら警察は、ことのほかお菓子がお好きらしい。

上尾署によると、一九九九年六月二十一日、両親と詩織さんの三人が上尾署を訪れ、「小松から貰《もら》ったものは送り返したのでひと安心です」と感謝し、菓子折りを持参したのだという。受け取ったという警察官の弁明が面白いので引用する。

《「当然の職務ですよ。お礼を頂くほどのことはありません」と断るも、「是非、受け取って下さい。気持ちですから」と押し付けることから、「一段落してよかったですね。それでは遠慮なく頂きます」と言って菓子折りを受け取り、両親は晴れ晴れとした表情を浮かべ、深々と頭を下げて上尾署を後にしたものである》

上尾署はきちんと対応した、だから菓子折りをもらった、と言いたいのだが、下手な書き方をすると公務員としてそしりを受けかねないと思ったのだろう。なんだか同情したくなるほど文面はつらい。それにしても、無言電話が続き、嫌がらせの真っ只中《ただなか》の時期に「晴れ晴れとした表情」はないだろう。

確かにこの日、詩織さん達三人は上尾署に赴いている。が、それは詩織さんの父親が、母親と娘だけでは警察がまともに取り合ってくれないかもしれないと危惧したからで、ストーカー被害を訴えこそしても、警察に感謝などしようもない時期だ。

面白いので「菓子折り」話をもうひとつ。九章に登場した不祥事発覚前の「菓子折り」を思い出してほしい。「遺族達は、実行犯達が逮捕された時には菓子折りを持って上尾署にお礼に来た。感謝されていたはずだ」、と県警幹部が記者達に囁《ささや》いていたあの「菓子折り」である。当時、新聞記事にまでなっている。だが、先の菓子折りは殺害事件前、この菓子折りは殺害事件後。ということは、どちらも事実なら、上尾署がもらった菓子折りは二つということか？

私は今日に到るまで、詩織さんのご両親に何度も菓子折りの件を聞いている。なんとしつこい記者だと思っただろうが、その都度両親はきっぱりとこう否定している。

「上尾署に菓子折りなど持っていったことは、ただの一度もない」

それは毎回、ブレもなく明確だ。十二月といえば、両親が県警に対して深い不信感を抱いていた時期だ。私が実行犯を久保田と特定し、その情報でようやく県警が動き始めた事実も知っていた。その上での逮捕だったのに、なんで県警に感謝しようか。

ところがところが。さらに両親から話を聞いているうちに、意外な事実がわかった。しかもこの時期、猪野家と県警捜査員の間では、実は菓子折りの受け渡しはあったのだ。しかも一個や二個ではない。

当時、マスコミとの分断を図るように、連日ある刑事が猪野さん宅に入り浸っていた。その刑事の手により、菓子折りが何度も届いていたのである。名目は、詩織さんへのお供え。つまり、確かに菓子折りのやり取りはあったが、その矢印の向きはまるで逆だったというわけだ。和菓子や果物のカゴ盛りなどが、連日のように届けられ、当初両親は、優しい刑事さんが、個人的な気持ちでくれたものと解釈していた。が、それにしてはあまりに回数が多かった。殺人事件被害者宅に、捜査員が何度も菓子折りを持って訪れるというのも、冷静に考えてみれば、どうにも妙な構図ではある。

どうやら、私たち一般人にはよく分からないのだが、警察という組織においては「菓子折り」というのは重要な意味を持つアイテムらしい。

私は、別の県警の捜査ミス疑惑を取材していた時、その県警幹部から、一枚の宅配便伝票のコピーを見せられたことがある。それは、ある事件の遺族とトラブルになった業者が、遺族に対し「おわびに菓子折りを送った証明」なのだという。なんのことやらわからず固まっている私をよそに、その幹部は、捜査資料に大切そうに綴《と》じ込んであった伝票を捜し出すと、伝票に指先を突きつけながら真面目《まじめ》な顔でこう言った。

「被害者の遺族は、菓子折りを受けとっているんですよ」

……菓子折り受け取ったからって、何だっていうんだ？

「つまり、それでそのトラブルは一件落着しているということです」もちろんその先はこう続く。「だから、我々の捜査には落ち度はないということです」

なるほど。警察というところは、何かというと「菓子折り」を登場させたがるが、それは「事件解決」という意味だったのだ。

私はこの時、警察には決して菓子折りを持って行ってはいけないということを学んだ。もちろん、それ以前にも持っていったことはないのだが。


二〇〇二年の五月末、取材で得た成果は電波に乗った。いまだ警察から返却されない遺品の話を中心に、定時ニュースの特集枠で五分のものと十分のものを放送したのだ。反響は思った以上に大きかった。プロデューサーから三十分のドキュメンタリーにしよう、と声をかけられ、私の仕事はますます増えた。もちろん、望むところだった。深夜のドキュメンタリー枠での放送日が決まり、滝のように時間が流れていった。私にとっては、こんな長い番組は初めてだった。タイトルも、例のごとくギリギリまで考え続け、結局シンプルに『帰らぬ遺品　桶川ストーカー殺人事件　再検証』とした。警察が刑事裁判で押収した遺品を、返さぬばかりか民事裁判で自己防衛に使っていることを、ストレートに問うものにしたかった。県警幹部が薄ら笑いを浮かべた会見の映像は、外せない。

両親にお願いして、詩織さんの成人式での晴れ姿のビデオもお借りした。

ドキュメンタリーの冒頭と最後には、詩織さんの祭壇の様子を持ってくることにした。詩織さんの両親は、祭壇のある居間で眠る。詩織さんの写真が見つめるその前に、布団を敷いて。無理を言って私は、布団を敷く両親の姿を撮影させてもらっていた。三人分の布団を敷く姿を。

放送は六月十日月曜日の〇時四十五分から。私の所属するテレビ局が、ずっと持っている報道ドキュメンタリー番組枠だ。私は自宅でオンエアを見守った。日曜深夜という時間帯に加え、その日はサッカーワールドカップの日本対ロシア戦。日本中が「W杯初出場初勝利」に沸き返っていた。高視聴率など望むべくもないことはわかっていたが、翌日聞いた数字に私は笑うしかなかった。記録的とも言える低さだったのだ。

だがその数字を伝えてくれたプロデューサーは、こうも言った。「だけど清水さん、日本も捨てたもんじゃないよ」彼は電子メールのプリントアウトのブ厚い束をバサッと私のデスクに置くと、来たときと同じように足早に去っていった。

放送直後から、局には電話、メールが大量に寄せられていたのだ。その数は、このドキュメンタリー番組が始まって以来だったとのちに聞いた。一様に埼玉県警を非難するその声の多さに、私は圧倒された。あの視聴率でこの反響の大きさ。テレビの影響力とは、ここまで大きなものだったのか。

数日後、なんら誠実に取材に対応しなかった愚をようやく悟ったのか、埼玉県警が焦ったように局に連絡を寄越《よこ》していた。もう一度、説明をしたいと言うのである。どうやら、県警にも大量の抗議の電話がかかっているようだった。今さら彼らがどうぐだぐだ言い訳したところで、すでに電波は日本中を駆けめぐった後だ。仕方がないではないか。

抗議が殺到したせいか、その後遺品はポツリポツリと両親に返却され始めた。「グッチ」の時計もそのひとつだ。返却されると言っても、わざわざ送り届けてくれたりはしない。連絡を受けるたびごとに、遺族がいちいち検察庁まで引き取りに行くのだ。携帯、化粧品などのバッグの中身、自転車……。警察のそれまでの言い分はこうだった。「猪野さんから押収《おうしゅう》した証拠物は、すでに検察庁に送致しており、県警察は、証拠物をお返しできる立場にない」

警察自身が目録を書き、押収したのに、返却を迫られるとこの態度だ。子供の又貸しでももうちょっとマシなことを言うだろう。

しかも、戻ってきた携帯電話は、メモリーが消えていた。メールも、電話帳も、全《すべ》て。バッテリー切れが原因だと警察は言うが、どうなのやら。当然のことながら、警察はすでに解析を終えている。ワープロで打ち出したメモリー内容を別途添付してきたものの、それで本当に全てなのかは誰にも確かめようがない。

詩織さんは二度にわたって携帯のメモリーを消されたことになる。最初は、詩織さんに携帯を二つに折らせたストーカーによって。二度目は警察によって。私にはもはや、ストーカー・グループと県警の違いがなんなのかわからなくなってきた。逮捕されたストーカー達は十二名。県警の処分者も十二名。詩織さんを追い詰めたのはいったい誰だったのか。

判決が近づいても状況は大きくは変わらなかった。警察はマシーンのように、被害者遺族に向けて次々と矢を射続けていた。法廷には警察の瑣末《さまつ》な言い訳と、詩織さんへの人格攻撃とも取れるプライバシーに関する書類が山積みになっていった。

国家賠償請求裁判の判決四日前のことだった。

現職の埼玉県警本部長が見事な放言をしてくれた。

まさに判決直前になって、「警察署協議会代表者会議」という公の場所で、茂田忠良本部長が吐いた次の言葉は、埼玉県警の本音をよく表している。

「（謝罪当時の報告書は）警察庁から、こんな報告書では世論が持たないぞ、非を書け、と言われて不確かな事まで書いてしまった……」

「……原告の方もあまりお金を取れないとですね、ちゃんと多額の賠償金が取れると思って訴訟をしたのに、これでは話が違う。やはり高等裁判所に控訴《こうそ》しましょう。となるのではないか……」

要するに、「報告書は嘘《うそ》だった」、「遺族は金欲しさで訴訟をしているのだ」と言っているわけだ。彼らのスタンスがよくわかる。

当然のことながら、この発言はすぐ問題となり、私もニュースで取り上げた。茂田本部長は訓告処分。後日、両親宛てに「深く反省している」という旨《むね》の手紙を書いているが、それにしても、二人の県警本部長が同じ遺族に頭を下げるとは。

そんなバカな話は聞いたこともない。

そしてついに。

二〇〇三年二月二十六日、さいたま地裁は国家賠償請求裁判の判決を下した。「名誉毀損《きそん》事件の捜査怠慢」に関しては警察の責任を認め、五百五十万円の慰謝料の支払いを命じたものの、殺害との因果関係については「警察官に殺害を予見し得たとは認められない」という内容だった。「警察がきちんと捜査してくれていたら、娘は殺されずにすんだ」という両親の一番の想いを、完全に裏切る判決だった。

この判決は、殺害前の嫌がらせ行為と、殺害事件を分離していた。警察の醜い言い逃れに、裁判所までまんまと乗せられたとしか言いようがなかった。

そしてそれは、私が危惧してきたことが現実になったということでもあった。

小松和人の不在。

警察のシナリオによれば、殺人事件の首謀者はあくまで武史だ。和人の容疑は名誉毀損だけ、しかも起訴猶予《ゆうよ》だ。ということは殺害事件前の警察への相談や告訴と、殺人事件は別なのだ、と主張することができる。事件さえ分離できれば、告訴状を改竄《かいざん》しようが、ストーカー被害がいかに酷《ひど》かろうが、詩織さんがどれだけ必死に警察に訴えていようが関係ない。それは、名誉毀損事件に関することなのだから、殺人事件とは関係ない。

実際に、県警側が国家賠償請求裁判に提出してきた書面にはこうも記されている。元になっているのは平成九年から十二年までの間に埼玉県警が扱った「つきまとい・無言電話」等に関する相談件数の報告書だ。結論としてこう書かれている。

《本県警察が、市民から「つきまとい・無言電話」等の相談を受けた事案について、殺人事件にまで発展したという事件は、皆無である》

凄《すさ》まじい結論だ。

詩織さんの事件が起きたのは平成十一年。彼女はまさにつきまとわれ、無言電話を受け、告訴までしたのにも拘《かかわ》らず、県警は、あの事件はストーカー行為の果ての殺人ではないと言うのである。

つまりは、埼玉県警は「桶川ストーカー殺人事件」という事件の存在そのものを消滅させようとしているのだ。マスコミの注目が薄れ、世間の関心がなくなると、反省を装《よそお》っていた警察はいつの間にか、知らん顔で覆水を盆に戻そうとしている。

だが、調書を改竄した三人の警察官の判決においては、同じ裁判所の刑事部が「迅速な捜査を行っていれば、恐らく殺害という事態は起こらなかった」と認定しているのだ。当時の現職県警本部長が、「名誉毀損の捜査がまっとうされていれば、このような結果が避けられた可能性もある……」と謝罪しているのだ。これは、「名誉毀損の捜査をきちんとやらなかったから、詩織さんは殺されたのだ」ということではないのか。

この判決には、裁判所よお前もか、としか思えなかった。


詩織さんは、「遺言」を残し、「遺書」を書き、「遺品」を残した。私はそれを道標に、小松和人を経由して久保田を特定した。

だからこそ分かる。

警察は「遺言」も、「遺書」も、そして「遺品」も、捜査になど使わなかった。私のような者が捜査員に先んじ、犯人を特定したのだ。それが何よりの証拠だろう。

警察法第二条にはこうある。《警察は、個人の生命、身体及び財産の保護に任じ、犯罪の予防、鎮圧及び捜査、被疑者の逮捕、交通の取締その他公共の安全と秩序の維持に当ることをもつてその責務とする》個人の生命、身体及び財産の保護。

その自らの責務を棚に上げ、調書の改竄まで行って捜査を行わず、いざ事件が起こっても週刊誌記者に先を越される。いや、私はいまだに疑っている。埼玉県警は果たして本気で捜査を行っていたのだろうか。姿の見えない大量の捜査員はなんだったのだろう。しかも、犯人を逮捕した後は調書改竄に走って不祥事隠し。国賠訴訟では名誉毀損事件の捜査をまっとうしなかったことと、殺害事件は関係ないなどと強弁し、何度も何度も詩織さんの「遺言」を封殺しようとする。それが詩織さんの、一般市民の、生きたい、助けてくれという叫びを殺すことになるのだと、なぜ気がつかないのだろう。彼らの行動のどこに、二条の精神が宿っていると言えるのだろう。

私は別に詩織さんを神聖視などしない。聖女のようなひとだったと言うつもりもない。私が言いたいのは、彼女は本当に普通の、あなたの周りにいるような、善良な一市民だったということだ。彼女は、私やあなたの娘がそうであるように、あらゆる意味で無実なのだ。ストーカー達は彼女を殺した。警察は告訴状を無視し、改竄した。彼女はなにをした？

彼女はただ訴えたのだ。警察に。助けてくれと。

小松和人に脅され、彼を含む得体の知れない三人組に自宅まで乗り込まれ、ビラを撒《ま》かれた。これ以上エスカレートされてはと警察に助けを求めたが、警察はまともに取り合ってくれなかった。

「警察は動いてくれない」と嘆く詩織さんに、島田さんはこうアドバイスしたという。

「このままじゃ殺されると言え、その場に座り込んででも、殺されると言い続けろ」と。何度も上尾署に通い、捜査をするには「告訴しかない」と上尾署に言われたから告訴した。殺人などを扱う刑事一課から知能犯を扱う二課に担当を変えたのも警察側の判断だ。もしも一課で、「恐喝でやりましょう」あるいは「殺人未遂でやりましょう」と言われれば、そう告訴しただろう。詩織さんは方法にこだわったわけではなく、ただ「助けて欲しい」と訴えただけなのだ。

告訴取り下げ依頼をし、さらに調書改竄で有罪判決を受けたH巡査長は、自分に対する検事の取調べの中でこう供述している。

「七月十五日の事情聴取のとき、詩織さんや（母親の）京子さんは『早く小松にあたってください、小松を逮捕してください。このままだと何をされるか分からない』などとせっぱ詰まった様子で頼んできました」

さらには、「私は詩織さんが殺されてしまったことについて『私達が真剣に捜査していれば、詩織さんは殺されずに済んだかもしれない』という思いで、詩織さんや詩織さんのご家族に本当に申し訳なく、そして自分自身、辛《つら》くてたまりません」と述べている。

H巡査長はその後、国賠訴訟法廷の証人尋問でも、「可能性として（事件が）エスカレートする危険性を心配していました」と証言している。上尾署は、当時の詩織さんの置かれた状況が危険であることを、充分認識していたということではないか。

だが、警察は告訴状など目にもしなかったかのように振る舞い続けた。殺害事件から五ヶ月も経った内部調査で、ようやく気づいたように謝罪を行う。それまで誰も知らなかったとでも言うのか。

そんなはずはないのだ。裁判の過程で判明した事実は以下の通りだ。

久保田達四人が逮捕された直後の十二月二十三日、H巡査長は当時の刑事一課長にこう指摘されたという。

「『告訴』で出ているんだから、ここ、やっぱり『届出』じゃまずいよ。『告訴』に直してよ」

そこでHは、改竄された告訴状をもう一度改竄する。つまり、すでに二本線を入れて「告訴」から「届出」にした調書の同じ部分を、再び線で消し、「告訴」に戻したのだ。

私はその告訴状を目にする機会があったが、それは二度にわたる改竄を行っても、なお全てを直しきったわけでもなく、「届出」と「告訴」が混在しているような代物だった。これでは事件直後の会見で、「告訴」になったり「届出」になったりと二転三転するわけだ。

無視され、勝手にいじくり廻され、無惨《むざん》な有り様となった告訴状。

それは、彼らが詩織さんの「遺言」を踏みにじった証《あかし》だ。助けてくれという被害者の声を、聞かなかったばかりか、反省もなく貶《おとし》めた証だ。

国賠訴訟裁判においても、その態度はなんら変わらない。自己防衛のために「遺品」を勝手に、都合よく利用し、被害者のプライバシーをぶちまけ、恐怖を感じながら書いた「遺書」など、だらしなく床に落ちていたただの手紙だ。

「……さようなら。元気でね」

自身に迫る危険を予期しなければ、そんな手紙を娘が両親に書き遺《のこ》すものか。これが、死者に対する冒瀆《ぼうとく》以外のなんだというのだろう。そもそもだ。私の理解力が低いからなのか、私は警察のこの言い分自体が今もって理解できないのだ。

「……「自分が死んだときのことを空想して情緒的に肉親等への手紙を書いたもの」で……」

こういうものを、普通の人は「遺書」というのではないのか。

詩織さんの両親は、控訴した。国賠訴訟はまだ終わったわけではない。

二〇〇三年十二月二十五日、殺害事件裁判で最後まで無罪を主張していた小松武史に対し、さいたま地裁の判決が下った。裁判長は、武史自身が直接久保田に「やってください」と指示を出したと認定し、武史に求刑通りの無期懲役を言い渡した。また、殺害に至る経緯についても、長期間の嫌がらせの延長線上での殺人事件だったことを認めた。十九ページにも及ぶ判決要旨はこう締めくくられている。

「……各犯行の罪質、内容、とりわけ、名誉毀損と殺人の犯行の動機、白昼、人通りの多い駅前で、無防備な被害者をミリタリーナイフで刺殺するという犯行の態様、落ち度のない若い女性である被害者に対し、長期間にわたって嫌がらせをし、ついに、その生命をも奪ったという一連の犯行の結果に照らすと、被告人の反社会性は根深く、被告人の罪責は重大である。そうすると、被告人に前科がないことなど酌《く》むべき情状を十分に考慮してみても、被告人に対しては、しょく罪のため、その終生をもって償わせるほかはない」

落ち度のない若い女性である被害者。

ここまで来るのに、なんと長い道のりだったことか。

「詩織は、本当に普通の女の子なんです」

あのカラオケボックスで、島田さんや陽子さんからそう聞いてから、すでに四年以上の月日が流れていた。

初めて詩織さんの部屋に入ったときのことを思い出す。

想《おも》い出《で》が多すぎて、母親もなかなか入ることが出来ないというその部屋は、いまだにあの日から時を止めたままだった。「警察が捜索の時入りましたけど、それ以外ほとんどなにも触っていないんです」と部屋へ続く階段を上りながら母親は言う。キティちゃんのプレートが下がったドアを開ければ、目に映るのは小さな頃から大切にしていたおもちゃ、到《いた》るところにあるキティちゃんのグッズ、小学校でもらった表彰状。机の上にも、洋服ダンスにもキティちゃんが顔を見せている。「ブランド好き」などというイメージは片鱗《へんりん》もない。両親からいっぱいの愛情を受けながら生きてきた少女が、大人へと変わっていこうとする、その歴史と証が刻みこまれた部屋。一目見るなり私は、胸をつかれる思いだった。そこには本当に普通の、そう、まるで自分の娘の部屋に入ったような生活感があったのだ。なんのことはない。すべての答はここにあったのではないか。

部屋の隅には、たどたどしい文字で「いのしおり」と書かれたおもちゃの木箱。

その文字には見覚えがあった。

葉書の文字だ。事件から一年が経って、両親の元に一枚の葉書が届いた。差出人は詩織さんだった。誰も予想しなかった、詩織さんからの便り。それは十六年前、幼かった詩織さんが、家族で行ったつくば科学万博で未来の自分に宛《あ》てて書いたものだった。

「何を書いたの?」と母に聞かれて、詩織さんは「届いたらわかるよ」とニッコリ笑ったという。その、少女らしい、たどたどしくも力強い筆跡。

わたしはいま、7さいです。

2001年のわたしは、どんなひとになっているかな。

すてきなおねえさんになっているかな。こいびとはいるかな。

たのしみです。


もちろん今は、葉書を待つ人はこの部屋にはいない。動きの止まった、静寂な空間だけが残されているばかりだ。生あるものは、ない。

そのはずだった。

だが次の瞬間、私は視野の片隅に何かの動きを捉《とら》えていた。ギクッとして、反射的に目をやった。フローリングの床には、ＣＤステレオのコンポがあるばかりだった。

微細な動き。ちらちらする動き。しんとして、音すらないその部屋で、私は体を堅くしてあたりを何度も見回した。やがて、ようやく、私にもそれが何であるかわかった。ＣＤコンポのパネルの中で、青く、細長いインジケーターがまるで命あるかのように明滅を繰り返していたのだ。肺の中に溜《た》め込んだ息を吐き出しながら、私はそれを凝視せずにはいられなかった。

消し忘れのコンポ。

あの日、詩織さんは急いで学校に向かった。つけていたコンポもそのままに立ち上がり、ドアを閉め、階段を下っていく。その最後の音がこの部屋に響いた後も、電源を切り忘れられたこのコンポは今も動き続けている。誰もいない部屋で、スイッチを消されることもなく、これからも、永遠に。

粛然とした私の脳裏にはいくつもの映像が浮かぶ。

まだ寒い春先の深夜、ライティングデスクに向かい、一人遺書を書き綴《つづ》った詩織さんの背中。

暑い夏の盛りに、電話や外の音に怯《おび》え、カーテンの隙間《すきま》から表を窺《うかが》う彼女の横顔。

あの秋の日の正午過ぎ、慌《あわ》てて出かけていく最後の姿。

そして、あの詩織さんの遺書は部屋のいったいどこにあったのか……。

誰もいなくなってしまったこの暗い部屋で、未《いま》だ明滅を繰り返すその「遺品」は、全《すべ》てを見ていたはずだ。

そう、全てを見ていたはずなのだ。

文庫版あとがき

久しぶりにお会いした詩織さんのご両親は、本当に強く、逞《たくま》しくなられていた。

事件の二ヶ月後、初めて詩織さんの家を訪ねた時は、神経をすり減らし、疲れ果て、弱々しい印象でしかなかった。殺人事件の実行犯が逮捕される前だったこともあり、警察の批判もできなかった頃のことだ。つぶやくように警察への不信を語った姿を覚えている。

現在では、ご両親は手分けして刑事、民事の裁判に出廷し、傍聴する。多くのマスコミの取材をこなし、さらには犯罪被害者や報道被害の集会、勉強会、そして街頭での署名運動も積極的にこなしている。

母親の京子さんは判決の日に、詩織さんの洋服を着て、腕にはあの時計をつけていく。娘の名誉のために闘うという二人は、娘を助けられなかったことに懺悔《ざんげ》の気持すらあるというが、お二人の強さの源は、詩織さんが残していった様々のものにある。言葉や遺書、そして遺品に。

物は何も語りはしない。

しかし雄弁にもできる。

真実を語らすことも、嘘《うそ》に利用することも。

今、お二人は、詩織さんが残していった品々と向き合い、娘がなぜ殺されたのか、その理由をはっきりさせることで彼女の生きた二十一年間の意味を確認しようとしている。お二人の強さを見るにつけ、私にはそう思えてならない。それを取材したものが今回の補章「遺品」である。

実はこの四年間は、私自身が大きく翻弄《ほんろう》された日々でもあった。

最初の変化はこの本を執筆してから一年後の暑い日、前触れもなくやってきた。私が十八年間にわたり関わり続けてきたＦＯＣＵＳが、休刊になったのだ。詳細については触れないが、私自身もその日を限りに、長かった雑誌の仕事にピリオドを打つことにした。私は新潮社を去り、苦楽を共にした仲間達も散りぢりになった。その後私がテレビ局の新米記者として、一から出直すことになったのはすでに書いた通りだ。

同じ頃、本書がＪＣＪ（日本ジャーナリスト会議）大賞という身に余る賞を頂戴《ちょうだい》した。

授賞理由は「週刊誌記者として警察記者クラブから疎外《そがい》されながらも、警察より早く犯人像を明らかにし、警察の不祥事まで追及するなどした果敢な取材姿勢」というものだった。取材姿勢に対する評価。まさにFOCUSという写真週刊誌の現場取材のスタイルを、最後に評価して頂けたようで感慨深いものに感じられた。

また、事件から三年が経過した秋、この『遺言』が日本テレビでドラマ化された。私の無理な願いが通り、原作に極力忠実なまま番組が作られたことには、感謝に堪えない。番組内では実際のニュース映像なども組み込まれ、ふざけた上尾署の会見映像なども日本中に向けオンエアされた。せめてもの救いだと思う。

本書を文庫化するにあたり、裁判を中心に再度事件を検証し、反芻《はんすう》してみた。十分に知ったつもりの事件だったが、改めて私はこの事件の根の深さを知り、裁判資料で新事実も知った。しかし、九章までの本編については、あえて一切の手を入れないこととした。なぜなら本編は、事件発生直後から、私自身が手探りでコツコツと取材した当時の事実を書き記したものであり、その後になって分かったことなどを考慮しても、やはり加筆や訂正する性格のものではないと思ったからである。記して読者の諒解《りょうかい》を得たい。

今回の取材でも、猪野さんのご両親にはご面倒をおかけした。この場をお借りして御礼を申し上げたい。そして、もう一度猪野詩織さんのご冥福《めいふく》を心より祈りたい。

最後に一つだけ、私事を書かせて頂きたい。それは、本書でも触れた私の娘のことだ。詩織さんの事件が起こってから、ちょうど三年目の秋、私の娘は世を去った。突然の事故により、その生を終えたのだ。私は仕事中にその報を聞いた。逝く彼女に会うことすら許されなかった。

桶川の事件は、私にとっては他人事《ひとごと》とは思えない事件だった。だが、子供を失うということが、一体どういうことか、私にはわかっていなかった。まさか自分自身で経験する人生だったとは、それまで考えたこともなかった。

娘が大切にしていた品々、のすけの写真、そしてもう誰も眠ることのないベッド……。

「パパぁ……」

今はもう、娘の声が消えてしまった部屋で、時計の針の音だけが時を刻んでいる。

どうにもならないことが、この世に存在するということ。

そして、死とは、もう二度とその人に会えなくなるということ。

娘の死で、私が得たのはその二つだけで、他は全てが喪失感でしかない。

この世に生を受けた娘が、実はたったの十四年間しか時間を持たない子だったことを、私はその日まで知らぬまま、毎日を過ごしてきた。今となっては、もう何もしてあげることが出来ない情けない親として、最後に娘の名前をここに記すことをお許し頂きたい。

私が付けた名前、もう二度と呼ぶことさえできない娘の名前は、清水あずさという。

清水　潔

二〇〇四年五月

文庫化に寄せて

猪野憲一

娘の詩織が殺害されてから、四年三ヶ月が経過した。

これを書いているいま、まだ今日の陽は昇っていない。キャンディーがまた、鳴いている。我が家で飼っているこの犬は、よく鳴いては私を目覚めさせる。今朝も彼女の声で目が覚めてしまった。しかし、詩織が生きていた頃は、こんなにも泣き叫ぶような吠《ほ》え方をしていただろうか。臆病《おくびょう》な犬なので、きっと鳴いていたのだろう、とも思うが、そうではなかったような気もする。

私には時々、キャンディーの声は、詩織を呼び、散歩に連れて行って欲しい、とおねだりしているように聞こえる。そして、その連想は、あの日々を私に思い出させる。ストーカー達に様々な嫌がらせを受け、助けを求めた上尾警察署には無視され、毎日を恐怖と不安と絶望の中で過していたあの日々を。詩織は、近所へ出るのも辛《つら》い筈《はず》だったのに、臆せず前を見、勇気を出して、キャンディーの散歩に行っていた。それは、殺害される当日まで続いた。

散歩の道すがら、二人で何を話し、何を嘆きあっていたのだろうか。励ましあったり、していたのだろうか。もしも、キャンディーと話すことが許されるのならば、詩織と過ごした日々のことを、日々の全《すべ》ての出来事を、時間を気にせず聞いてみたい。


私が初めて清水潔氏と接触したのは、詩織の殺害事件から約一ヶ月半が過ぎた十二月初旬だった。

その前に当時の我が家の状況を説明すると、殺害事件直後から、自宅には埼玉県警の刑事が半常駐のような形で居座っていた。私たち家族の身辺保護のためなのか、マスコミとの接触内容を確認するためなのか、その目的は定かではなかったが、ほとんどいつもと言っていいくらい彼らは我が家に居続けた。そのとき私たちの置かれていた状況から考えれば、彼らを無下に拒む理由はなかった。

小松ら犯人はまだ逮捕されていなかったし、その上、家の周囲には大勢のマスコミが昼夜を問わずへばりついていた。以前のような平穏な、普通の生活をすることなど望むべくもない、まるで軟禁されているような状態にあったのだ。当時の状況では、警察がいてくれることは心強いとさえ言えた。

しかし私たちがそうやって家の中に閉じこめられている間、テレビや新聞、雑誌などでは、殺された娘の名誉をズタズタに貶《おとし》めるような報道が次から次へと流れていた。面白おかしく書かれた、見る者の興味をそそれればそれでいいというような憶測記事も目についた。その影響からか、いつしかマスコミ取材陣の背後には、心無い野次馬たちも我が家を取り巻く包囲網の一部に加わるようになっていた。

罪も無く殺害された娘に、これ以上の汚名を着せる必要が、権利が、何でマスコミにあるのか。

私たちを取り巻くすべての人間に対して、言葉では言い表せない激しい怒りが湧《わ》いて来るのを抑え切れなかった。そして同時に、娘を思い出しては深い悲しみに沈み、現在置かれている状況に対しては大きな不安と苛《いら》立《だ》ちが募り、それらが繰り返し襲いかかってくることで、異様なストレスが溜《た》まっていった。

当然のことながら私たちは、早く小松ら犯人達を逮捕して欲しい、警察の捜査の状況を詳しく教えて欲しい、と我が家に詰めている刑事に頼んだが、期待どおりの結果は全く得られなかった。

それでも私は心の隅に、真実は明かされる、心ある報道は必ず出てくる、と微《かす》かではあったが明るい展望も持っていた。時の経過を待とう、そう自分に言い聞かせながら、私はその「時」を待っていた。

そうして私は清水氏に会った。その経緯は、本書に記載されている通りである。

殺害事件発生直後、私たちに入ってくる情報は少なかった。だが、私と妻の京子は、自分達なりに極めて限られた範囲の中でではあったが、詩織殺害の手がかりを求めていた。

そんな中、よく家に来てくれた島田君や陽子さんなどの詩織の友人たちは、重要な情報源だった。二人から得た情報は大きかった。詩織が私たちには言い出せずに思い悩み、友人たちには相談していたことや、小松和人の異常な性格、ストーカー行為に一層の拍車が掛かるように手引きしていた女友達のことなどは、彼らから初めて聞くことが出来たことだった。まったく捜査をしない上尾署に対する不満と憤《いきどお》り、絶望感についても。

しかし、当時の彼らは、娘を殺された傷心の両親に、全ての事実を伝えることが本当に正しいことなのか、躊躇《ちゆうちよ》してもいるようだった。詩織が、親に心配をかけたくない、自分と友人のみでこの事件を解決していこう、と思い悩んでいたことが彼らの念頭にはあったのだろうと思う。

その彼らから、「信頼してもよいマスコミの人がいます」、「話をしても大丈夫でしょう」と連絡が入ったとき、正直に言って私は少し悩んだ。「マスコミの人」とは「FOCUSの記者」のことだという。半信半疑、というのが偽らざる心境だった。

写真週刊誌「FOCUS」のことは知っていたし、年に数冊は自分で買っていた記憶もある。が、写真の持つ大きな力は、ページを開けばその内容が一目で分かってしまうところにある。テレビと違って、映像が瞬時に流れてしまうことがない。永遠に凝視することの出来る怖さがあった。

それと同時に、清水氏には申し訳ないが、この週刊誌は報道機関として認知されているのだろうか、また面白おかしく記事を流されてしまうのではないか、と不安になった。現に多くの週刊誌にデマ報道を流されていることを思うと、それは会う直前まで続いた、かなりの不安だった。

本書でも清水氏が週刊誌のイメージとして「派手な見出し、愚にもつかないスキャンダル、強引な取材」と捉《とら》えているくだりがあるが、清水氏と会うまでは私もそうした印象で週刊誌を考えていたところがある。だが、私は接触を取ることを決断した。

恐る恐る、というのが偽らざる心境だったが、清水氏が家に訪れたとき、その風貌《ふうぼう》に驚いた。想像していたのと大きく異なっていたのだ。私は勝手に、細長の顔、一重で切れ長の目、痩《や》せて長身の、一見強面《こわおもて》の人物を思い描いていた。

違っていた。小柄で丸顔、童顔で、気さくに話せる雰囲気があった。

こちらが切り出す前に、清水氏は語り始めた。詩織の人物像を正しく捉えていた。島田君、陽子さん達から得た情報も丁寧に、正確に語ってくれた。ようやく知り得た真実が、いくつもあった。

それまで私たちが知りえなかったことがらを、丹念に取材していたことが窺《うかが》われた。それは、遺族の家の外にへばりつき、何かというと「何か一言聞かせてほしい」、「犯人は誰だと思うか顔を見せてコメントして欲しい」、「詩織さんのことが聞きたい」と家の扉をたたく凡庸なマスコミ陣とは違って、自分の足で一つ一つ取材して得た事実の確かさだった。清水氏の話は、隔離状態の私たちには驚かされることばかりだった。

何といっても、耳を疑ったのは、詩織を殺害した実行犯を特定し、追い詰めているという事実だった。警察よりも先に実行犯にたどり着き、緊迫した状況の中、過酷な取材を続けているのだという。熱い言葉であった。私たちは、心臓が張り裂けるような気持ちになっていた。

そして清水氏は言った。

「詩織さんは、犯人と警察に殺されたんです」

同感だった。無念を必ず晴らしたい、そのためのバトンを託されたのだと思っている、と続ける清水氏の熱意は、こちらにもひしひしと伝わってきた。

私たちは初めて、マスコミに対して心を開くことに決め、取材の協力を約束した。

そうして私たちは、埼玉県警の刑事が半常駐している生活の中でも、確実に大きな情報が得られるようになっていった。

最初は清水氏らの孤軍奮闘、という感が無くもなかったが、やがてマスコミも、憶測に満ちた記事ばかりという当初の状況から、徐々に心ある報道が目につくようになった。

思えば不思議なこともあった。

詩織が殺害されたことを電話で知らされたとき、私は急いでタクシーを飛ばして上尾警察署に向かった。警察署の正面玄関を小走りに駆け抜けはしたものの、何処《どこ》へ行けば良いのか迷っていると、即座に声をかけてくれた人物がいた。

「猪野詩織さんのお父さんですか？」

「はい」

「この階段を上って二階です」

この、声をかけてくれた人物こそが後々まで、真の報道人として心ある報道を続け、本書にも登場する新聞記者「ミスターT」であった。不思議な出会い、というしかない。

捜査がなかなか進んでいないように見えた頃、常駐していたY刑事に殺人犯たちの捜査はどのように進んでいるのか聞いたことがある。「捜査員を数百人体制にして、徐々に犯人を追い詰めている。もう少し待って欲しい」と具体性の全く無い返事が返ってくるばかりだった。

あるとき私は、清水氏から得た情報を持ち出して、「あるマスコミの人から聞いたのだが、警察は動いていない様子だし、実行犯は誰なのかも分からず、接近すら出来ていないらしいではないか？」と聞いてみた。

Y刑事は、むっとしたような感じで口を開くと、「話は逆で、我々警察の後を金魚の糞《ふん》のようにつきまとっているマスコミがいる」、「それが捜査の邪魔になっているんですよ」などという答えが返ってきた。

十二月十九日には詩織殺害の実行犯久保田が逮捕されるが、その際も事前の詳細情報を伝えてくれたのは清水氏だった。当然ながら、警察からの連絡は後日となる。

どちらが正確な情報を伝えたかは、明らかである。

当時の清水氏の行動の実態と、犯人の動向並びに警察の対応は、本書に詳しく書かれている通りである。

本書が文庫化されることを清水氏本人から聞いたのは、二〇〇三年十二月中旬のことだった。ちょうど、この事件を映像化したテレビ朝日のドラマ「ひまわり」が放映された直後で、また、埼玉県警を相手にした国家賠償訴訟の第四回公判を控えた時期でもあった。刑事裁判の方では、最大の山場である、小松武史に対する一審判決が下されようとしていた。四年が経《た》ったというのに関連報道は衰えず、相変わらず「桶川ストーカー殺人事件」は話題になっていた。私たち家族の意思に拘《かかわ》らず、これからも話題になっていくのだろう、と思わされた。私としてはマスコミというものに関して、様々なことに思いをめぐらせずにはいられなかった。

マスコミは、しっかりと、正確に、世に真実を報道して行く事が出来るのか。細部に至るまで詳しく伝える責任とはどういうものなのか。限られた紙面、制約のある時間のなかで、どんなメディアであれ限界があることはわかっているつもりだが、それぞれのメディアの特徴を生かすことで、それぞれの役割を十分に果たして欲しい、というのが私の切なる望みでもある。

当初この『遺言』が単行本で刊行されたとき、私は多くの友人たちに読むように勧めたし、読んだあと、涙ながらに感想を語ってくれる人の言葉に聞き入った。詩織の「遺言」

を受けとった清水記者が、まさに自分の足で、犯人たちの実像を明らかにしていく執念の行動や、警察よりも早く実行犯にたどり着いた事実、警察の不祥事をいち早く世に伝えた経緯はいずれも素晴らしいものだとも思った。

だが、正直なところを言えば、私も、京子も、本書を読むのは非常に辛いものがあった。なにしろ、詩織の苦悩が、無念さが、数々の受け止めがたいが受け止めざるをえない事実が、この本には書かれているからだ。

本を開くと詩織が、色々な思い出と共に、私たちの心の中に、現れてしまうのだ。本を開いても、数行しか読めない日もあった。

しかし、詩織の無念を晴らす裁判を闘っていくためにも、私たちには事実をしっかりと押さえておく必要があった。たとえ数行しか読めなかったとしても、歯を食いしばりながら、本書の内容を頭の中に詰め込んだ苦しい記憶がある。

その苦しい思いを忘れたわけではないが、いま私は、本書にもう一度向き合ってみる必要性を感じている。

原点に立ち戻り、詩織がどのようにこの殺人事件に巻き込まれ、悩み、無念を残して殺害されてしまったのか、事件の詳細を、詩織の真の嘆きを、多くの人に伝えていきたいと強く願うようになっている。

本書には、人に与えられただけの垂れ流しの情報によってではなく、自らの研ぎ澄まされた直感と信念によって、真実を探り出そうと猛烈に突き進んだひとりの報道人の行動の結果が記されている。

この事件の真実を求める多くの人たちに、この事件がどのようなものだったのか、また、報道を志す人々に、報道する人間が真に持つべき姿勢とはどのようなものか、この本を手にする事で分かって頂けると信じ、心から願っている。

(平成十六年一月)

この作品は平成十二年十月新潮社より刊行された。

清水潔著

殺人犯はそこにいる
―隠蔽された北関東連続幼女誘拐殺人事件―
新潮ドキュメント賞・日本推理作家協会賞受賞

5人の少女が姿を消した。冤罪「足利事件」の背後に潜む司法の闇。「調査報道のバイブル」と絶賛された事件ノンフィクション。

土師守著

淳

「事故ですか」「いえ、事件です」――。最愛の我が子は無惨な姿で発見された。「神戸少年A事件」の被害者の父が綴る鎮魂の手記。

阿刀田高著

新約聖書を知っていますか

マリアの処女懐胎、キリストの復活、数々の奇蹟……。永遠のベストセラーの謎にミステリーの名手が迫る、初級者のための聖書入門。

阿刀田高著

シェイクスピアを楽しむために

読まずに分る〈アトーダ式〉古典解説シリーズ第七弾。今回は『ハムレット』『リア王』などシェイクスピアの11作品を取り上げる。

阿刀田高著

コーランを知っていますか

遺産相続から女性の扱いまで、驚くほど具体的にイスラム社会を規定するコーランも、アトーダ流に嚙み砕けばすらすら頭に入ります。

石井光太著

遺体
―震災、津波の果てに―

東日本大震災で壊滅的被害を受けた釜石市。人々はいかにして死と向き合ったのか。遺体安置所の極限状態を綴ったルポルタージュ。

最相葉月著

絶対音感

小学館ノンフィクション大賞受賞

それは天才音楽家に必須の能力なのか？ 音楽を志す誰もが欲しがるその能力の謎を探り、音楽の本質に迫るノンフィクション。

最相葉月著

セラピスト

心の病はどのように治るのか。河合隼雄と中井久夫、二つの巨星を見つめ、治療のあり方に迫る。現代人必読の傑作ドキュメンタリー。

櫻井よしこ著

何があっても大丈夫

帰らぬ父。ざわめく心。けれど私には強く優しい母がいた。出生からジャーナリストになるまで、秘められた劇的半生を綴る回想録。

「新潮45」編集部編

凶悪

―ある死刑囚の告発―

警察にも気づかれず人を殺し、金に替える男がいる――。証言に信憑性はあるが、告発者も殺人者だった！ 白熱のノンフィクション。

「新潮45」編集部編

殺人者はそこにいる

―逃げ切れない狂気、非情の13事件―

視線はその刹那、あなたに向けられる……。酸鼻極まる現場から人間の仮面の下に隠された姿が見える。日常に潜む「隣人」の恐怖。

福田ますみ著

でっちあげ

―福岡「殺人教師」事件の真相―

新潮ドキュメント賞受賞

史上最悪の殺人教師と報じられた体罰事件は、後に、児童両親によるでっちあげであることが明らかになる。傑作ノンフィクション。

福田ますみ著
モンスターマザー
―長野・丸子実業「いじめ自殺事件」教師たちの闘い―

少年を自殺に追いやったのは「学校」でも「いじめ」でもなく……。他人事ではない恐怖を描いた戦慄のホラー・ノンフィクション。

佐藤　優　著
国家の罠
―外務省のラスプーチンと呼ばれて―
毎日出版文化賞特別賞受賞

対ロ外交の最前線を支えた男は、なぜ逮捕されなければならなかったのか？　鈴木宗男事件を巡る「国策捜査」の真相を明かす衝撃作。

佐藤　優　著
いま生きる「資本論」

働くあなたの苦しみは「資本論」がすべて解決！　カネと資本の本質を知り、献身を尊ぶ社会の空気から人生を守る超実践講義。

帚木蓬生著
沙林　偽りの王国
（上・下）

医師であり作家である著者にしか書けないサリン事件の全貌！　医師たちはいかにテロと闘ったのか。鎮魂を胸に書き上げた大作。

帚木蓬生著
閉鎖病棟
山本周五郎賞受賞

精神科病棟で発生した殺人事件。隠されたその動機とは。優しさに溢れた感動の結末――。現役精神科医が描く、病院内部の人間模様。

井上理津子著
さいごの色街　飛田

今なお遊郭の名残りを留める大阪・飛田。この街で生きる人々を十二年の長きに亘り取材したルポルタージュの傑作。待望の文庫化。

磯部涼著
ルポ川崎

ここは地獄か、夢の叶う街か？　高齢化やヘイト問題など日本の未来の縮図とも言える都市の姿を活写した先鋭的ドキュメンタリー。

押川剛著
「子供を殺してください」という親たち

妄想、妄言、暴力……息子や娘がモンスター化した事例を分析することで育児や教育、そして対策を検討する衝撃のノンフィクション。

沢木耕太郎著
流星ひとつ

28歳にして歌を捨てる決意をした歌姫・藤圭子。火酒のように澄み、烈しくも美しいその精神に肉薄した、異形のノンフィクション。

白石仁章著
杉原千畝
―情報に賭けた外交官―

六千人のユダヤ人を救った男は、類稀なる〈情報のプロフェッショナル〉だった。杉原研究25年の成果、圧巻のノンフィクション！

南条あや著
卒業式まで死にません
―女子高生南条あやの日記―

リスカ症候群の女子高生が残した死に至る三ヶ月間の独白。心の底に見え隠れする孤独と憂鬱の叫びが、あなたの耳には届くだろうか。

百田尚樹著
夏の騎士

あの夏、ぼくは勇気を手に入れた――。騎士団を結成した六年生三人のひと夏の冒険と小さな恋。永遠に色あせない最高の少年小説。

西村 淳著

面白南極料理人

第38次越冬隊として8人の仲間と暮した抱腹絶倒の毎日を、詳細に、いい加減に報告する南極日記。日本でも役立つ南極料理レシピ付。

稲垣栄洋著

一晩置いたカレーはなぜおいしいのか
—食材と料理のサイエンス—

カレーやチャーハン、ざるそば、お好み焼きなど身近な料理に隠された「おいしさの秘密」を、食材を手掛かりに科学的に解き明かす。

安東能明著

消えた警官

二年前に姿を消した巡査部長。柴崎警部ら三人の警察官はこの事件を憑かれたように追いはじめる——。謎と戦慄の本格警察小説！

伊丹十三著

ヨーロッパ退屈日記

この人が「随筆」を「エッセイ」に変えた。本書を読まずしてエッセイを語るなかれ。一九六五年、衝撃のデビュー作、待望の復刊！

伊丹十三著

女たちよ！

真っ当な大人になるにはどうしたらいいの？マッチの点け方から恋愛術まで、正しく、美しく、実用的な答えは、この名著のなかに。

伊丹十三著

再び女たちよ！

恋愛から、礼儀作法まで。切なく愉しい人生の諸問題。肩ひじ張らぬ洒落た態度があなたの気を楽にする。再読三読の傑作エッセイ。

林 真理子著

小説8050

息子が引きこもって七年。その将来に悩んだ父の決断とは。不登校、いじめ、DV……家庭という地獄を描き出す社会派エンタメ。

NHK「東海村臨界事故」取材班

朽ちていった命
—被曝治療83日間の記録—

大量の放射線を浴びた瞬間から、彼の体は壊れていった。再生をやめ次第に朽ちていく命と、前例なき治療を続ける医者たちの苦悩。

石井光太著

近親殺人
—家族が家族を殺すとき—

人はなぜ最も大切なはずの家族を殺すのか。事件が起こる家庭とそうでない家庭とでは何が違うのか。7つの事件が炙り出す家族の姿。

NHKスペシャル取材班著

日本海軍400時間の証言
—軍令部・参謀たちが語った敗戦—

開戦の真相、特攻への道、戦犯裁判。「海軍反省会」録音に刻まれた肉声から、海軍、そして日本組織の本質的な問題点が浮かび上がる。

NHKスペシャル取材班編著

日本人はなぜ戦争へと向かったのか
—外交・陸軍編—

肉声証言テープ等の新資料、国内外の研究成果をもとに、開戦へと向かった日本を徹底検証。列強の動きを読み違えた開戦前夜の真相。

NHKスペシャル取材班編著

日本人はなぜ戦争へと向かったのか
—メディアと民衆・指導者編—

軍に利用され、民衆の〝熱狂〟を作り出したメディア、戦争回避を検討しつつ避けられなかったリーダーたちの迷走を徹底検証。

桶川《おけがわ》ストーカー殺人《さつじん》事件《じけん》
―遺言―

新潮文庫　し - 53 - 1

平成十六年六月一日発行
令和七年四月二十五日二十七刷

著者　清《し》水《みず》潔《きよし》
発行者　佐藤隆信
発行所　株式会社 新潮社

郵便番号　一六二―八七一一
東京都新宿区矢来町七一
電話　編集部(〇三)三二六六―五四四〇
読者係(〇三)三二六六―五一一一
https://www.shinchosha.co.jp

価格はカバーに表示してあります。

乱丁・落丁本は、ご面倒ですが小社読者係宛ご送付ください。送料小社負担にてお取替えいたします。

印刷・錦明印刷株式会社　製本・錦明印刷株式会社

ISBN978-4-10-149221-6 C0195